Sommaire

*Avec ce guide,
voici les
cartes Michelin
qu'il vous faut :*

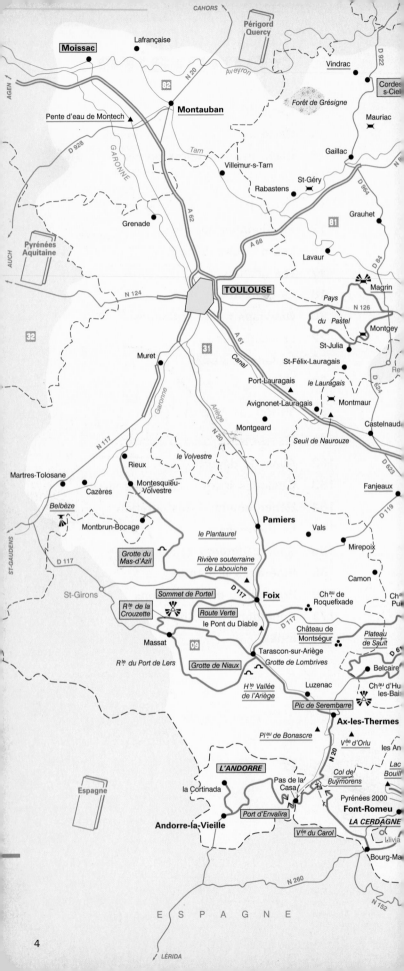

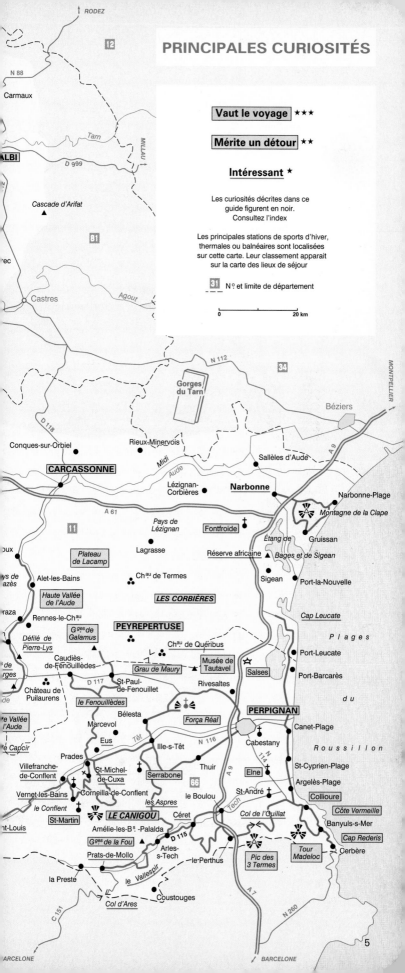

PRINCIPALES CURIOSITÉS

Vaut le voyage ★★★

Mérite un détour ★★

Intéressant ★

Les curiosités décrites dans ce
guide figurent en noir.
Consultez l'index

Les principales stations de sports d'hiver,
thermales ou balnéaires sont localisées
sur cette carte. Leur classement apparaît
sur la carte des lieux de séjour

31 N⁰ et limite de département

0   20 km

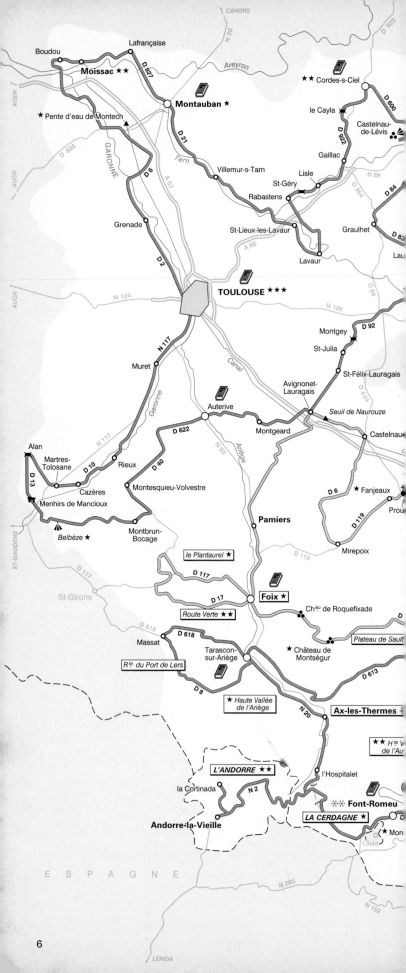

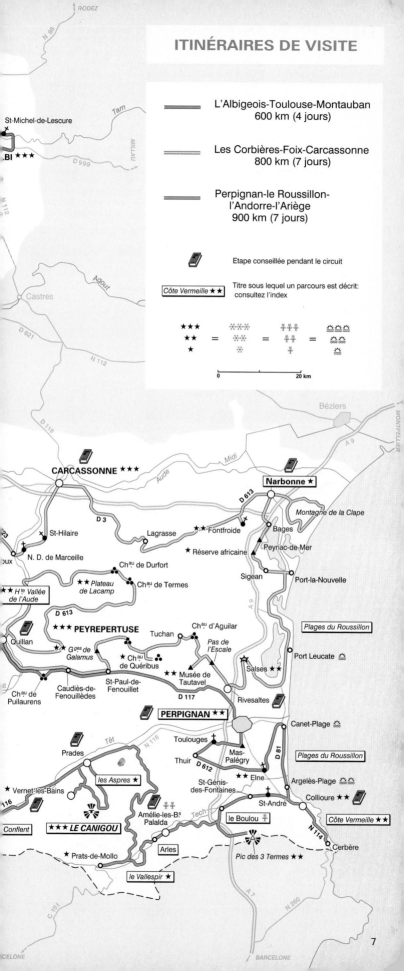

ITINÉRAIRES DE VISITE

L'Albigeois-Toulouse-Montauban
600 km (4 jours)

Les Corbières-Foix-Carcassonne
800 km (7 jours)

Perpignan-le Roussillon-
l'Andorre-l'Ariège
900 km (7 jours)

Etape conseillée pendant le circuit

Côte Vermeille ★★   Titre sous lequel un parcours est décrit:
consultez l'index

★★★
★★   =   ※※※   =   ‡‡‡   =   ♨♨♨
★   ※   ‡   ♨

0   20 km

RODEZ

St-Michel-de-Lescure

BI ★★★

Tarn

Castres

Béziers

MONTPELLIER

CARCASSONNE ★★★

Narbonne ★

Aude

Midi

Montagne de la Clape

St-Hilaire

Lagrasse   ★★ Fontfroide   Bages

Peyriac-de-Mer

N. D. de Marceille   ★ Réserve africaine

Ch.au de Durfort   Sigean   Port-la-Nouvelle

★★ Plateau
de Lacamp   Ch.au de Termes

★★ Hte Vallée
de l'Aude

Plages du Roussillon

★★★ PEYREPERTUSE   Ch.au d'Aguilar

Quillan   Tuchan   Pas de
l'Escale

★ Gges de
Galamus   ★ Ch.au   Port Leucate
de Quéribus   Salses ★★

★★ Musée de
Tautavel

Ch.au de   Caudiès-de-   St-Paul-de-
Puilaurens   Fenouillèdes   Fenouillet   D 117   Rivesaltes

PERPIGNAN ★★   Canet-Plage

Tét   Toulouges   Mas-
Palégry   Plages du Roussillon

Prades   Thuir   D 612

St-Génis-   ★★ Elne   Argelès-Plage
des-Fontaines

★ Vernet-les-Bains   les Aspres ★   St-André   Collioure ★★

Conflent   ★★★ LE CANIGOU   Amélie-les-Bs   le Boulou   Côte Vermeille ★★
Palalda

★ Prats-de-Mollo   Arles   Cerbère

Pic des 3 Termes ★★

le Vallespir ★

BARCELONE

7

LIEUX DE SÉJOUR

Le **guide Rouge Michelin France** des hôtels et restaurants et le **guide Camping Caravaning France** présentent chaque année un choix d'hôtels, de restaurants, de terrains, étab après enquête sur place. Hôtels et terrains de camping sont classés suivant la natu et le confort de leurs aménagements. Ceux d'entre eux qui sortent de l'ordinai par l'agrément de leur situation et de leur cadre, par leur tranquillité, leur accuei sont mis en évidence.

Les syndicats d'initiative et les offices de tourisme proposent d'autres type d'hébergements (gîtes ruraux, chambres et tables d'hôtes, etc.) en même temps qu' renseignent sur les activités locales de plein air et sur les manifestations culturelle traditionnelles ou sportives de la région. L'adresse et le numéro de téléphone de plus importants d'entre eux figurent au chapitre des Renseignements pratique Les **cartes Michelin au 1/200 000** (assemblage p. 3) permettent d'un simple coup d'œ d'apprécier le site de la localité. Elles donnent, outre les caractéristiques des route les emplacements des baignades en rivière ou en étang, des bases de loisirs, de piscines, des golfs, des hippodromes, des terrains de vol à voile, des aérodrome des refuges de montagne, des principales remontées mécaniques...

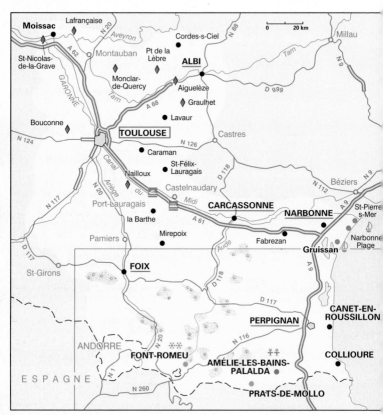

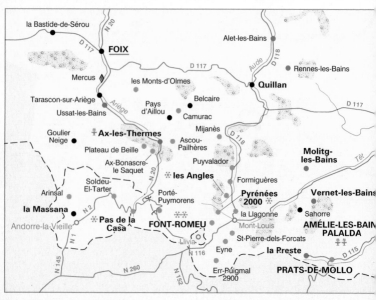

Choisir son lieu de séjour :

Les régions décrites dans ce guide présentent une grande variété de lieux de séjour. À côté des **stations thermales**, des **stations de sports d'hiver** et des **stations balnéaires**, la carte ci-contre fait apparaître des **lieux de séjour traditionnels**, sélectionnés pour l'agrément et la tranquillité du site, ainsi que des **« villes-étape »**, centres urbains de quelque importance qu'il faut visiter et qui offrent de bonnes possibilités d'hébergement.

Toulouse, capitale de la région Midi-Pyrénées, mérite pour sa part d'être distinguée, par ses richesses historiques, artistiques et son rayonnement culturel, comme **destination de week-end**.

LES CLIMATS

L'avant-pays – Le Bas-Quercy, l'Albigeois et le Toulousain subissent l'influence aquitaine. Les étés sont très chauds et émaillés de violents orages. Au printemps et à l'automne, d'abondantes précipitations détrempent la région. Toutefois, des sautes de vent interrompent les courants dominants d'Ouest et du Nord-Ouest : en automne, l'**autan** (vent du Sud-Est) balaie les plaines de son souffle tiède, sec puis chargé de pluie, dégénérant en rafales furieuses, cause de dégâts dans les cultures fragiles.

Un régime de températures contrastées, des ciels d'été fréquemment brouillés donnant une luminosité douce et un peu laiteuse, ont inspiré cette réflexion au géographe Emmanuel de Martonne : « Le Méditerranéen ne se sent plus chez lui. L'homme du Nord n'est cependant guère moins dépaysé. »

Le climat de montagne – Le cours de la Garonne trace une frontière climatique : l'influence océanique disparaît dans les Pyrénées ariégeoises, plus sèches. Cependant, la disposition du relief, l'altitude, l'exposition des versants apportent une infinité de nuances aux climats des vallées pyrénéennes. La position abritée de la Cerdagne, du Conflent et du Vallespir leur vaut une situation privilégiée, caractérisée par un remarquable ensoleillement, qui contraste avec celle des autres massifs, plus frais et humides.

Les grandes vallées sont balayées par les brises de montagne soufflant le matin de la plaine vers les hauteurs et engendrant à la mi-journée la formation de nuages sur les sommets ; le soir un phénomène identique se produit mais en sens inverse. La régularité de ce mécanisme est l'indice d'un temps stable.

L'enneigement, qui varie considérablement d'un massif à l'autre, tarde souvent : c'est à la fin de l'hiver et au printemps que la neige est le plus abondante.

Le versant méditerranéen – La sécheresse et la chaleur des étés constituent sa caractéristique essentielle. La moyenne des températures des mois d'été est la plus élevée de France (22°3 à Perpignan). Le **marin**, vent de mer, apporte quelques pluies, rares certes en cette saison, mais amenant un temps complètement « bouché ». Le Roussillon et les contreforts des Pyrénées méditerranéennes sont plus arrosés au printemps et en automne qu'en hiver où les coups de **tramontane**, vent froid et sec du Nord-Ouest, soutiennent la comparaison, par leur brutalité, avec le mistral.

Station de sports d'hiver

Station thermale

Station balnéaire

Ces stations sont classées dans leur catégorie, selon des critères qui leur sont propres :

✳✳✳ , ✳✳ , ✳   pour les stations de sports d'hiver

♯♯♯ , ♯♯ , ♯   pour les stations thermales

♨♨♨ , ♨♨ , ♨   pour les stations balnéaires

●   Lieu de séjour traditionnel

▭   Destination de week-end

──   Ville étape

◆   Base de loisirs

   Location de bateaux habitables

   Promenade en rivière

⛵   Port de plaisance

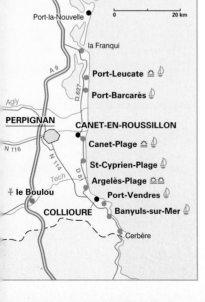

Port-la-Nouvelle

0   20 km

la Franqui

A 9

D 627

Port-Leucate ♨ ⛵

Port-Barcarès ⛵

Agly

PERPIGNAN

N 116

CANET-EN-ROUSSILLON

D 617

Canet-Plage ♨ ⛵

N 114

Tech

St-Cyprien-Plage ⛵

Argelès-Plage ♨♨

♯ **le Boulou**

D 81

Port-Vendres ⛵

COLLIOURE

Banyuls-sur-Mer ⛵

Cerbère

A la diversité des multiples petits « pays », qui constituent cette région, correspond un large éventail d'activités sportives et de détente, où chacun peut satisfaire ses goûts. L'intérêt, c'est qu'en moins d'une heure, on peut passer de la mer à la montagne.

Le nombre et la qualité des stations thermales permettent d'effectuer des séjours tout au long de l'année.

Quand partir ?

Le **printemps** est une période privilégiée pour apprécier l'éclosion de la flore dans la montagne et celle des arbres fruitiers dans le Roussillon.

L'**été,** sec et lumineux, voire aride, se prête aux multiples formes de randonnées ainsi qu'aux plaisirs balnéaires, aux sports d'eaux vives et au tourisme fluvial.

L'**automne** est encore doux sur la côte méditerranéenne ; la saison est propice à la découverte des Corbières et des châteaux cathares avoisinants.

L'**hiver,** les stations andorannes enneigées, les hauts plateaux du Capcir et de la Cerdagne, sont le domaine du ski, sous toutes ses formes : alpin, de randonnée, de fond.

Toute l'année est favorable à la découverte des villes d'arts, des abbayes et du patrimoine culturel.

Quelques prétextes

Le **Vendredi Saint** : la procession de la Sanch.

En **juin** : les feux de la Saint-Jean.

En **été** : les sardanes sur les places de village, les jeux tauromachiques de Céret, le Festival de Prades, les Estivales de Perpignan, le Festival de musique d'été à Toulouse, le Concours international de chiens de bergers à Osséja.

Introduction
au voyage

PHYSIONOMIE DU PAYS

Frontière naturelle entre la France et l'Espagne, les Pyrénées forment une barriè[re]
difficilement franchissable. Le versant français, en pente forte, n'a qu'une faib[le]
largeur ; il est entaillé par une série de vallées, séparées par de hautes cloison[s]
qui le mettent en relation avec la plaine et le littoral. Du Montcalm (3 078 m) a[u]
massif des Albères (1 256 m au pic Neulos), la montagne s'abaisse et tombe da[ns]
la mer. L'histoire de la chaîne commence à la fin du secondaire et au tertiaire lorsq[ue]
des plissements d'une immense amplitude bouleversèrent la vieille structu[re]
hercynienne. L'érosion nivela ensuite l'édifice, faisant réapparaître par décapage l[es]
formations sédimentaires primaires et même, dans la zone axiale, le noyau cristall[in.]

LES PYRÉNÉES CENTRALES

La structure pyrénéenne se caractérise par la juxtaposition de grandes unit[és]
géologiques disposées longitudinalement.

Les Prépyrénées – Les Petites Pyrénées et le Plantaurel résultent de plissements [de]
style jurassien qui ont façonné ce paysage de crêtes calcaires alignées, coupé[es]
de « cluses » (défilés de Boussens sur la Garonne, de Labarre sur l'Ariège) ouvra[nt]
aux cours d'eau le chemin de la plaine.

Les contreforts – Ces terrains d'ère secondaire, crétacés ou jurassiques, ont été pliss[és]
de façon plus violente. Les crêtes calcaires ou gréseuses, fortement disséquées, fo[nt]
place dans la région de Foix à des massifs cristallins de roches sombres détach[és]
de la zone axiale, tels que le massif du St-Barthélemy.

La zone axiale – Ce secteur constitue la véritable échine pyrénéenne. Parmi l[es]
sédiments primaires surgissent des noyaux granitiques reconnaissables surtout a[u]
modelé de leurs crêtes finement ciselées par l'érosion glaciaire. Les massi[fs]
granitiques sont les zones les plus riches en lacs de la montage pyrénéenne.

Vallées et sommets – L'absence d'un grand sillon qui, à l'intérieur de la chaîne, relier[ait]
parallèlement à la ligne de faîte, les vallées transversales reste un obstacle a[ux]
communications internes, tributaires de cols impraticables en hiver. Chaque vallé[e]
transversale a longtemps pâti de ce cloisonnement qui a favorisé la survivance d[e]
modes de vie de petits « pays ».

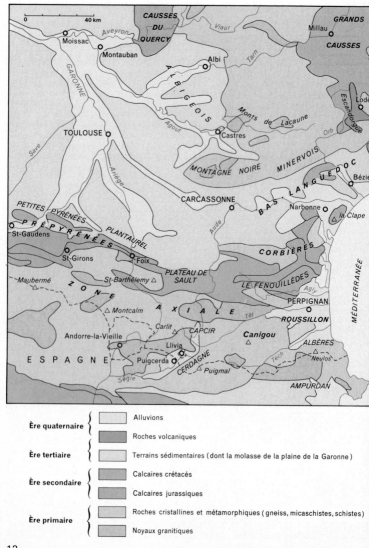

Ère quaternaire	Alluvions
	Roches volcaniques
Ère tertiaire	Terrains sédimentaires (dont la molasse de la plaine de la Garonne)
Ère secondaire	Calcaires crétacés
	Calcaires jurassiques
Ère primaire	Roches cristallines et métamorphiques (gneiss, micaschistes, schistes)
	Noyaux granitiques

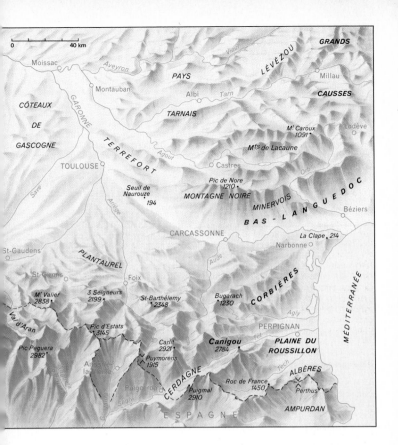

Citadelles massives, les montagnes de l'Andorre et de la haute Ariège, taillées dans des gneiss très résistants, règnent sur un paysage rude et sévère (éboulis, rocaille). Des gorges, creusées par les glaciers quaternaires, font saillie et aboutissent souvent à des lacs. Ces pays isolés font transition entre les massifs occidentaux et les Pyrénées méditerranéennes.

LES PYRÉNÉES MÉDITERRANÉENNES

Les Pyrénées méditerranéennes, secteur le plus épanoui de la chaîne, sont épaulées au Nord par un massif annexe, les Corbières, dont l'avancée jusqu'en vue de la Montagne Noire, dernière ride méridionale du Massif Central, sépare le Bassin Aquitain des plaines du Languedoc méditerranéen.

Les montagnes – Entre les Corbières et la zone axiale, les contreforts calcaires diffèrent, par plusieurs traits de relief et de paysage, de l'enveloppe sédimentaire Nord des Pyrénées centrales. Au **plateau de Sault**, sorte de causse forestier, succèdent des alignements de crêtes dont les silhouettes aiguës se redressent au-dessus du sillon du **Fenouillèdes**. L'Aude, née dans la zone axiale, creuse cette carapace de gorges grandioses.

Ces Pyrénées orientales, les plus fortement rehaussées par le soulèvement d'ensemble, ont été ramenées à des altitudes moindres que les Pyrénées centrales. Émergées les premières, elles ont subi plus longuement l'érosion et n'ont connu qu'une glaciation réduite, autour du massif du Carlit qui fut recouvert un moment d'une épaisse calotte de glace.

La **Cerdagne** et le **Capcir**, hauts bassins intérieurs érodés (1 200 m et 1 600 m), sont remplis d'argile, de marnes et de cailloutis accumulés à la fin de l'ère tertiaire. Ils regroupent villages et cultures.

À l'Est du Canigou (2 784 m), la montagne s'enfonce dans la fosse occupée par la Méditerranée. Les **Albères,** dernière avancée de roches cristallines de la chaîne, isolent deux compartiments affaissés : au Nord, le Roussillon, au Sud (en Espagne), l'Ampurdan.

Le Roussillon – Les sillons parallèles de la Têt et du Tech mettent en valeur la masse du **Canigou**. Ils permettent aux influences méditerranéennes de pénétrer au cœur de la montagne. Luminosité, sécheresse, végétation (orangers et lauriers roses) font la réputation de leurs stations climatiques.

Les fleuves côtiers connaissent de brutales variations de régime. Les inondations de l'automne 1940 sont restées dans le souvenir : Amélie reçut entre le 16 et le 19 octobre presque autant d'eau (758 mm) qu'en une année normale entière. On peut estimer que, durant ces trois journées, le Tech avait charrié, sur quelques kilomètres, 1/3 de plus que les transports totaux du Rhône en un an.

La plaine du Roussillon, qui s'étend sur 40 km, est un ancien golfe comblé (fin du tertiaire, début du quaternaire) par des débris arrachés aux massifs. Les terrasses caillouteuses et sèches (les **Aspres**), échancrées par de larges vallées et semées de buttes, sont le domaine des arbres fruitiers et de la vigne. Un cordon littoral sableux sépare la mer du secteur marécageux des **salanques**, où se sont accumulées plusieurs centaines de mètres d'épaisseur d'alluvions de l'Agly et de la Têt.

L'AVANT-PAYS LANGUEDOCIEN

Le Bas-Languedoc – Entre les **Corbières**, dernier bastion calcaire des Pyrénées, e les marges de sédiments primaires du Massif Central s'étend la partie la plu méridionale du Bas-Languedoc. La plaine sablonneuse, couverte de vignes, troué d'étangs en bordure de mer, ne porte que quelques collines calcaires (montagn de la Clape près de Narbonne), prolongement de la coulée basaltique d l'Escandorgue.

Les **barres** (ou **lidos**), qui séparent les étangs de la mer, ont été formées par le trava des vagues et des courants. Les graviers et les sables apportés par le Rhône à l mer, poussés vers les côtes languedociennes, ont entraîné la formation d'une barrièr sableuse devant l'entrée des baies. La « barre » transforma chaque baie en une lagun peu profonde isolée de la pleine mer ; après quoi elle finit par émerger, transforman à son tour la lagune en étang d'eau saumâtre.

Le couloir de la Garonne – La Garonne, fleuve au régime irrégulier et aux crue fréquentes, dessine, avec ses affluents, un vaste couloir de communication entr Aquitaine et Languedoc.

De part et d'autre, des massifs de collines ont été modelés dans l'épais substratur de **molasse** caractéristique de la région toulousaine. La molasse provient d'un superposition de couches de débris pyrénéens arrachés au milieu du tertiair – sables, marnes, argiles, calcaires peu résistants –, un ensemble tendre dans leque un réseau hydrographique s'est facilement inscrit.

A la périphérie, le relief ondule : au sud, des graviers viennent soutenir de petite côtes au pied des Pyrénées, au Nord, plateau ancien et collines sédimentaire s'interpénètrent (le pays tarnais).

L'Albigeois géographique recouvre toute une partie des plateaux situés au Sud-Es du Bassin Aquitain. Le paysage est fait d'une alternance de collines molassique (grès mous jaunâtres entrecoupés de lits calcaires et marneux discontinus) et d petits causses (Cordes, Blaye) ou de pitons (« puechs ») souvent couronnés d'u village.

TRADITION ET MODERNITÉ

A cheval sur deux régions de programme (Midi-Pyrénées et Languedoc-Roussillon l'espace Pyrénées-Roussillon-Albigeois présente un jeu de contrastes où se côtoien la tradition et la modernité.

La montagne

La vie rurale traditionnelle – Le terroir montagnard se divise en trois zones en bas, champs cultivés et villages, au palier intermédiaire, forêts et prairies d fauche, tout en haut, pâturages de montagne. Blé, seigle et maïs sont encore cultivé dans le Haut Vallespir, en Cerdagne et en Conflent. La vigne et l'olivier remontaien jadis dans les vallées des Pyrénées méditerranéennes, ils en ont quasiment disparu Les prés de fauche sont réservés aux versants les plus humides. S'insérant dan les finages, les bois de chêne vert, de pin sylvestre et de hêtre ont été rongé partiellement par les défrichements et cèdent ainsi la place à des landes de genêt ou des garrigues.

Ces vallées de montagne, où les villages se regroupent en communautés, ont l'allur d'un joli bocage ouvert.

En se modernisant, la transhumance a pu continuer à se pratiquer et permet, grâc à la présence de vastes troupeaux, un entretien encore satisfaisant de surface d'estives.

La vie rurale traditionnelle ne tient plus qu'une faible place dans les activités d la montagne.

Le dépeuplement a frappé particulièrement les petites vallées en cul-de-sac, le villages isolés de soulanes où les friches et les landes ont remplacé peu à peu le cultures et les prairies.

Le renouveau – La vocation industrielle des Pyrénées repose sur l'exploitation de ressources énergétiques.

Les antiques forges catalanes fonctionnaient au charbon de bois. Mais dès 190 débuta l'aménagement hydro-électrique de la montagne, qui s'est poursuivi jusqu'a nos jours (le complexe de l'Hospitalet date de 1960).

Hors de cela, on observe une assez grande variété industrielle (mines de talc d Luzenac, cimenteries, textile, aluminium, métallurgie différenciée, industrie du bois etc.) qui maintient l'activité des vallées. Cependant, cette industrialisation rest limitée, elle ne suffit pas à enrayer le dépeuplement et, à cause de son ancienneté connaît de sérieuses difficultés d'adaptation.

Les vallées les plus vivantes sont traversées par des routes fréquentées, elle concentrent la population et les équipements et misent beaucoup sur le tourism pour accroître leur développement.

La capacité d'hébergement ne cesse de s'accroître sur les sites du thermalisme e des sports d'hiver. Ces mutations récentes ont provoqué un brassage de population le départ des autochtones étant compensé par l'installation d'immigrés nationau et étrangers.

*Les **cartes Michelin** du pays figurent*
sur le tableau d'assemblage en page de sommaire.

Dans les descriptions, nous renvoyons à celles qui,
par leur échelle ou leur découpage,
présentent le plus de clarté ou de commodité.

14

e jardin roussillonnais – Avec ses vergers, ses cultures maraîchères, ses vignes, Roussillon ressemble à un jardin.

existence d'un réseau d'irrigation très rationnel ainsi que l'usage de serres, d'abris tunnels en plastique ont permis d'accroître la production légumière.

mates, pommes de terre primeurs, salades d'hiver (laitues, scaroles) dominent rmi les productions légumières, tandis que, parmi les fruits, les pêches, les ctarines et les abricots constituent l'essentiel de la production fruitière. Ces pèces sont essentiellement implantées dans la plaine du Roussillon mais elles ospèrent aussi en moyenne montagne jusqu'à 600 m d'altitude.

n récolte aussi des cerises précoces dans les vergers de Céret, des pommes en allespir et surtout dans le moyen Conflent.

habitat du Roussillon est essentiellement groupé en villages, mais dans certaines gions, la présence de « mas » témoigne d'un habitat dispersé lié généralement une structure plus importante des exploitations agricoles. Les villes de Perpignan, ne et Ille-sur-Têt vivent au rythme des marchés de gros.

e vignoble – La vigne couvre les coteaux de l'Agly, le glacis caillouteux des Aspres borde la Côte Vermeille qui est la région la plus typique du littoral roussillonnais. encépagement permet de produire une large gamme de vins de coteaux, des vins ancs « verts » ou rosés aux rouges capiteux. Les **Côtes du Roussillon** viennent sur s marnes et les schistes brûlés de soleil du versant méridional des Corbières, ainsi ue sur les terrasses sèches des Aspres jusqu'aux Albères.

a plus grande partie de la production reste néanmoins celle des Vins Doux Naturels : vesaltes, Banyuls et Maury.

a production de vins de pays et de consommation courante est en voie de iminution au profit du développement de vins de cépage.

a création d'une industrie vinicole offre quelques débouchés supplémentaires : péritifs (Thuir), vermouths et liqueurs.

a pêche maritime – Les ports de la Côte Vermeille et du littoral audois abritent ne flottille de pêche diversifiée en quatre secteurs d'activité.

a pêche au « **lamparo** », orientée principalement vers la capture de sardines et 'anchois, est un procédé utilisant des lampes puissantes installées sur une mbarcation annexe.

a pêche au thon rouge se pratique à bord de puissantes embarcations pouvant ller en haute mer. L'engin de capture est un vaste filet tournant et coulissant.

a pêche au chalut, centrée sur Port-Vendres, Port-La-Nouvelle et St-Cyprien, utilise omme mode de capture des filets en forme de poche remorqués sur le fond ou n pleine eau.

a pêche aux petits métiers (filets maillants, trémails, palangres) est pratiquée en er et dans les lagunes littorales (capture des anguilles).

arallèlement, la production d'huîtres de l'étang de Leucate et celles de moules de leine mer au large de Gruissan et de Fleury-d'Aude s'accroît.

es plages – Depuis l'embouchure de l'Aude, la côte du golfe du Lion aligne 0 kilomètres de côte basse puis les découpures rocheuses de la Côte Vermeille, usqu'à la frontière espagnole.

 la suite de l'aménagement du littoral Languedoc-Roussillon, sont apparues des unités touristiques » modernes plantées dans le sable qui contrastent avec les orts de la côte rocheuse, intallés au fond de baies étroites et marqués par leur ocation antique de petites cités maritimes.

.'intérieur : entre Aude et Garonne

Des pays agricoles – La polyculture traditionnelle (blé, maïs, vigne) s'inscrivait lans le cadre de la petite exploitation. Celle-ci a évolué sous le poids des contraintes echniques et de la nécessaire spécialisation. Les sols de culture se partagent entre es **terreforts**, argileux, lourds à travailler, mais fertiles, qui portent les céréales, et es **boulbènes**, plus légers et pauvres, composés de sable, de limons argileux et de ailloux.

e Toulousain et le Lauragais passent pour des régions agricoles riches, le « grenier » lu Midi, en dépit d'un exode rural qui a sévi fortement. Les plaines alluviales de a Garonne et du Tarn sont, par contre, le domaine des fruits (pommes golden, poires, êches, fraises). Le maraîchage tient également une place importante dans la vie igricole ; il peut être associé à l'élevage des volailles. Le vignoble, hormis les coteaux de Gaillac à l'Ouest, se concentre dans la région de Carcassonne et de .imoux.

.a maison rurale change avec le paysage. En Lauragais et Toulousain, on construit les maisons basses en brique dont les différentes parties (habitation, écurie, grange, :harretil) sont abritées par un même toit à faible pente. Dans le Bas-Languedoc en evanche, la maison s'élève : au rez-de-chaussée l'étable et la cave, à l'étage 'habitation (autrefois salle unique), au-dessus le grenier à foin.

La modernité industrielle – Autour des pôles aéronautique et spatial de la nétropole toulousaine s'est développé un tissu de petites entreprises. La chimie, 'électro-métallurgie, le textile, le cuir, les industries agro-alimentaires et l'exploitation lu granit contribuent aussi au développement local. Dans le Carmausin, l'exploi-:ation du charbon ne se fait plus qu'à ciel ouvert sur le site de la Découverte Ste-Marie.

.e canal du Midi ne joue, quant à lui, qu'un faible rôle dans les échanges économiques ; sa vocation devient de plus en plus touristique.

.'agglomération de Toulouse (près de 550 000 habitants) est le centre attractif de la région Midi-Pyrénées. Avec son fort potentiel de recherche, ses indus-:ries de pointe et ses services, elle rayonne bien au-delà des frontières régionales.

LES PRODUITS DU TERROIR

La cuisine

Le cassoulet – Il existe trois sortes de cassoulet : celui de Castelnaudary (l'« authentique »), celui de Toulouse et celui de Carcassonne. C'est un ragoût à base de haricots blancs auxquels on ajoute des morceaux d'oie ou de canard ainsi que de la charcuterie.

Le choix des ingrédients est primordial. Le haricot blanc ou « mongette », cultivé en Lauragais autour de Castelnaudary, a un grain long, charnu, onctueux et une peau fine qui facilite l'imprégnation du parfum des autres composants : le confit d'oie ou de canard (cuisses ou ailes conservées dans la graisse de leur cuisson) et la saucisse fermière de Toulouse.

La cuisson, à feu doux, se fait dans une casserole en terre rouge (« cassolo » ou « toupin ») où se mélangent les arômes subtils du cassoulet.

Le cassoulet.

Les recettes locales – A Castelnaudary, on fabrique de petits gâteaux sans crème appelés « alleluias » et « glorias ». A Carcassonne, en dehors du foie gras et du cassoulet, on déguste de délicieux fruits confits. A Limoux, la fricassée les gâteaux au poivre et les nougats font le régal des gourmets.

Dans la montagne ariégeoise, la charcuterie traditionnelle – saucissons enveloppés d'une gangue de poivre, jambons safranés – côtoie les excellents fromages de brebis à croûte noire.

La cuisine catalane – On retrouve ici le domaine méditerranéen, avec la cuisine à l'huile, l'aïoli (en catalan ail y oli), l'anchoïade (el pa y all), etc.

La **bouillinade** – bouillabaisse locale –, le civet de langouste au Banyuls (le Banyuls sec se prête admirablement à la cuisine et le vin doux aux entremets ou salade de fruits), font un digne cortège aux anchois de Collioure. Dans les Aspres, l'**escalade** est une soupe parfumée au thym, à l'ail, à l'huile et aux œufs.

Les bolets frits à l'huile arrosés d'une sauce aux olives accompagnent aisément le gibier (perdreaux et lièvres). La charcuterie catalane garde son authenticité : boudin (boutifare), saucisson de foie de cochon et, surtout, jambons et saucissons secs de la montagne cerdane.

La **cargolade**, grillade de « petits gris » de la garrigue, à la braise de sarments de vigne, donnait leur note d'allégresse aux repas champêtres pris après les dévotions aux ermitages.

Les vins

Le vin de Gaillac – Le vignoble de Gaillac s'étend à l'Ouest d'Albi sur des coteaux bénéficiant d'une Appellation d'Origine Contrôlée.

La blanquette de Limoux – Mûrissant sur les coteaux du Limouxin, les raisins de Mauzac et de Clairette donnent un vin blanc mousseux et pétillant dont le succès atteste la qualité.

Les vins du Roussillon et des Corbières – Le vignoble du Roussillon se caractérise par ses vins doux et naturels de qualité, ses Appellations d'Origine Contrôlées **Côtes du Roussillon** et **Côtes du Roussillon Village**, ainsi que par ses vins de pays assez corsés et charnus.

Les vins doux naturels représentent l'essentiel de la production française de cette catégorie. Les cépages nobles utilisés : Grenache, Maccabeu, Carignan, Malvoisie entre autres, gratifient ces vins de leur chaleur et de leur bouquet.

La température et l'exposition privilégiée permettent d'atteindre une maturité parfaite et une richesse naturelle en sucre très élevée. Les crus les plus fameux sont le **Banyuls**, le **Maury**, le **Muscat de Rivesaltes** et le **Rivesaltes**.

L'Appellation d'Origine Contrôlée **« Fitou »** est réservée à un vin rouge des Corbières. Le degré minimum ne doit pas être inférieur à 12°, le rendement à l'hectare est limité à 30 hectolitres, et un vieillissement en cave d'au moins neuf mois est imposé. Les vins de Fitou, issus de cépages de choix, ont beaucoup de force et de corps.

L'aire d'Appellation d'Origine Contrôlée des **« Corbières »** se répartit sur onze terroirs produisant une palette de crus spécifiques. Outre les vins rouges, fins et bouquetés, on trouve des vins rosés, fruités, et quelques vins blancs secs.

Gourmets...

*Chaque année, le **guide Rouge Michelin France** vous propose un choix de bonnes tables.*

LES GROTTES

Sous l'impulsion d'Édouard-Alfred Martel et de Norbert Casteret, l'exploration et l'étude du monde souterrain ont pris la dimension d'une science, la spéléologie. Édouard-Alfred Martel se vit confier une mission hydrologique par le ministère de l'Agriculture et visita de nombreuses cavités, durant quatre mois de campagnes étalées de 1907 à 1909. Norbert Casteret franchit un syphon en plongée libre en 1922 et relata ses premières aventures dans de nombreux ouvrages.

Les grottes offrent un intérêt touristique multiple. Non seulement elles conduisent à la découverte de paysages naturels fantastiques, mais de plus elles recèlent d'impressionnantes traces de la préhistoire.

L'infiltration des eaux – Sur les massifs calcaires très fissurés – comme on en rencontre dans les Pyrénées du bord de la Méditerranée (Font-Estramar) aux soubassements du Mont Perdu à près de 3 000 m d'altitude – les eaux de pluie ne circulent pas à la surface du sol ; elles s'infiltrent. Chargées d'acide carbonique, elles dissolvent le carbonate de chaux contenu dans le calcaire. Alors se forment des dépressions

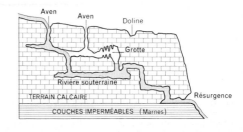

généralement circulaires et de dimensions modestes appelées **dolines**. Si les eaux de pluie s'infiltrent plus profondément par les innombrables fissures qui fendillent la carapace calcaire, le creusement et la dissolution de la roche engendrent la formation de puits ou abîmes naturels : les **avens**. Peu à peu, les avens s'agrandissent, se prolongent par des galeries souterraines qui se ramifient, communiquent entre elles et s'élargissent en grottes.

Rivières souterraines et résurgences – Les eaux d'infiltration atteignant le niveau des couches de terrains imperméables (marnes ou argiles) sont à l'origine d'un véritable réseau de rivières souterraines dont le cours se développe parfois sur plusieurs kilomètres.

Les eaux se réunissent, finissent par forer des galeries, élargissent leur lit et se précipitent souvent en cascades. Lorsque la couche imperméable affleure au long d'une pente au flanc d'un versant, le cours réapparaît à l'air libre en source plus ou moins puissante, c'est une **résurgence**, comme la fontaine de Fontestorbes.

La circulation souterraine des eaux à travers les puits et les galeries est tout à fait instable car la fissuration de la roche affecte continuellement le drainage du sous-sol. Nombreux sont les anciens lits abandonnés au profit de galeries plus profondes qu'emprunte la rivière actuelle. L'exemple de Labouiche est remarquable à cet égard. Lorsque l'eau s'écoulent lentement, elles forment de petits lacs délimités par des barrages naturels festonnés. Ce sont les **gours** dont les murettes sont édifiées peu à peu par dépôt du carbonate de chaux sur le bord des flaques d'eau qui en sont saturées.

Il arrive qu'au-dessus des nappes souterraines la dissolution de la croûte calcaire se poursuive : des blocs se détachent alors de la voûte, une coupole se forme, parfois immense comme à Lombrives, dont la partie supérieure se rapproche de la surface du sol. Lorsque la voûte de cette coupole devient très mince, un éboulement découvre brusquement la cavité et ouvre un gouffre.

Formation des concrétions – Au cours de sa circulation souterraine, l'eau abandonne le calcaire dont elle s'est chargée en pénétrant dans le sol. Elle édifie ainsi un certain nombre de concrétions aux formes fantastiques. Dans certaines cavernes, le suintement des eaux donne lieu à des dépôts de calcite (carbonate de chaux) qui constituent des pendeloques, des pyramides, des draperies, dont les représentations les plus connues sont les stalactites, les stalagmites, les excentriques.

Les **stalactites** se forment à la voûte de la grotte. Chaque gouttelette d'eau qui suinte au plafond y dépose, avant de tomber, une partie de la calcite dont elle s'est chargée. Peu à peu s'édifie ainsi la concrétion le long de laquelle d'autres gouttes d'eau viendront déposer leur calcite.

Les **fistuleuses** sont des stalactites offrant l'aspect de longs macaronis effilés pendant aux voûtes.

Les **stalagmites** s'élèvent du sol vers le plafond : les gouttes d'eau tombant toujours au même endroit déposent leur calcite qui forme peu à peu un cierge. La rencontre d'une stalactite et d'une stalagmite constitue une **colonne**.

La formation de ces concrétions est extrêmement lente : elle est, actuellement, de l'ordre de 1 cm par siècle sous nos climats.

Les **excentriques**, très fines protubérances dépassant rarement 20 cm de longueur, se développent en tous sens sous forme de minces rayons ou d'éventails translucides.

Des phénomènes complexes de cristallisation les libèrent des lois de la pesanteur.

Grotte à concrétions.
1. Stalactites – **2.** Stalagmites –
3. Colonne en formation – **4.** Colonne formée.

LA PRÉHISTOIRE

L'ère quaternaire débuta il y a environ 2 millions d'années et fut marquée par le développement des glaciers qui envahirent les hautes montagnes (glaciations de Günz, de Mindel, de Riss, de Würm). L'événement capital de ces temps reculés reste cependant l'installation des premiers humains en Europe, notamment dans les Pyrénées.

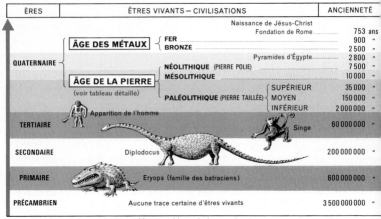

ÈRES	ÊTRES VIVANTS – CIVILISATIONS			ANCIENNETÉ
		Naissance de Jésus-Christ		
		Fondation de Rome		753 ans
	ÂGE DES MÉTAUX { FER			900 "
	BRONZE			2 500 "
QUATERNAIRE		Pyramides d'Égypte		2 800 "
	NÉOLITHIQUE (PIERRE POLIE)			7 500 "
	ÂGE DE LA PIERRE MÉSOLITHIQUE			10 000 "
	(voir tableau détaillé)		SUPÉRIEUR	35 000 "
	PALÉOLITHIQUE (PIERRE TAILLÉE) {		MOYEN	150 000 "
			INFÉRIEUR	2 000 000 "
	Apparition de l'homme			
TERTIAIRE			Singe	60 000 000 "
SECONDAIRE	Diplodocus			200 000 000 "
PRIMAIRE	Eryops (famille des batraciens)			600 000 000 "
PRÉCAMBRIEN	Aucune trace certaine d'êtres vivants			3 500 000 000 "

Lire ce tableau de bas en haut

L'archéologie et les moyens scientifiques de datation ont permis de distinguer des phases d'évolution – paléolithique, mésolithique, néolithique –, elles-mêmes subdivisées en de multiples périodes. *Voir tableau ci-dessous.*

Le paléolithique inférieur – Le paléolithique inférieur est représenté dans les Pyrénées par l'**« Homme de Tautavel »** *(voir aussi p. 141),* dont les restes crâniens ont été découverts en 1971 et en 1979 par une équipe du professeur H. de Lumley dans une couche de sédiments très anciens de la **Caune de l'Arago**.

ÂGE DE LA PIERRE

PÉRIODES	CLIMATS	FAUNE	RACES HUMAINES	STADES DE CIVILISATION	SITES
⌐2 500 **NÉOLITHIQUE**	Période			Pointes de flèches Haches en pierre polie	
└7 500 **MÉSOLITHIQUE**	chaude				
AZILIEN					Mas d'Azil
└10 000 MAGDALÉNIEN	Glaciation		Race de Cro-Magnon	Art des Vénus Aiguilles à chas	Trois Frères
SOLUTRÉEN				Burins Harpons	Niaux
SUPÉRIEUR AURIGNACIEN	de Würm	Âge du renne Mammouth, Ours Hyène des cavernes		Lame à dos rabattu convexe Sagaies	Bédeilhac
PÉRIGORDIEN		Rhinocéros laineux Hippopotame	**Homo sapiens**	Outillage osseux varié	
└35 000 MOUSTÉRIEN				Éclats de forme ovale Lames, Disques	
MOYEN LEVALLOISIEN	Période chaude			Pointes, Racloirs Industrie du silex à " biface "	
└150 000 TAYACIEN		Âge du mammouth Éléphant	**Homme de Néandertal**		
ACHEULÉEN	Glaciation de Riss	Apparition du mammouth		Coups de poing taillés en silex ou en quartzite	
	Période	Bœuf Lion		Perçoirs Racloirs	
PALÉOLITHIQUE				Scies	
	chaude	Bison Rhinocéros Tigre			
INFÉRIEUR	Glaciation de Mindel		Homme de Tautavel	Coups de poing Silex taillés sur les deux faces ou " bifaces "	Caune de l'Arago
CLACTONIEN		Hippopotame Rhinocéros			
ABBEVILLIEN (PEBBLE CULTURE)	Période chaude	Grand ours	**Homme de Java Pithécanthrope** (Insulinde)		
	Glaciation de Günz				
└2 millions			Lucie Australopithèque (Ethiopie) **Homo erectus**		
└3 millions					

Lire ce tableau de bas en haut

18

Homme de Tautavel appartient au groupe de l'« Homo erectus », qui vivait en Roussillon il y a 450 000 ans. Il était âgé de 20 à 25 ans et possédait une stature droite d'1,65 m environ. Son faciès était caractérisé par un front plat et fuyant, des pommettes saillantes, des orbites rectangulaires surmontées d'un épais bourrelet. Aucune trace de foyer n'ayant été retrouvée, on en a déduit que ce grand chasseur, qui ne domestiquait pas le feu, consommait de la viande crue.

Les premiers chasseurs qui vinrent s'installer à la Caune de l'Arago utilisaient celle-ci à plusieurs fins : comme poste de guet pour observer les déplacements des animaux venant s'abreuver dans le Verdouble, comme campement temporaire comme lieu de dépeçage et comme atelier de fabrication d'outillage.

Grâce à la palynologie (étude des grains de pollen fossilisés), on a pu déterminer les caractères spécifiques de la flore et de la faune des différentes époques. Si l'alternance climatique introduisit des changements (de la steppe à graminées à la forêt de feuillus), on constate néanmoins que les espèces végétales méditerranéennes (pins, chênes, foyers, platanes, vignes sauvages, etc.) se sont constamment maintenues. La région était très giboyeuse : au nombre des grands herbivores comptaient les rennes, les daims, les thars (sortes de chèvres de montagne), les rhinocéros de prairie, les bisons, les bœufs musqués mais aussi les cerfs élaphes et les mouflons antiques. Les carnivores (ours, loups, chiens, renards polaires, lions des cavernes, chats sauvages) étaient recherchés pour leur fourrure. Le petit gibier était représenté par des rongeurs (lièvres, campagnols, castors, mulots) et des oiseaux encore présents de nos jours (aigles royaux, gypaètes barbus, pigeons, bartavelles, chocards à bec rouge).

L'outillage retrouvé est en général de petite dimension (racloirs, encoches denticulées, grattoirs), les outils les plus grands étant des galets aménagés de 5 à 10 cm en moyenne (choppers, bifaces plus ou moins tranchants, polyèdres). Les hommes se servaient des matériaux environnants tels que le quartz, le schiste et, plus rarement, le calcaire, le silex et le jaspe.

Le paléolithique moyen – L'existence de nombreux gisements moustériens montre que l'homme de Néanderthal parcourait les Pyrénées. D'une taille supérieure à celle de l'« homo erectus », il possédait une boîte crânienne très développée (1 700 cm³). Il dut s'adapter aux conditions climatiques créées par la glaciation de Würm. Les Néanderthaliens perfectionnèrent et spécialisèrent l'outillage. Ils taillaient de nombreux bifaces, des couteaux à bord abattu courbe, des burins, des grattoirs, des perçoirs et toutes sortes de pièces à encoches. L'évolution se manifeste aussi par la construction de vastes habitats et surtout par l'aménagement de sépultures.

Le paléolithique supérieur – Avec l'« homo sapiens », une présence humaine importante est attestée dans les Pyrénées. L'outillage de pierre est complété, à la période aurignacienne, par l'os et la corne. L'apparition des sagaies, des poinçons, des spatules, dénote aussi un perfectionnement technique qui s'accentue en phase solutréenne et magdalénienne. La fin de la dernière glaciation (Würm IV) entraîne une transformation du paysage et de la faune, désormais dominée par le cerf et le sanglier. A côté de la chasse, l'homme pratique la récolte des fruits de mer. La révolution fondamentale reste cependant la naissance de l'art. Les représentations humaines sculptées (les « vénus » aurignaciennes) et l'art rupestre présentent un intérêt exceptionnel. Les images animales, peintes en rouge ou noir, de la grotte de **Niaux** expriment un naturalisme saisissant.

Le mésolithique – La disparition du climat glaciaire fixe le paysage historique des Pyrénées. En fait, le mésolithique est une phase intermédiaire pendant laquelle se dessinent une multitude de civilisations. La culture azilienne (du nom de la grotte du **Mas d'Azil**), qui s'esquisse à la fin du paléolithique supérieur, fait apparaître l'importance du harpon tandis que l'art se limite aux énigmatiques galets à signes.

Le néolithique – L'utilisation régulière de la technique du polissage de la pierre et l'emploi de la céramique indiquent le passage au niveau néolithique. Cette évolution s'accompagne d'une mutation décisive dans les formes d'économie et les genres de vie. Toutefois, dans les Pyrénées orientales et en Ariège, les changements sont plus lents, car on note une permanence de la population post-paléolithique locale à laquelle se sont joints quelques groupes extrapyrénéens : la grotte continue à servir d'habitation et la céramique n'est connue que tardivement.

Plus au Nord, l'abri de Font-Juvénal, entre l'Aude et la Montagne Noire, a livré de précieux renseignements ethnologiques. L'agriculture et l'élevage, dès le 4e millénaire, sont devenus des moyens de subsistance : on cultive des variétés de blé et d'orge. Parallèlement, l'aménagement de l'habitat obéit à des préoccupations domestiques de plus en plus élaborées, ce que révèle la découverte de foyers à plat pour la cuisson, de trous à combustion pour l'obtention de températures élevées, de structures de maintien (poteaux et dallages) et de silos de conservation.

En Narbonnais, des communautés rurales aux activités spécialisées, utilisant un outillage très élaboré, se mettent à pratiquer l'échange ou le commerce entre elles. Les constructions mégalithiques (dolmens et tumulus) parviennent aux Pyrénées par la zone occidentale au cours du 3e millénaire. La moyenne montagne est alors la plus densément peuplée. On y pratique l'élevage tandis que l'armement accomplit des progrès décisifs (flèches, haches et couteaux) et que se répandent les parures (colliers et bracelets) et les poteries (jattes et vases). En pays catalan, la culture mégalithique se prolonge encore à l'âge du bronze.

Les dolmens pyrénéens (2 500-1 500 avant J.-C.) – Découverts au siècle dernier, les premiers dolmens donnèrent lieu à des interprétations « romantiques » qui voyaient en eux des autels druidiques voués aux sacrifices humains.

Les trois quarts des **dolmens** se situent à des altitudes comprises entre 600 et 1 000 m. A l'origine, ils étaient recouverts par un **tumulus** de terre ou d'un amas de pierres, dont la dimension maximale ne dépassait pas 20 m. Un cercle de pierres pouvait entourer le tumulus. Les plus importants dolmens, érigés dans les zones de peuplement stable, contiennent les restes de centaines d'individus. Sur les hauts pâturages, ils sont plus petits et ont été remplacés plus tard par des **cistes** (coffres de pierre), sépultures individuelles de bergers décédés l'été.

QUELQUES FAITS HISTORIQUES

AVANT J.-C.	**L'Antiquité**
1800-50	Âge des métaux
1800-700	Âge du bronze. Fin de la civilisation mégalithique pyrénéenne.
1000-600	Bronze final et 1er âge du fer. Pénétration d'influences extérieure continentales puis méditerranéennes.
753	Fondation de Rome.
600-50	Influences celtiques (tribu des Volques Tectosages). Développement de la métallurgie (forges catalanes). Apogée de l'influence grecque jusqu'au 2e s. Les Pyrénées orientales forment une mosaïque de petits peuple
214	Passage d'Hannibal dans les Pyrénées et en Roussillon *(voir p. 137*
2e s.	Conquête romaine. Les Rutènes sont chassés de l'Albigeois.
118	Fondation de Narbonne au croisement de la voie domitienne et d la voie d'Aquitaine.
58-51	Conquête de la Gaule par César.
27	Organisation de la province de Narbonnaise. Début d'une longu période de prospérité, mais la montagne tend à rester à l'écart d la civilisation urbaine des plaines.
APRÈS J.-C.	
Vers 250	Martyre de saint Sernin à Toulouse.
3e et 4e s.	Décadence de Narbonne et de Toulouse.
356	Concile de Béziers, hérésie arienne.

Les invasions, le Haut Moyen Âge

5e s.	Arrivée des Vandales puis des Wisigoths. Toulouse devient capitale du royaume wisigoth, lequel redonne un certain lustre la civilisation gallo-romaine.
507	Bataille de Vouillé : défaite des Wisigoths dont le domaine s restreint à la Septimanie (Carcassonne, Narbonne, Elne, etc.).
719	Prise de Narbonne par les Sarrasins.
732	Charles Martel défait les Sarrasins à Poitiers.
737	Charles Martel enlève la Septimanie aux Wisigoths.
759	Pépin le Bref reprend Narbonne.
778	Massacre de l'arrière-garde de l'armée de Charlemagne Roncevaux.
801	Charlemagne organise la marche d'Espagne, la Catalogne (Gothi s'intègre à l'Empire en gardant son autonomie.
10e s.	La marche de Gothie tombe au pouvoir des hiérarchies féodale Essor religieux avec le pèlerinage de St-Jacques-de-Compostell
955	Bataille de la Lechfeld. Fin des invasions en Europe.
11e s.	Renouveau démographique et économique en Occident. Affirmation de la puissance des comtes de Toulouse. Vague de constructions religieuses. Périple d'Urbain II en Languedoc.

Le rattachement au Royaume de France

12e-13e s.	Épanouissement de l'art des troubadours. Apparition des bastides.
1140-1200	Diffusion de l'hérésie cathare *(p. 22)*.
1152	Mariage d'Henri II Plantagenêt avec Aliénor d'Aquitaine.
1207	Excommunication de Raymond VI, comte de Toulouse.
1208	Assassinat de Pierre de Castelnau, légat du pape Innocent III.
1209	Déclenchement de la croisade contre les Albigeois. Prise de Béziers et de Carcassonne par Simon de Montfort.
1213	Bataille de Muret.
1214	Bataille de Bouvines.
1226	Nouvelle croisade : Louis VIII s'empare du Languedoc.
1229	Traité de Paris (ou de Meaux) : Saint Louis reçoit le Bas-Languedoc, Alphonse de Poitiers, son frère, épouse l'héritière du comté de Toulouse. Fondation de l'université de Toulouse.

Sceau de Raymond VI, comte de Toulous

1244	Chute de Montségur *(p. 110)*.
1250-1320	L'Inquisition réduit les derniers foyers du catharisme.
1258	Traité de Corbeil. Le roi de France tient les cinq « fils de Carcassonne » *(p. 73)*.
1270	Mort de Saint Louis.
1276-1344	Perpignan est capitale du royaume de Majorque-Baléares, fondé par Jacques 1er d'Aragon, composé également de la Cerdagne, du Roussillon et de Montpellier.
1290	Les comtes de Foix héritent du Béarn.
1331-1391	Vie de Gaston Fébus.
1350-1450	Les Pyrénées et le Languedoc connaissent une longue période de guerres, de troubles, de famines et d'épidémies.
1420	Charles VII fait son entrée à Toulouse.
1462	Intervention de Louis XI en Roussillon *(p. 120)*.

Arch. Snark/EDIMEDIA

Bataille de Muret.
Victoire de Simon de Montfort sur les Albigeois.

Luttes Franco-Espagnoles. Guerres de Religion

1484	Les Albret, « rois de Navarre », deviennent prépondérants dans les Pyrénées gasconnes (Foix, Béarn, Bigorre).
1512	Ferdinand le Catholique dépossède les Albret.
1539	Édit de Villers-Cotterets instituant le français comme langue juridique.
1560-1598	Guerres de religion.
1598	Édit de Nantes, les protestants obtiennent des « places de sûreté » (Puylaurens, Montauban).
1607	Henri IV réunit à la France son propre domaine royal (Basse-Navarre et fiefs de Foix et de Béarn).
1610	Assassinat d'Henri IV.
1643-1715	Règne de Louis XIV.
1659	Traité des Pyrénées : rattachement du Roussillon et de la Cerdagne.
1666-1680	Construction du canal du Midi par Riquet.
1685	Révocation de l'édit de Nantes.

Naissance du Pyrénéisme

1746	La thèse de Th. de Bordeu sur les eaux minérales d'Aquitaine contribue à la spécialisation des stations de cure et à l'essor du thermalisme.
1787	Séjour à Barèges de Ramond de Carbonnières, premier « pyrénéiste ».
1804-1815	Premier Empire. Découverte de nouvelles sources thermales.
1852-1914	Second Empire et IIIe République. Développement du thermalisme, de l'escalade et de l'exploration scientifique de la montagne.
1901	Début de l'exploitation de l'hydro-électricité.
1907	Révolte du Midi viticole.

Le XXe siècle

1920	Les Pyrénées se convertissent à la « houille blanche ». Réalisation d'importantes infrastructures touristiques sous l'impulsion de J.-R. Paul.
1940-44	Importance du réseau pyrénéen dans la Résistance.
1946	IVe République.
1951	Éruption du gaz de Lacq.
1958	Ve République.
1962	Accords d'Évian ; des rapatriés d'Algérie s'installent en Languedoc.
1963	Lancement du plan d'aménagement du littoral Languedoc-Roussillon.
1969	Premier vol de « Concorde 001 » *(p. 146)*.
1970	Création d'Airbus Industrie.

LES CATHARES

La répression du mouvement cathare, au 13ᵉ s., a profondément marqué l'histoi
du Languedoc qui devint, dès lors, commune avec celle du royaume de Franc

La doctrine cathare – Les origines du catharisme se perdent dans un labyrint
d'influences orientales complexes et lointaines, qui se propagèrent en Europe a
11ᵉ et 12ᵉ s. et s'installèrent solidement en Languedoc vers 1160. En 1167,
concile cathare (mot grec signifiant « pur ») de St-Félix-Lauragais, l'évêque Nicét
de Constantinople fondait une contre-Église dont la doctrine, le dualisme radic
était inspirée du bogomilisme (secte puissante de Bulgarie).

Le catharisme pose comme principe fondamental la séparation du Bien et du Ma
au Dieu bon qui règne sur un monde spirituel de lumière et de beauté s'oppo
le monde matériel gouverné par Satan ; aussi l'homme n'est-il qu'un esprit enferm
dans la matière, par suite d'une ruse du Malin. Les cathares, hantés par l'angois
du mal, veulent donc libérer l'homme de la matière et lui rendre sa pureté divin
Interprétant à leur façon les textes bibliques, ils se mettent en contradiction tota
avec l'orthodoxie chrétienne, niant par exemple la divinité du Christ qu'ils s'efforce
toutefois d'imiter.

L'Église cathare – Cette nouvelle Église a quatre évêques à sa tête : celui d'A
(primauté à l'origine du nom d'« Albigeois »), ceux de Toulouse, Carcassonne
Agen. Plus importante est la hiérarchie des vocations distinguant entre **Parfaits**
Croyants.

En réaction contre le relâchement du clergé catholique, les Parfaits se doivent
mener une vie austère : leur idéal ascétique les conduit à privilégier la pauvret
la chasteté, la patience et l'humilité. Hommes de Dieu déjà ramenés à la lumièr
ils sont l'objet de la vénération et des soins des Croyants, simples fidèles.

L'Église cathare n'administre qu'un sacrement, le **consolamentum,** dont le rite var
selon qu'il s'agit de l'ordination d'un Parfait ou de la bénédiction réservée a
Croyants à l'article de la mort, qui seule peut leur ouvrir les portes du monde
lumière. D'autres usages liturgiques rassemblent les fidèles : réunions de priè
confessions publiques, etc.

Les convictions, les règles de vie et les rites pratiqués par les cathares heurtaie
la mentalité catholique. Le refus des sacrements traditionnels du baptême et
mariage, une certaine liberté de mœurs et d'attitudes (notamment vis-à-vis de l'arge
et du commerce) soulevèrent de violentes polémiques avec les clercs.

Au bord de l'autoroute, les Chevaliers Cathares
« en robe de ciment » (Francis Cabrel).

Un milieu favorable – L'hérésie remporte des succès dans les villes, foyers
culture et d'échanges, pour essaimer ensuite dans le plat pays. « Est-ce un hasa
si la terre d'élection du catharisme, entre Carcassonne et Toulouse, Foix et Limou
Castres et Cordes, correspond exactement à la grande région de la draper
languedocienne, exportant par Narbonne vers le Levant ? » (E. Le Roy Ladurie). Le
Bonshommes (Parfaits) appartiennent en effet, le plus souvent, au milieu de l'artisan
et du négoce textiles. De grands seigneurs tels que Roger Trencavel, vicomte
Béziers et de Carcassonne, Raymond Roger, comte de Foix, protègent l'hérésie. Le
femmes, loin d'être exclues, fondent de leur côté des communautés de Parfaite

LA LANGUE D'OC

De la fusion du latin vulgaire avec le vieux fonds linguistique gaulois est né un groupe de langues « romanes », scindé en langue d'oïl et langue d'oc, ainsi nommées pour la façon dont on disait « oui » en chacune d'elles. La limite entre les deux passait au Nord du Massif Central si bien que l'occitan se composait de plusieurs grands dialectes : le languedocien, le gascon, le limousin, l'auvergnat et le provençal.

Peire Vidal.

La langue des troubadours – La langue d'oc est avant tout la langue des troubadours. Poètes « trouvant » eux-mêmes leurs chansons, les troubadours, qui distraient, en compagnie des jongleurs, les cours méridionales, chantent les amours raffinées d'une belle et de son soupirant. Cette poésie courtoise évolue : de la lyrique païenne du 12ᵉ s., teintée d'érotisme, on passe à une conception purement spirituelle de l'amour agrémentée de références à la Vierge Marie. Parallèlement, la satire politique tient une place à part dans la littérature occitane ; elle s'exerce essentiellement contre Rome et le clergé. Parmi les troubadours célèbres, retenons : Bernard de Ventadour, limousin d'origine mais installé à la cour de Raymond V de Toulouse ; Arnaut de Mareuil, amoureux de l'épouse du vicomte de Béziers ; Peire Vidal, qui promena ses extravagances de la Provence à la Terre sainte ; Jaufré Rudel, Guiraut Riquier... Leur influence se fit sentir jusqu'en Allemagne et en Italie où Dante hésita entre le provençal et le toscan pour écrire sa *Divine Comédie*. L'intégration au royaume de France porta un coup fatal à la langue d'oc. Au 16ᵉ s., le français devint la seule langue officielle. Ce n'est qu'en 1819, avec la publication par Rochegude des poésies originales des troubadours, que s'amorça une renaissance. En 1854, le Félibrige, en réformant l'orthographe du provençal, entraîna un renouveau occitan. L'« Escola Occitana » (créée en 1919) et l'Institut d'Études Occitanes de Toulouse (créé en 1945) se sont fixé pour but la diffusion d'une réforme linguistique concrétisée par une orthographe normalisée compatible avec tous les parlers d'oc.

Le catalan – Le catalan est très proche de l'occitan. Son aire géographique s'étend de Salses en Roussillon à Valence en Espagne, limitée à l'Ouest par l'Andorre et le Capcir. L'apogée du catalan se situe au 13ᵉ s., époque à laquelle l'écrivain et philosophe Ramon Llull lui donne ses lettres de noblesse. Comme pour la langue d'Oc, le 16ᵉ s. est celui du déclin ; la monarchie centralisatrice de Philippe II impose le castillan au détriment des langues régionales. Tandis que le parler catalan se perpétue dans l'usage quotidien, la renaissance littéraire engagée au siècle dernier contribue à l'affirmation de l'identité culturelle du Roussillon.

LES JEUX

La sardane – La sardane représente sans doute la tradition la plus pittoresque des pays catalans. Elle repose sur la **cobla**, un orchestre très particulier qui fait intervenir une douzaine d'instruments originaux (**tenores**, **primes**, **fiscorns**, trompettes à piston, trombone, contrebasse, **flaviol** et tambourin) capables d'exprimer toute une gamme de sentiments, des plus doux aux plus passionnés.
Les figures de cette danse, qui tient d'une ronde rituelle, font alterner huit mesures de pas courts et seize de pas longs. Elles exigent, de la part des danseurs, une grande maîtrise chorégraphique (oscillations latérales limitées et sauté vertical mesuré). Vue comme un spectacle, à l'occasion d'un concours ou d'un festival (celui de Céret est le plus réputé), la sardane déroule ses guirlandes de bras levés. Le finale, la « sardane de la fraternité », réunit en rondes concentriques les différents groupes participants.

Le rugby – Introduit au début du siècle, le rugby s'est solidement installé le long de la chaîne pyrénéenne où il suscite un engouement inouï. La région de Carcassonne se distingue, quant à elle, par son attachement à la formule du jeu à XIII.

Concours de sardane à Argelès.

L'ART

ABC D'ARCHITECTURE

A l'intention des lecteurs peu familiarisés avec la terminologie employée en architecture, nous donnons ci-après quelques indications générales sur l'architecture religieuse et militaire, suivies d'une liste alphabétique des termes d'art employés pour la description des monuments dans ce guide.

Architecture religieuse

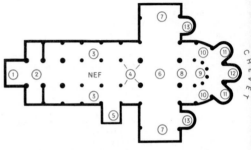

illustration I ▶

Plan-type d'une église : il est en forme de croix latine, les deux bras de la croix formant le transept.
① Porche – ② Narthex ③ Collatéraux ou bas-côtés (parfois doubles) – ④ Travée (division transversale de la nef comprise entre deux piliers) ⑤ Chapelle latérale (souvent postérieure à l'ensemble de l'édifice – ⑥ Croisée du transept – ⑦ Croisillons ou bras du transept, saillants ou non,

comportant souvent un portail latéral – ⑧ Chœur, presque toujours « orienté » c'est-à-dire tourné vers l'Est ; très vaste et réservé aux moines dans les églises abbatiales – ⑨ Rond-point du chœur ⑩ Déambulatoire : prolongement des bas-côtés autour du chœur permettant de défiler devant les reliques dans les églises de pèlerinage – ⑪ Chapelles rayonnantes ou absidioles – ⑫ Chapelle absidale ou axiale Dans les églises non dédiées à la Vierge, cette chapelle dans l'axe du monument, lui est souvent consacrée ⑬ Chapelle orientée.

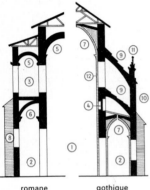

romane   gothique

◀ illustration II

Coupe d'une église : ① Nef – ② Bas-côté – ③ Tribune – ④ Triforium – ⑤ Voûte en berceau – ⑥ Voûte en demi-berceau – ⑦ Voûte d'ogive – ⑧ Contrefort étayant la base du mur – ⑨ Arc-boutant – ⑩ Culée d'arcboutant – ⑪ Pinacle équilibrant la culée – ⑫ Fenêtre haute.

illustration III ▶

Cathédrale gothique : ① Portail – ② Galerie – ③ Grande rose – ④ Tour-clocher quelquefois terminée par une flèche – ⑤ Gargouille servant à l'écoulement des eaux de pluie – ⑥ Contrefort – ⑦ Culée d'arc-boutant ⑧ Volée d'arc-boutant – ⑨ Arc-boutant à double volée – ⑩ Pinacle – ⑪ Chapelle latérale – ⑫ Chapelle rayonnante – ⑬ Fenêtre haute – ⑭ Portail latéral – ⑮ Gâble – ⑯ Clocheton – ⑰ Flèche (ici, placée sur la croisée du transept).

◀ illustration IV

Voûte d'arêtes :
① Grande arcade
② Arête – ③ Doubleau.

illustration V ▶

Voûte en cul-de-four : elle termine les absides des nefs voûtées en berceau.

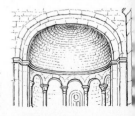

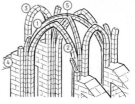

illustration VI

Voûte à clef pendante :
① Ogive – ② Lierne
③ Tierceron – ④ Clef pendante
⑤ Cul-de-lampe.

illustration VII

Voûte sur croisée d'ogives
① Arc diagonal – ② Doubleau
③ Formeret – ④ Arc-boutant
⑤ Clef de voûte.

▼ illustration VIII

Portail : ① Archivolte ; elle peut être en plein cintre, en arc brisé, en anse de panier, en accolade, quelquefois ornée d'un gâble – ② Voussures (en cordons, moulurées, sculptées ou ornées de statues) formant l'archivolte ③ Tympan – ④ Linteau – ⑤ Piédroit ou jambage – ⑥ Ébrasements, quelquefois ornés de statues) – ⑦ Trumeau (auquel est généralement adossée une statue) – ⑧ Pentures.

illustration IX ▶

Arcs et piliers : ① Nervures ② Tailloir ou abaque – ③ Chapiteau – ④ Fût ou colonne – ⑤ Base – ⑥ Colonne engagée – ⑦ Dosseret – ⑧ Linteau – ⑨ Arc de décharge – ⑩ Frise.

Architecture militaire

illustration X

Enceinte fortifiée : ① Hourd (galerie en bois) – ② Mâchicoulis (créneaux en encorbellement) – ③ Bretèche ④ Donjon – ⑤ Chemin de ronde couvert – ⑥ Courtine – ⑦ Enceinte extérieure – ⑧ Poterne.

illustration XI

Tours et courtines : ① Hourd ② Créneau – ③ Merlon ④ Meurtrière ou archère ⑤ Courtine – ⑥ Pont dit « dormant » (fixe) par opposition au pont-levis (mobile).

◀ illustration XII

Porte fortifiée : ① Mâchicoulis ② Échauguette (pour le guet) – ③ Logement des bras du pont-levis – ④ Poterne : petite porte dérobée, facile à défendre en cas de siège.

illustration XIII ▶

Fortifications classiques :
1 Entrée – 2 Pont-levis
3 Glacis – 4 Demi-lune
5 Fossé – 6 Bastion – 7 Tourelle de guet – 8 Ville – 9 Place d'Armes.

25

TERMES D'ART EMPLOYÉS DANS CE GUIDE

Abside : extrémité arrondie d'une église, derrière l'autel. Sa partie extérieure s'appelle le chevet.

Acrotère : ornement posé aux extrémités des frontons.

Anse de panier : arc aplati, très utilisé au Moyen Âge et à la Renaissance.

Appareil : taille et agencement des matériaux constituant une maçonnerie.

Arc en accolade : arc formé de quatre portions de cercle.

Arc en mitre : arc qui se compose de deux lignes droites se coupant et qui se rencontre fréquemment dans les clochers du Languedoc.

Arc-boutant : illustration II.

Arc triomphal : terme qui désigne la grande arcade à l'entrée du chœur.

Archivolte : illustration VIII.

Barbacane : ouvrage de défense avancé, pour protéger un point important (porte de ville, tête de pont, château fort...).

Bas-relief : sculpture en faible saillie sur un fond.

Bossage : saillie « en bosse » dépassant le nu d'un mur et encadrée de ciselures profondes ou refends.

Chevet : illustration I.

Claustra : grilles de pierre à barreaux verticaux.

Claveau : l'une des pierres formant un arc ou une voûte.

Clef de voûte : illustration VII.

Colombage : charpente de mur apparente.

Colonne engagée : illustration IX.

Colonnes géminées : colonnes groupées par deux.

Contrefort : illustrations II et III.

◀ illustration XIV
Coupoles sur trompes :
① Coupole octogonale –
② Trompe – ③ Arcade du
carré du transept.

illustration XV ▶

Coupole sur pendentifs :
① Coupole circulaire –
② Pendentif – ③ Arcade du
carré du transept.

Coupole : voûte hémisphérique surmontant un édifice (on appelle dôme l'enveloppe extérieure d'une coupole). Illustrations XIV et XV.

Courtine : illustration X.

Créneau : illustration XI.

Croisée d'ogives : illustration VII.

Cul-de-four : illustration V.

Déambulatoire : illustration I.

Echauguette : illustration XII.

Ecoinçon : coin, encoignure.

Encorbellement : construction en porte à faux.

Enfeu : niche funéraire à fond plat pratiquée à l'intérieur ou à l'extérieur des églises pour recevoir des tombes.

Flamboyant : style décoratif de la fin de l'époque gothique (15e s.), ainsi nommé pour ses découpures en forme de flammèches aux remplages des baies.

Fresque : peinture murale appliquée sur l'enduit frais.

Gloire : auréole entourant un personnage.

Haut-relief : sculpture au relief très saillant, sans toutefois se détacher du fond (intermédiaire entre le bas-relief et la ronde-bosse).

Intaille : pierre fine gravée en creux (par opposition à camée : gravée en relief).

Jacquemart : figure d'homme armé d'un marteau et frappant automatiquement les heures, sur le timbre d'une horloge.

Jubé : tribune transversale en forme de galerie, élevée entre la nef et le chœur dans certaines églises (ex. Albi). Illustration XVI.

Lambris : revêtement de murs (en bois, en stuc, en marbre...) servant à la fois de protection et de parure.

Lancette : arc en tiers-point surhaussé de forme allongée.

Lobe : découpure d'un arc en segment de cercle.

Mâchicoulis : illustration XII.

Meneau : croisillon de pierre divisant une baie.

Méplat : plan intermédiaire formant transition entre deux surfaces.

Merlon : illustration XI.

Miséricorde : petit appui placé sous le siège mobile d'une stalle, permettant de s'appuyer tout en ayant l'air d'être debout. Illustration XVII.

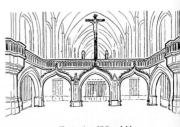

illustration XVI – **Jubé.**

dillon : ornement en forme de console renversée appliqué à un mur pour servir support à un buste, à un vase...

nogramme : chiffre composé d'une lettre unique empruntée à l'initiale d'un nom, de plusieurs lettres juxtaposées ou entrelacées en un seul caractère.

ulus : fenêtre ronde, appelée aussi œil-de-bœuf.

ive : arc diagonal soutenant une voûte. Illustrations VI et VII.

mette : motif d'ornement formé de petites palmes.

ndentif : triangle sphérique ménagé entre les grands arcs qui supportent une upole et permettant de passer du plan carré au plan circulaire. Illustration XV.

nture : ferrure ouvragée clouée sur le vantail d'une porte. Illustration VIII.

ristyle : colonnes disposées autour ou en façade d'un édifice.

droit : illustration VIII.

non : partie supérieure, en forme de triangle, du mur qui soutient les deux pentes toit.

astre : pilier plat engagé dans un mur.

in cintre : en demi-circonférence, en demi-cercle.

lylobé : arc festonné en plusieurs lobes.

terne : illustration XII.

édelle : base d'un retable, divisée en petits panneaux. Illustration XVIII.

mplage : réseau léger de pierre découpée garnissant tout ou partie d'une baie, une se ou la partie haute d'une fenêtre.

table : architecture de marbre, de pierre ou de bois qui compose la décoration un autel, au-dessus de la table et en arrière. Illustration XVIII.

nceau : ornement courant de sculpture ou de peinture empruntée au règne végétal servant à la décoration des frises et des pilastres. Illustration XIX.

alle : siège de bois à dossier élevé, garnissant les deux côtés du chœur. C'est là e se tiennent les chanoines et les moines. Illustration XVII.

illustration XVII ▼

Stalles : ① Dossier haut – ② Pare-close – ③ Jouée – ④ Miséricorde.

illustration XVIII ▼

Autel avec retable. – ① Retable – ② Prédelle – ③ Couronne – ④ Table d'autel – ⑤ Devant d'autel. Certains retables baroques englobaient plusieurs autels ; la liturgie contemporaine tend à les faire disparaître.

illustration XIX ▶

Ornementations Renaissance.
① Coquille – ② Vase –
③ Rinceaux – ④ Dragon –
⑤ Enfant nu – ⑥ Amour –
⑦ Corne d'abondance – ⑧ Satyre.

erceron : illustration VI.

ers-point (arc en) : Arc brisé inscrit dans un triangle équilatéral.

it en poivrière : toit conique.

iforium : galerie voûtée desservant les parties hautes d'un édifice ; on l'appelle ursière si elle est étroite, tribune si elle surmonte toute la largeur du bas-côté.

iptyque : ouvrage de peinture ou de sculpture composé de trois panneaux articulés ouvant se refermer.

umeau : illustration VIII.

mpan : illustration VIII.

antail : battant de porte, de fenêtre ; panneau mobile.

olute : ornement d'architecture, enroulement sculpté en spirale : le centre de cet nroulement s'appelle œil.

oussure : arc constituant un élément de l'archivolte d'un portail. Illustration VIII.

oûtain : compartiment d'une voûte d'ogive.

oûte en berceau : voûte demi-cylindrique engendrée par un arc en plein cintre définiment prolongé ; les absides des nefs voûtées en berceau sont terminées par ne voûte en cul-de-four : illustration V.

L'ARCHITECTURE MILITAIRE

Les illustrations p. 25 donnent quelques indications générales sur l'architectur
militaire. Pour la définition des termes d'art employés dans ce guide, voir les page
précédentes.

L'effondrement de la puissance publique et l'émiettement de l'autorité princière o
comtale aboutirent, aux 10e et 11e s., à une multiplication des points fortifiés.
Durant les 12e et 13e s., le roi et les grands féodaux reprirent le contrôle des château
objets de fréquentes rivalités dans ce Languedoc qui suscitait tellement o
convoitises frontalières.

Les châteaux – En dehors des cités, dont la défense pouvait être assurée par
consolidation et le renforcement de l'enceinte gallo-romaine (comme à **Carcassonne**
des fortifications se dressèrent sur les hauteurs. Assez grossières à l'origine, les **mott**
du 10e s. – éminences naturelles ou élevées par l'homme, qui suffisaient pour u
simple refuge – se multiplièrent en rase campagne; elles ne cessèrent de s
perfectionner pour devenir d'inaccessibles citadelles, à l'instar des châteaux cathar
dont la vocation était purement militaire.

A la fin du 11e s., apparaissent des **donjons** défensifs en pierre, rectangulaire
(Peyrepertuse) ou arrondis (Catalogne), qui se caractérisent par l'épaisseur de leu
murs et l'exiguïté de leurs ouvertures. L'intérieur se divise en plusieurs étages:
rez-de-chaussée, obscur et voûté, sert de magasin; les étages supérieurs peuve
tenir lieu de salle de réunion ou de pièces d'habitation. L'accès se fait uniqueme
par le 1er étage au moyen d'une échelle ou d'une passerelle escamotable.
Les fonctions résidentielles des donjons sont réduites. Nombre d'entre eux
ressemblent d'ailleurs qu'à de simples tours de défense abritant une garnison.
seigneur préfère s'installer dans un bâtiment plus vaste de la **basse-cour**, soit acco
au donjon soit séparé.

Progressivement, au cours des 13e et 14e s., l'habitabilité s'améliore par l'extensic
du corps de logis. Le donjon s'engage alors dans la masse des autres bâtimen
et il est enveloppé d'une ou plusieurs enceintes ponctuées de tours. Le châtea
de **Puilaurens,** avec son enceinte et ses quatre tours d'angle, offre ainsi un bel exemp
de cette évolution, tandis que le donjon d'**Arques** reste un spécimen remarquab
de la construction militaire au 13e s.

Les tours de guet – Nombreuses surtout dans les Corbières, le Fenouillèdes,
Vallespir et les Albères, elles portaient le nom d'**atalayes, guardias, farahons,** etc. Ell
assuraient, au moyen de feux la nuit et de fumée le jour, les « transmissions » o
l'époque. Un code de signaux permettait de préciser la nature et l'importance o
danger.
La chaîne de ces postes de télégraphie optique a pu être reconstituée dans
montagne catalane: elle aboutissait dans les Aspres au château de **Castelnou** a
temps des comtés catalans du haut Moyen Âge, à Perpignan à l'époque des ro
d'Aragon.

Les églises fortifiées – Dès la fin du 10e s., l'usage de fortifier des églises s
répand dans les régions méridionales.
Traditionnel lieu d'asile – l'aire d'inviolabilité proclamée par les trêves de Dieu (ve
à Toulouges) s'étend à 30 pas autour de l'édifice –, l'église représente, avec se
architecture robuste et son clocher tout désigné comme poste de guet, un refug
pour les populations.
Des **mâchicoulis,** classiques sur corbeaux ou ménagés sur des arcs bandés entre l
contreforts comme à Beaumont-de-Lomagne *(voir le guide Vert Michelin Pyréné*
Aquitaine-Côte Basque), seraient apparus pour la première fois en France à la
du 12e s. sur des églises languedociennes.
Toutefois, une réglementation sévère des fortifications d'églises fut édictée
moment de la guerre contre les Albigeois. On reprochait en effet au comte
Toulouse et à ses vassaux de s'être livrés à de nombreux abus en la matière. L
évêques regagnèrent ainsi un monopole qui leur avait longtemps échappé.
Le 13e s., qui marque pour le Languedoc l'intégration au domaine royal et le triomp
de l'orthodoxie sur l'hérésie, donna une impulsion à la construction des grand
églises de brique du gothique toulousain, dont le plan et l'élévation répondaie
surtout à un souci défensif.
En 1282, Bernard de Castanet, évêque d'Albi, posait la première pierre de
cathédrale Ste-Cécile: la sévérité de ses murs puissants, hauts de 40 m, et de se
clocher-donjon lui confèrent l'allure massive d'une forteresse plantée au cœur d'
pays cathare désormais soumis.
Églises et villages fortifiés bien conservés subsistent dans les hautes vallé
pyrénéennes: l'église des Stes-Juste-et-Ruffine à Prats-de-Mollo présente u
curieuse imbrication de toitures et de fortifications.
L'un des plus beaux ensembles est constitué par Villefranche-de-Conflent et s
remparts réaménagés sous Vauban.

La guerre de siège

A défaut d'une attaque surprise, la conquête des châteaux nécessitait souvent
longs sièges.
Les forteresses cathares furent sans doute les plus décourageantes pour l'assailla
Juchées sur des éperons rocheux, surplombant de vertigineuses parois à pic, ell
ne permettaient pas l'emploi de toutes les techniques de siège.
En 1210, ce sont la soif et la maladie qui vinrent seules à bout du château de **Term**
et, en 1255, ce n'est qu'à la suite d'une trahison que tomba le dernier bastion catha
de **Quéribus.**

L'investissement – Le premier soin de l'assiégeant est d'investir la place. L
fortifications qu'il élève (fossés, palissades, tours, ouvrages appelés bastilles) se
dirigées à la fois contre une sortie éventuelle des assiégés et contre l'attaque d'u
armée de secours.

Dans les sièges importants qui durent de longs mois, c'est une véritable ville fortifiée qui s'élève autour de la place à conquérir. Pour ébrécher la muraille, les sapeurs creusent des galeries de mine (l'incendie des étais entraînera leur effondrement), les béliers sont mis en action. Les « engeigneurs » dirigent la construction de machines dont les croisades ont constitué le dernier banc d'essai.

Les engins – Les machines de jet adoptent le principe de la catapulte ou de la fronde et ne diffèrent pas sensiblement des machines de guerre romaines. Le Moyen Âge préfère aux engins à tir tendu, dérivés de la catapulte (arbalète à tour) l'artillerie trébuchante qui n'encombre pas les convois. Le **trébuchet** ou **pierrière**, employé tant par les assiégeants que par les assiégés, peut en effet être construit sur place, pour peu que les charpentiers – l'époque en fut prodigue et compta de virtuoses – trouvent à proximité des arbres de haute futaie. C'est un engin à tir courbe, lançant des blocs de pierre, mis en action par un contrepoids et le déclenchement d'une énorme fronde. La pierrière fut la principale arme utilisée contre les forteresses cathares, notamment à **Montségur**.

La **tour roulante** ou beffroi est l'engin d'assaut le plus perfectionné. Construit en bois, recouvert de peaux fraîches – protection contre les projectiles enflammés – cet édifice mesure jusqu'à 50 m de hauteur et abrite des centaines d'hommes. Pour l'amener à pied d'œuvre, il faut combler le fossé sur une partie de sa longueur, ménager un chemin de roulement en bois. L'énorme construction est ensuite placée sur rouleaux et déplacée au moyen de palans. Huit à dix de ces tours sont parfois utilisées au cours d'un siège important. Elles permettent d'opérer des diversions là où il n'a pas été fait de brèche.

Tour roulante.

L'assaut – Les ponts-levis des tours roulantes s'abaissent sur les remparts et, par cette passerelle, les soldats, montés par la face arrière de la tour, se ruent sur les courtines ; d'autres franchissent les brèches. On dresse des échelles : certaines ont 20 m de haut. Des échafaudages volants sont montés en un clin d'œil par des charpentiers virtuoses.

Les assiégés font pleuvoir les flèches et les projectiles, s'acharnent à renverser les échelles, à couper les cordes, à verser de la poix bouillante ou de la chaux vive ; ils cherchent à brûler les troupes d'assaut. Si, dans le farouche corps à corps qui s'engage, l'assaillant a le dessus, s'il pénètre dans la place, il lui reste encore à réduire les ouvrages autonomes (donjon, portes, grosses tours). Chacun de ces ouvrages a plusieurs étages qui ne peuvent être enlevés que successivement. Escaliers étroits et tortueux, fausses portes, souricières, chicanes, ponts-levis piétonniers, meurtrières et mâchicoulis intérieurs permettent à des défenseurs résolus une longue résistance.

L'ère du canon

La bombarde primitive se perfectionne. Vers le milieu du 15e s., l'artillerie royale, sous l'impulsion de deux canonniers de génie, les frères Bureau, devient la première du monde. Aucune forteresse féodale ne peut désormais lui résister. En un an, Charles VII reprend aux Anglais soixante places dont ils n'avaient pu s'emparer qu'après des sièges de quatre à dix mois. L'architecture militaire subit une complète transformation : les tours deviennent des bastions bas et très épais, les courtines s'abaissent et s'élargissent jusqu'à 12 m d'épaisseur.

Au 17e s., **Vauban** améliore considérablement ces nouvelles défenses.

Le **fort de Salses** résume à la perfection les mutations engendrées par l'artillerie. A demi-enterré, présentant un dispositif ingénieux de courtines à crêtes arrondies, il n'offre qu'une faible prise aux boulets et à l'escalade.

Places fortes construites ou remaniées par Vauban et décrites dans ce guide :

BELLEGARDE
COLLIOURE
MONT-LOUIS
PRATS-DE-MOLLO
SALSES
VILLEFRANCHE-DE-CONFLENT

L'ART ROMAN EN LANGUEDOC ET EN ROUSSILLON

Le berceau catalan – Un art original mêlant des influences mozarabes carolingiennes apparaît dans les Pyrénées catalanes dès le milieu du 10ᵉ L'abbatiale **St-Michel-de-Cuxa**, en Conflent, fait jouer des apports variés – transept ét et bas, chœur allongé avec absides, collatéraux, voûtement complet en bercea qui lui confèrent un aspect complexe typique du premier art roman. Le modèle p simple de **St-Martin-du-Canigou** se répand au 11ᵉ s. On retrouve ainsi, dans l'architect de nombreux monuments de cette génération, la nef voûtée en berceau et repos sur des colonnes.

L'étape suivante est celle des églises voûtées en berceau sur double (Arles-sur-Tech, Elne) tandis que s'enrichissent les formes décoratives. A cela vi s'ajouter l'emploi de la coupole sur trompes, une des réalisations les p remarquables de l'art catalan.

Les sanctuaires de montagne, souvent restés à l'écart des grandes voies de passa grossièrement bâtis en pierre éclatée, doivent leur distinction à leur belle tour car ornée d'arcatures et allégée de « bandes lombardes » dont l'usage s'est mainte jusqu'au 13ᵉ s.

La sculpture tire parti des marbres gris ou roses des carrières du Conflent et Roussillon.

Chapiteaux à décor floral simplifié, puis historiés, tables d'autel, sortent en nom croissant des ateliers pyrénéens. Au 12ᵉ s., la décoration du prieuré de **Serrabo** en particulier la tribune qui servait de chœur aux moines, représente sans do la plus belle réalisation artistique romane du Roussillon.

La peinture murale, sur parois lisses le plus souvent, parcimonieusement perc tient une grande place dans l'art de cette époque. Les décors d'absides reprenn les motifs du Christ en gloire, de l'Apocalypse et du Jugement dernier, invitant, t comme les portails languedociens, les fidèles à œuvrer pour le salut de leur âm

Moissac – Importante étape sur la route de Compostelle, l'abbaye de Moiss rayonne sur tout le Languedoc aux 11ᵉ et 12ᵉ s. Son portail et son cloître s de purs chefs-d'œuvre de l'art roman.

Le **tympan,** transposition en pierre d'une enluminure, a fait école. Il représente un Christ en majesté entouré des symboles des quatre Evangélistes. La composition, notamment l'expression du visage, outre son allure sauvage et inquiétante, laisse percer une influence orientale, via l'Espagne, à peine dissimulée. De même, des arcatures tréflées et polylobées rappellent l'art mozarabe.

La richesse de la décoration se retrouve dans les harmonieuses sculptures du **cloître.** Les apôtres sculptés sur les piliers d'angle (revêtus de plaques de marbre blanc) apparaissent le corps de face et la tête de profil. Les chapiteaux des galeries offrent une grande variété de motifs géométriques, végétaux et animaux, et de scènes historiées. Le style de Moissac n'est pas sans rapport avec celui de Toulouse, autre berceau de la sculpture romane médiévale.

Moissac. – Le cloître.

Toulouse – Toulouse fut le centre resplendissant de l'école romane languedocien à son apogée.

Grand centre de pèlerinage, l'**église St-Sernin** – la plus vaste basilique roma d'Occident – s'élève sur un plan grandiose. Mêlant subtilement pierre et brique, e est complètement voûtée en faisant appel aux différents dispositifs romans : voût en berceau plein cintre sur doubleaux pour la nef principale, voûtes en demi-berce dans les tribunes, voûtes d'arêtes aux collatéraux, coupole à la croisée du transe La décoration sculptée fut menée à bien en moins de 40 ans (de 1080 à 111 par l'atelier de Bernard Gilduin. Les scènes représentées sur les portails, par le symbolisme et leur ordonnance, manifestent une foi profonde et cultivée, puis directement aux sources de l'Ancien et du Nouveau Testament. La **porte Miègevi** située dans le bas-côté méridional de l'édifice, est achevée en 1100 : elle révè d'intéressantes influences espagnoles des ateliers de Jaca et de Compostelle roi David représenté à gauche dans le linteau se retrouve sur le portail des Orfèvr à St-Jacques-de-Compostelle, de même que la figure de saint Jacques à gauc du tympan).

La taille des chapiteaux retient l'attention par son caractère original reprenant schéma antique, corinthien, tout en lui intégrant un décor animalier ou histor Malheureusement, les trois cloîtres de l'abbaye St-Sernin, du monastère de Daurade et de la cathédrale St-Étienne ont été détruits au 19ᵉ s. (des vestiges chapiteaux sont exposés au musée des Augustins).

LE GOTHIQUE DU MIDI

Le Midi de la France n'a pas adopté les principes de l'art gothique septentrional, l'art nouveau restant étroitement lié aux traditions romanes. Il n'y a guère que le chœur de la cathédrale de Narbonne qui ait été construit en style gothique « français ».

Le style languedocien – Au 13ᵉ s. un art gothique proprement languedocien se développe, caractérisé par l'emploi de la brique et souvent la présence d'un clocher-mur ou d'un clocher ajouré d'arcs en mitre inspiré par celui de N.-D.-du-Taur de Toulouse et par les étages supérieurs de celui de la basilique St-Sernin. En absence d'arcs-boutants, la butée des voûtes est assurée par des contreforts massifs entre lesquels se logent des chapelles.

À l'intérieur, la nef unique est relativement sombre, presque aussi large que haute et terminée par une abside polygonale plus étroite. Son ampleur convenait au rassemblement des foules, très sollicitées par la prédication après la croisade contre les Albigeois. Les surfaces murales aveugles appellent une décoration peinte.

La légèreté de la brique permet aussi de voûter des édifices primitivement couverts de charpente.

Toulouse. – Clocher-mur de N.-D.-de-Taur.

La cathédrale d'Albi – Cette cathédrale constitue l'exemple le plus achevé de l'art gothique méridional. Puissant vaisseau d'une seule nef à douze travées, longue de 100 m et haute de 30 m, soutenue par des contreforts et percée d'ouvertures étroites, elle affiche, malgré ses allures de forteresse, une grande pureté de lignes. Dépourvue de bas-côtés, de transept et de déambulatoire, elle privilégie l'équilibre des masses. Commencée en 1282 elle ne sera achevée que deux siècles plus tard. En 1500, le style flamboyant fait naturellement son apparition avec la clôture du chœur et le **jubé**, tandis que sont édifiés, sur la tour carrée, les trois derniers étages du clocher. En 1533, un porche en forme de baldaquin complète l'imposante physionomie du monument.

Les ordres mendiants – Les Dominicains ou « Jacobins » élèvent le premier couvent de leur ordre à Toulouse en 1216. Les Cordeliers (Franciscains) s'y installent, également du vivant de leur fondateur, saint François d'Assise, en 1222 (l'église a disparu, incendiée en 1871). L'audacieuse voûte de

Albi – Jubé de Ste-Cécile.

l'église des Jacobins et ses colonnes en palmier, l'austère cloître aux frêles colonnettes jumelées font de cet édifice un ensemble gracieux d'où se dégage une impression d'une haute spiritualité.

Les églises de bastide – Succédant aux **sauvetés** (établissements créés généralement par les Templiers), apparurent, aux 12ᵉ et 13ᵉ s., des villes nouvelles, créées par de puissants seigneurs désireux d'étendre leur influence politique et de contrôler leurs frontières. Ces **bastides**, au plan régulier, tranchaient avec l'urbanisme anarchique des bourgs anciens.

Elles donnèrent lieu à de nombreux chantiers d'églises, qui s'ouvraient à la périphérie ou à proximité de l'unique place centrale réservée aux marchés et entourée de **couverts** (ceux de Mirepoix sont les mieux conservés). Le gothique méridional y trouva d'autant plus naturellement sa place qu'il devait s'intégrer dans un espace limité.

L'église St-Jacques de Montauban, bien que souvent modifiée au cours des siècles, se rattache à l'école languedocienne par sa nef unique et son clocher octogonal en brique. L'église de Grenade s'inspire des Jacobins de Toulouse.

Villes
et curiosités

Cartes Michelin nº 🮮🮮 pli 11 ou 🮮🮮 pli 10 ou 🮮🮮🮮 pli 23.
Plan d'agglomération dans le guide Rouge Michelin France.

Dominée par la fantastique silhouette de sa cathédrale-forteresse, « Albi
Rouge », bâtie en brique, s'étend au bord du Tarn nonchalant qui vie
d'abandonner les derniers contreforts du Massif Central. Séduisante
accueillante, elle offre de merveilleux spectacles depuis son **Pont Vieux★** (Y) (11ᵉ s
sur sa vaste place Ste-Cécile et le long des ruelles tortueuses du Vieil Albi, bordé
de maisons anciennes.
A côté, la cité moderne présente des avenues bien tracées. Les places du Vig
et Jean-Jaurès, fort animées, évoquent l'activité commerciale d'Albi, son rôle c
marché agricole qui fut particulièrement important à la grande époque du past
Ses industries (aciéries, textiles artificiels, électronique) furent longtemps lié
au bassin houiller de Carmaux.

Albi « en saison » – Les festivals s'y succèdent : théâtre dans le Palais c
la Berbie en juillet, cinéma et musique. En été, le musée Toulouse-Lautr
présente des expositions.
Des courses automobiles sont organisées sur le circuit du Séquestre, à l'Oue
de l'agglomération.

Le Tarn – Dans le cadre de ce guide, le Tarn ne figure que pour la partie inférieu
de son cours, d'Albi à son confluent avec la Garonne, en aval de Moissac. Da
l'Albigeois, il traverse le vignoble qui produit les « Côtes du Tarn » *(voir p. 9C*
En aval de Rabastens, il entre dans la zone du Bas-Quercy, là se rejoigne
l'Aveyron, le Tarn et la Garonne, dont l'ampleur des vallées est le caractère
plus marquant. Délimitée par deux zones de collines, la plaine alluviale s'éta
majestueusement ; sur ces terres d'une exceptionnelle fertilité alternent le
cultures les plus variées : blé, maïs, tabac, primeurs, arbres fruitiers.

UN PEU D'HISTOIRE

Capitale religieuse – Les pouvoirs temporels des évêques croissent à mesu
que se développe l'hérésie albigeoise.
Après le concile de Lombers, réuni en 1176 pour condamner la doctrine cathar
la croisade des Albigeois déclenchée en 1209, le traité conclu à Meaux c
1229, l'établissement de l'Inquisition, ces évêques deviennent de véritables
seigneurs, sans cesse en guerre ou en procès, mais aussi grands mécènes. **Berna
de Combret,** évêque de 1254 à 1271, commence l'édification du palais épiscop
de la Berbie, **Bernard de Castanet** (1276-1308) entreprend celle de la cathédra
Ste-Cécile. Ce dernier scandalise le pape par ses abus de pouvoir et doit s
retirer dans un couvent. Plus tard, **Louis d'Amboise** (1473-1502), au terme d'u
règne fastueux, doit abdiquer à la suite de querelles incessantes avec se
administrés.
En 1678, Albi est érigée en archevêché.

Les « Albigeois » – Ce nom désigne au 12ᵉ s. les adeptes de la religion cathare
terme savant inconnu à l'époque – parce qu'ils trouvèrent d'abord refuge à Alb
peut-être aussi cette appellation est-elle due à un épisode survenu à Albi, a
cours duquel le peuple sauva quelques hérétiques du bûcher. *Sur la doctrin
cathare, voir p. 22.*

La croisade – Quand Giovanni Lotario monte sur le trône pontifical (1198), sou
le nom d'**Innocent III**, il décide d'extirper cette hérésie de « purs », jugée dangereus
pour le dogme et pour les institutions. Des représentants du Saint Siège sillonnen
le pays en essayant de démontrer l'erreur cathare ; des prêtres, des évêque
dont les mœurs dissolues servent les théories hérétiques, sont renvoyés. Sai
Dominique prêche, accomplit des miracles, se détache des biens matériel
comme les « Parfaits ». Cependant le catharisme se propage en Languedoc. Le
humbles comme les seigneurs, les artisans, les commerçants se convertissen
Or en 1208, l'envoyé du pape, Pierre de Castelnau, est assassiné près de St-Gille
Innocent III excommunie le comte de Toulouse accusé de complicité et lève un
armée de Croisés pour réduire les hérétiques.
Béziers est d'abord pillée et sa population massacrée, puis Carcassonne tomb
En 1209, **Simon de Montfort** est élu chef de la croisade ; Bram, Minerve, Lava
seront à leur tour le théâtre de tueries effroyables. Enfin le **traité de Meaux** (c
de Paris), en 1229, met fin à l'expédition et place le Languedoc sous l'autori
royale. Ces vingt années sanglantes n'ont pas réussi à abattre les Albigeois
faudra l'instauration de l'Inquisition et surtout le bûcher de Montségur, en 124
pour mettre un terme à leur action.

Henri de Toulouse-Lautrec – Fils du comte Alphonse de Toulouse-Lautre
Montfa et d'Adèle Tapié de Celeyran, sa cousine germaine, il naquit en 186
en l'hôtel du Bosc *(voir p. 38).* Son enfance est marquée par deux accident
en 1878 et en 1879, qui le privent de l'usage normal de ses jambes. Un corp
d'homme sur des jambes atrophiées, telle sera la silhouette difforme du comt
de Toulouse-Lautrec, l'un de nos plus grands peintres de mœurs.
En 1882, il s'installe à Montmartre et se mêle au monde de la misère et d
la débauche. Fasciné par les personnages qu'il rencontre, s'attachant à rend
le caractère qui les personnalise, il croque ses modèles dans leurs lieux familier
maisons closes, champs de courses, cirques, cabarets. A partir de 1891, se
talents de lithographe lui apportent la célébrité et les murs de Paris se couvre
de ses affiches. Prématurément usé par l'alcool et une vie dépravée, il doit êtr
interné dans une maison de santé de Neuilly, en 1899. Rétabli, il retourne
ses habitudes malgré la vigilance de son ami Paul Viaud. En 1901, à la derniè
extrémité, il quitte la capitale et meurt le 9 septembre au château familial d
Malromé, près de Langon (Gironde). Il repose au cimetière de Verdelais.

Albi – Cathédrale Ste-Cécile et vieux quartiers.

★ CATHÉDRALE SAINTE-CÉCILE (Y) ⊙ *visite : 3/4 h*

Au lendemain de la croisade contre les Albigeois, il faut que l'autorité catholique apparaisse définitivement rétablie. L'évêque Bernard de Combret a commencé l'édification du palais épiscopal en 1265, Bernard de Castanet entreprend en 1282 la construction d'une cathédrale. Elle devra être le symbole de la grandeur retrouvée et de la puissance de l'Église, puisque les événements viennent de prouver que la foi a quelquefois besoin de la force pour être entendue. Aussi la cathédrale Ste-Cécile a-t-elle été conçue comme une forteresse. En un siècle, la construction du gros œuvre est achevée ; les évêques contribueront successivement aux travaux de finition.

Avant d'approcher cet impressionnant édifice et pour tenter d'en prendre l'exacte mesure, on pourra l'admirer, de loin, depuis le pont du 22-Août ou le découvrir au hasard d'une échappée depuis l'une des rues du vieil Albi qui débouchent sur la place Ste-Cécile.

EXTÉRIEUR

Il est difficile de prendre suffisamment de recul pour apprécier pleinement la masse formidable de cet édifice de brique rouge. Le simple toit de tuiles qui le couvrait au ras des fenêtres et reposait directement sur les voûtes a été remplacé en 1849 par un bandeau à faux mâchicoulis et chemin de ronde, surmonté de clochetons. L'architecte Daly avait dû imaginer cette nouvelle couverture afin de préserver l'intégrité des peintures de la nef.
Entre les fenêtres, chaque demi-tourelle engagée prolonge un contrefort intérieur.

Porche et baldaquin – L'entrée principale s'ouvre au milieu du flanc Sud. On y accède par une porte construite au début du 15e s. qui unit l'édifice à une ancienne tour de défense. Un escalier conduit majestueusement au porche en forme de baldaquin entièrement en pierre. On doit cette œuvre à l'initiative de Louis Ier d'Amboise (1520). Sa décoration exubérante et foisonnante contraste fortement avec le sobre appareil de brique de la façade.

Clocher – Sur la tour carrée à l'allure de donjon qui ne dépassait pas la hauteur de la nef, Louis Ier d'Amboise a fait édifier, entre 1485 et 1492, trois étages qui s'adossent aux deux tourelles orientales, tandis qu'à l'Ouest celles-ci s'arrêtent à hauteur du premier étage. D'où la silhouette cambrée caractéristique du monument.

INTÉRIEUR

On se représentera la cathédrale originale en se plaçant à droite du grand orgue : imaginons l'édifice sans le jubé et sans la galerie qui, ajoutée au 15e s., est venue interrompre l'élan des chapelles. On est alors en présence d'un vaste vaisseau voûté d'ogives, sans transept, épaulé de contreforts intérieurs séparés de chapelles.

Chœur ⊙ **et jubé★★★** – L'église fut consacrée en 1480. Vers cette époque, Louis Ier d'Amboise décide l'érection du chœur, clos par un **jubé★★★** souvent comparé à une dentelle. L'art flamboyant finissant déploie ici toute sa technique. Ce ne sont que motifs enlacés, pinacles et arcs savamment mêlés, voûtes aux clés richement décorées.
Au-dessus de l'entrée du jubé, remarquer, à la voûte, les effigies de sainte Cécile et de saint Valérien *(autres détails sur la Grande Voûte, ci-après).*

CATHÉDRALE STE-CÉCILE

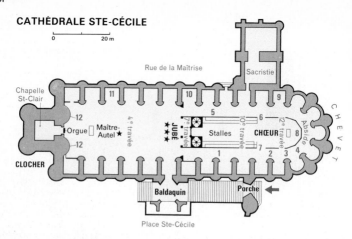

La porte principale est un modèle d'élégance et les serrures sont de chefs-d'œuvre. Des quatre-vingt-seize statues qui ont paré ce jubé jusqu'à Révolution, il ne reste que la Vierge à la droite du Christ en croix, saint Jea à sa gauche et, au-dessous, Adam et Ève. A l'entrée du jubé, au revers de haute croix, on aperçoit sainte Cécile, assise, tenant un orgue et la palme martyr.

Vu du chœur, l'**orgue** monumental, construit entre 1734 et 1736 par C. Mouchere est admirable. Il se compose en fait de deux parties superposées, soutenues pa des atlantes. Le buffet, très raffiné, est décoré de chérubins jouant de différen instruments de musique et, au-dessus, les statues de sainte Cécile et de sai Valérien. La dernière restauration date de 1981.

Le chœur, aux vastes proportions, occupe la moitié du vaisseau et témoigne d la solennité dont s'accompagnaient les fonctions du chapitre. La clôture extérieur est faite d'arcs en accolade à remplages où s'inscrit le monogramme du Chris Les piliers qui séparent ces arcs portent chacun une statue représentant u personnage de l'Ancien Testament. Avec la statuaire de la clôture du chœu d'Albi, le naturalisme de la sculpture gothique atteint son apogée ; l'influenc bourguignonne est manifeste dans l'expression réaliste des visages, les drapé un peu lourds des vêtements, l'allure souvent trapue des personnages. Sor particulièrement remarquables Judith (**1**), les prophètes Sophonie (**2**), Isaïe (**3** et Jérémie (**4**) et, côté Nord, Esther (**5**).

A l'intérieur du chœur, les statues de Charlemagne (**6**) et de Constantin (**7**) trônes au-dessus des deux portes latérales. Il faut se placer face au maître-autel pou voir resplendir les peintures des chapelles à travers les ajours des arcades. Su le sanctuaire proprement dit règne la Vierge à l'Enfant (**8**) entourée d'anges. Au piliers, les douze apôtres.

Autour du chœur courent deux rangées de stalles, magnifiquement sculptées Au-dessus, une frise d'angelots apparaît dans un décor d'arabesques peint su la pierre.

Les vitraux des cinq fenêtres hautes de l'abside sont du 14e s., restaurés au 19e Les chapelles latérales présentent un intérêt inégal. Il faut remarquer surtout cell de la Sainte-Croix (**9**), celle située à l'entrée Nord du chœur (**10**) qui abrite u tableau de la Sainte Famille (16e s.) et, enfin, la chapelle du Rosaire (**11**) qu contient un précieux triptyque de l'école siennoise.

Au pied de l'orgue, le **maître-autel★** en marbre noir de Jean-Paul Froidevau (consacré en 1980) est orné d'émaux de couleurs vives figurant sur trois côté une vigne, tandis que sainte Cécile occupe la face postérieure. Tout autour d l'autel court un verset de l'Évangile de Matthieu évoquant le mystère d l'Eucharistie.

Le Jugement dernier (**12**) – Il s'agit de l'immense peinture sur enduit qui orn la paroi occidentale (sous le grand orgue), exécutée à la fin du 15e s. e malheureusement mutilée en 1693 par le percement de la chapelle St-Clair qu entraîna la disparition de toute la partie centrale et en particulier de la figur du Christ.

La technique employée est la détrempe, c'est-à-dire que les couleurs, broyées ont été fixées au jaune d'œuf et à la colle, à la différence de la voûte ornée de fresques.

La paroi de brique qui supporte cette composition, et où vient jouer la lumière lui donne une belle apparence de légèreté et de transparence.

On peut penser que cette peinture murale supplée à l'absence de sculpture su la façade Ouest, traditionnellement réservée au Jugement dernier dans les cathédrales.

Il se compose de trois registres : au sommet, une assemblée d'anges figure le ciel. Au centre et à la droite du Christ disparu (c'est-à-dire à gauche) se tiennen les élus sur trois rangées : en haut les apôtres, vêtus de blanc et nimbés d'or au-dessous les saints, déjà jugés et admis au ciel, parmi lesquels on reconnaî des personnages de haut rang ; en bas se trouvent les ressuscités nouvellemen élus encore tournés vers le juge suprême, le livre de leur vie ouvert devant eux Leur faisant pendant, à droite, les maudits sont précipités dans les ténèbres de l'enfer. L'espace vide qui les domine matérialise la rupture irrémédiable avec Dieu qu'a engendrée leur péché. Le dernier registre représente l'enfer où sont dépeints les châtiments correspondant aux sept péchés capitaux (au centre la peine infligée aux paresseux a disparu). La nature des tourments est inspirée des vices qui ont corrompu la vie de ces damnés. On reconnaît de gauche à droite : les orgueilleux, les envieux, les coléreux puis les avaricieux, les gourmands et les luxurieux.

Cette œuvre achevée, les artistes français abandonnèrent Ste-Cécile et Louis II d'Amboise fit appel à des Italiens pour décorer les parois et la voûte.

La Grande Voûte – Les artistes bolonais qui ont paré l'austère nef de la cathédrale d'Albi de peintures éblouissantes se sont souvenus des splendeurs du Quattrocento (15e s.), le grand siècle de la Renaissance italienne. Sur un fond d'azur, les blancs et les gris des rinceaux, rehaussés d'ors, produisent le plus bel effet.

La Grande Voûte est décorée de multiples portraits de saints et de personnages de l'Ancien Testament. Parmi les douze travées, remarquer la quatrième en partant du clocher : dans le voûtain Ouest, le Christ montre ses plaies à Thomas ; à l'Est, la Transfiguration. À la septième travée, dans le compartiment Ouest, sainte Cécile et saint Valérien, son époux ; à l'Est, l'Annonciation. La dixième travée est la plus richement décorée : à l'Ouest, parabole des Vierges sages et des Vierges folles ; à l'opposé : le Christ, dans une auréole de lumière, couronne la Vierge. Enfin, à la naissance de l'abside (douzième travée), le Christ de la Parousie, auréolé d'anges, est entouré des quatre symboles évangéliques.

★ PALAIS DE LA BERBIE (Y) *visite : 1 h 1/2*

C'est à Bernard de Combret que revient l'initiative d'avoir commencé vers 1265 la construction d'une résidence épiscopale, près de la cathédrale du 12e s., aujourd'hui disparue. Le nom de Berbie est une transformation de bisbia, « évêché » en dialecte local. Bernard de Castanet transforma l'œuvre initiale en forteresse, avec donjon massif et enceinte fortifiée : on apprécie son importance depuis la terrasse aménagée au bord du Tarn. Cette muraille, primitivement destinée à préserver l'accès au donjon, s'est transformée au cours des siècles. A la fin du 17e s., la cour jadis occupée par les hommes d'armes a été transformée en parterres fleuris et la tour occidentale a été coiffée d'un toit hexagonal. Le chemin de ronde a été changé en promenade ombragée, bordée des statues de marbre représentant Bacchus et les Saisons (18e s.).

Le corps de logis oriental, couvert d'ardoise, date de la fin du 15e s. Louis Ier d'Amboise fit surmonter les tourelles de toits en poivrière ajourés d'élégantes lucarnes en pierre dont il ne subsiste qu'un exemple.

Après la promulgation de l'édit de Nantes en 1598, la Berbie perdit toute fonction de citadelle. Les tours furent arasées, l'enceinte occidentale démantelée, la tour Nord du donjon écrêtée. Par la suite, les prélats s'attachèrent surtout à aménager l'intérieur du château. Depuis 1922, le musée Toulouse-Lautrec créé par Maurice Joyant, fidèle ami du peintre, occupe les bâtiments.

★ **Musée Toulouse-Lautrec** ⊙ – L'escalier majestueux, construit au 17e s., conduit au premier étage où l'on visite la galerie d'archéologie (1) ; remarquer la *Vénus du Courbet,* découverte à Penne dans le Tarn et vieille de 20 000 ans (Périgordien supérieur). La chapelle Notre-Dame, du 13e s., est voûtée d'ogives et décorée par le Marseillais Antoine Lombard. L'évêque Le Goux de la Berchère (1687-1703) y introduisit les sept tableaux marqués à ses armes.

La suite des nombreuses salles que l'on visite a été aménagée au 17e s. Beaux plafonds, dans le vaste Salon doré (2) qui renferme un tableau de Guardi.

Le Salon carré (3) inaugure l'exposition des **collections Toulouse-Lautrec,** les plus complètes de cet artiste, léguées à la ville d'Albi en 1922 par la comtesse de Toulouse-Lautrec, sa mère, et complétées par d'autres donations de la famille. Parmi les portraits consacrés à l'artiste, celui exécuté par Javal traduit bien la noblesse dont Toulouse-Lautrec ne s'est jamais départi sous son apparente déchéance. Dans la salle Toulouse-Lautrec (4) l'*Artilleur sellant son cheval* a été exécuté par le peintre à 16 ans.

La galerie Amboise (5) abrite des œuvres de jeunesse évoquant les séjours au domaine maternel de Celeyran (près de Narbonne). On notera, tout au long de la visite, la diversité des signatures : Henri de Toulouse Lautrec, Montfa, des initiales : H.L. ou H.T.L. ; Tréclau, anagramme de Lautrec, écrit dans un éléphant, une souris ou un chat.

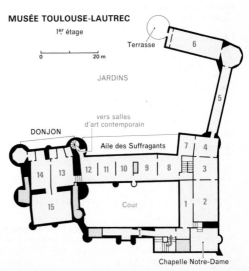

MUSÉE TOULOUSE-LAUTREC

1er étage

Terrasse

6

0   20 m

JARDINS

5

vers salles d'art contemporain

DONJON

Aile des Suffragants

7   4

14   13   12   11   10   9   8   3

15   Cour   1   2

Chapelle Notre-Dame

La vaste salle suivante, le Salon rose (6), renferme des portraits célèbres et des œuvres illustrant principalement sa vie parisienne. *L'Anglaise du Star* est un souvenir du Havre : avant de s'embarquer pour Bordeaux, il a voulu fixer le sourire de la blonde Miss Doly, rencontrée dans un café-concert du port. *La Modiste* frappe par son atmosphère de clair-obscur. Le docteur Gabriel Tapié de Celeyran, son cousin, est là aussi, qui le soutenait de son amitié vigilante. De là, on accède à la terrasse : belle vue sur le Tarn, le Vieux Pont et les jardins à la française du Palais de la Berbie.

Dans le Salon Empire (7) et dans l'aile Nord du palais, dite « des Suffragants » (salles 8 à 12), où logeaient les évêques en visite, remarquer l'étude pour l'affiche de *La Revue blanche* (1895), œuvre au fusain rehaussée de couleurs, hommage à la beauté de Missia Godebski, épouse d'un des frères Natanson, directeurs de *La Revue blanche.*

Portrait de M. Désiré Dihau,
par Toulouse-Lautrec.

Dans la salle 9 domine une des œuvres les plus connues : *Au salon de la ru des Moulins.* L'étude au pastel et le tableau de 1894 sont exposés face à fac Dessinateur incomparable, l'artiste observe et reproduit impitoyablement ; il laiss toujours apparaître le trait sous la peinture. Puis défilent les personnages o music-hall et de théâtre dont il allait chaque soir faire de nombreux portraits Valentin le Désossé qui venait au Moulin de la Galette pour danser avec la Goulue le chansonnier Aristide Bruant qui chantait en argot dans son cabaret *Le Mirlitor* Caudieux, l'artiste de café-concert ; Jane Avril, surnommée *La Mélinite* pour se danses frénétiques, dont Lautrec a maintes fois évoqué les expressions délicate et les attitudes distinguées ; la chanteuse Yvette Guilbert, poursuivie ave acharnement par le peintre à qui elle interdisait de divulguer ses portraits qu'ell trouvait désobligeants.

Dans le donjon (salles 13 à 15) sont exposés d'innombrables dessins, affiche et lithographies ainsi que la canne évidée que l'artiste utilisait à sa sortie de l maison de repos de Neuilly : il pouvait la remplir de cognac, mystifiant son an et gardien Paul Viaud.

La série des 39 dessins *Au cirque* est une reproduction de ceux exécutés c mémoire pendant les soixante-quinze jours que dura son internement en 189! De la salle 12 un escalier à vis du 14e s. conduit aux deuxième et troisièm étages qui abritent des œuvres d'art contemporain, parmi lesquelles on remarqu des dessins de Louis Anquetin représentant Verlaine, des sculptures de Maillc de Bourdelle, de P. Belmondo et des peintures d'Yves Brayer, Matisse, Marque et Dufy.

De la rotonde s'offre une **vue** sur le Tarn, les ponts et les Moulins albigeoi

★ LE VIEIL ALBI *visite : 1 h*

De la place Ste-Cécile, prendre la rue du même nom et tourner dans la ru St-Clair (2e à droite).

Ce nom évoque le premier évêque d'Albi.

Maison du vieil Alby (Z B) – Restaurée selon les plans d'une maison médiéval cette demeure en brique et bois avec un étage en encorbellement occupe l fourche entre les rues très pittoresques de la Croix-Blanche et Puech-Berenguie La maison du vieil Alby sert de cadre à des expositions d'artisanat et présent des documents sur la ville.

Rue Toulouse-Lautrec (Z 60) – Sur la droite de la rue se succèdent la maiso Lapérouse où est installé le **musée de Cire** (Z M¹) et l'Hôtel du Bosc, maison natal de Toulouse-Lautrec (Z D), situé à l'emplacement des fortifications du 14e (il en subsiste deux tours et une partie du chemin de ronde).

Suivre les rues des Nobles, du Palais (le palais de justice est installé dans l'ancie couvent des Carmes du 16e s.) et des Pénitents. Remarquer l'hôtel de vill (Z H), belle construction Renaissance.

Hôtel de Reynès (Z C) – *Siège de la Chambre de commerce et d'industri* Cette demeure Renaissance en brique et pierre appartenait à une famille de riche marchands.

La cour est décorée de deux galeries superposées accolées à une tour d'angl du 14e s. Les meneaux des fenêtres représentent des formes féminines mai les éléments les plus remarquables sont les deux bustes de François Ier et Éléono d'Autriche.

★ Pharmacie des Pénitents (ou Maison Enjalbert) (Z E) – Cette construction du 16e est typique du style albigeois avec ses briques entrecroisées et ses colombage Prendre la rue Mariès, remarquer au n° 6 (Z F) une belle maison du 15e s. e brique et bois.

ALBI

B Maison du Vieil Alby
C Hôtel de Reynès
D Maison natale
  de Toulouse-Lautrec
E Pharmacie des Pénitents
F Maison du 15ᵉ siècle
H Hôtel de ville
K Statue de Lapérouse
M¹ Musée de Cire
M² Musée Lapérouse

Église Saint-Salvy (YZ)

– Saint Salvy, d'abord avocat, devint moine puis évêque d'Albi au 6ᵉ s. et implanta le christianisme dans la région. Il fut enterré à l'emplacement actuel de l'église. Celle-ci eut une histoire mouvementée : ses plans et fondations sont carolingiens ; au 11ᵉ s. on édifia une église et un cloître roman, puis les travaux, interrompus par la croisade des Albigeois, reprirent au 13ᵉ s. dans le style gothique. La variété de styles est reconnaissable sur le clocher massif qui s'élève sur le côté Nord de l'édifice. La tour romane en pierre (11ᵉ s.), à bandes lombardes, est surmontée d'un étage gothique (12ᵉ s.) et terminée par une construction en brique du 15ᵉ s. : la tourelle crénelée qui la flanque, « la Gacholle », où l'on discerne le blason de la ville d'Albi à côté de celui du chapitre, servait de tour de guet.

Pénétrer dans l'église par le flanc Nord. Du portail roman, défiguré par une adjonction de style classique, il ne reste que l'archivolte, les voussures et deux chapiteaux. Les quatre premières travées sont romanes et ont conservé leurs chapiteaux du 12ᵉ s. D'une première campagne de construction subsistent deux absidioles du chœur, non alignées dans l'axe des bas-côtés.

Le chœur, de même que les autres travées, est de style gothique flamboyant. Il renferme six statues représentant les prêtres, scribes et anciens du peuple du Sanhédrin (tribunal siégeant à Jérusalem).

Dans la première chapelle latérale droite, remarquer un Christ à la colonne du 15ᵉ s. et une Mise au tombeau, beau tableau primitif sur bois.

La sacristie abrite une pietà en pierre du 15ᵉ s. et une statue en bois de saint Salvy du 12ᵉ s. dont une copie est placée au-dessus du portail d'entrée de l'église et une autre au-dessus du maître-autel.

Le **cloître** *(accès par une porte percée dans le flanc Sud)* a été reconstruit au 13ᵉ s. par Vidal de Malvesi. Il n'en subsiste que la galerie orientale qui présente des chapiteaux romans historiés et des chapiteaux gothiques à feuillages.

L'artiste et son frère reposent dans un mausolée avec enfeu adossé à l'église.

Revenir à la place Ste-Cécile.

AUTRES CURIOSITÉS

Moulins albigeois (Y) – Les bâtiments des anciens moulins en brique, joliment restaurés, abritent un hôtel, le Comité départemental du tourisme, des logements et le musée Lapérouse.

De la terrasse, square Botany Bay, beau **point de vue★** sur le Tarn, le Pont Vieux et les quartiers de la rive gauche dominés par la cathédrale.

Musée Lapérouse (Y M²) ◷ – *Accès par la rue Porta.*
Aménagé dans de belles salles voûtées, il évoque les expéditions de l'amiral Jean-François de Galaup de Lapérouse, né en 1741 au manoir du Go dans les environs d'Albi. Lapérouse entreprit une expédition scientifique en 1785 à bord des frégates la *Boussole* et l'*Astrolabe*. C'est au cours du naufrage de cette dernière devant l'île de Vanikoro, au Nord des Nouvelles-Hébrides, qu'il périt. Sa dernière escale fut Botany Bay en Australie au début de 1788.

Des instruments de navigation, des cartes, des modèles réduits de bateaux instruisent sur la navigation au 18ᵉ s. Un film vidéo retrace quatre siècles d'aventures à travers le Pacifique. Les dernières investigations sur les traces de l'*Astrolabe* eurent lieu en 1986 et furent menées par une équipe internationale.

Musée de Cire (ZM¹) ⊙ – Installés dans les caves d'une maison qui avait été achetée par le navigateur Lapérouse, des dioramas avec des personnages en cire évoquent les Albigeois célèbres ainsi que les épisodes qui marquèrent l'histoire de la ville. On y retrouve Henri de Toulouse-Lautrec, saint Salvy, Simon de Montfort, Bertrand de Castanet, Lapérouse... et la représentation d'activités comme l'exploitation des mines et du pastel.

Statue de Lapérouse (ZK) – Bordant la place du même nom, elle évoque l'illustre enfant d'Albi.

Parc Rochegude – *Par l'avenue Gambetta au Sud du plan.*
Henri de Rochegude, né à Albi en 1741, fut navigateur, député à la Convention et érudit. Dans l'hôtel de Rochegude, les archives et la bibliothèque municipale ont été installées.
Dans le parc, très agréable, a été placée la **fontaine du Griffoul**, vaste cuve en plomb (13ᵉ s.) ornée de bas-reliefs et d'un motif central en bronze, du 16ᵉ s.

ENVIRONS

★ **Église St-Michel de Lescure** ⊙ – *5 km au Nord-Est. Prendre la direction Carmaux-Rodez puis tourner à droite au panneau Lescure.*
L'église est située dans le cimetière de Lescure. Cette ancienne église priorale fut édifiée au 11ᵉ s. par les moines bénédictins de l'abbaye de Gaillac.
Son portail roman surtout, du début du 12ᵉ s., est digne d'intérêt. Quatre de ses chapiteaux sont historiés et représentent, à gauche, la Tentation d'Adam et Ève et le Sacrifice d'Abraham ; à droite, le premier retrace la damnation de l'usurier tandis que le suivant est orné de deux scènes figurant le mauvais riche châtié et Lazare, le pauvre, récompensé. Par ses chapiteaux, St-Michel s'apparente à la basilique St-Sernin de Toulouse et à l'église St-Pierre de Moissac.

Notre-Dame-de-la-Drèche – *5 km au Nord. Prendre la direction Carmaux-Rodez, puis bientôt à gauche la direction de Cagnac-les-Mines.*
Juché sur un petit plateau dans la campagne tarnaise, le sanctuaire aux tons chauds de brique rose frappe par ses dimensions imposantes. Bâti au 19ᵉ s. à l'emplacement d'une église du 13ᵉ s., l'édifice est dédié à la Vierge d'Or de Clermont, qui inspira de nombreuses répliques. Son vocable veut dire « Notre-Dame du coteau ensoleillé » (le mot « adrech », dans la région, désigne une pente exposée au soleil). A l'intérieur, la rotonde octogonale est décorée dans sa partie supérieure par des peintures murales de Bernard Bénézet, relatant l'histoire de la vie de la Vierge, et exécutées par le père Léon Valette.
Dans le petit **musée-sacristie** ⊙, la pièce la plus remarquable est un devant d'autel en brocart d'or, réalisé par les clarisses de Mazamet sur le thème des peintures murales de l'église.

Castelnau-de-Lévis – *7 km. Quitter Albi par la route de Cordes, puis, dans un virage, prendre à gauche la D1 vers Castelnau-de-Lévis.*
De la forteresse du 13ᵉ s., il ne reste que l'étroite tour carrée et quelques ruines. La vue s'étend amplement sur Albi, dominée par sa cathédrale, et sur la vallée du Tarn.

ALET-LES-BAINS
460 h. (les Aletois)

Cartes Michelin nᵒ 86 pli 7 ou 235 pli 43 – 8 km au Sud de Limoux – Schéma p. 74.

A l'entrée de l'Étroit d'Alet, dernier défilé de l'Aude, la ville est favorisée d'un climat privilégié par un site bien abrité. D'une abbaye bénédictine d'une importance considérable, le pape Jean XXII avait fait en 1318 un siège épiscopal qu'illustra de 1637 à 1677, Nicolas Pavillon, disciple de Vincent de Paul et ami de Port-Royal.

Ruines de la cathédrale ⊙ – D'importants vestiges s'élèvent tout près de la route : ce sont ceux de l'ancienne abbatiale de style roman qui, édifiée au 11ᵉ s. fit office de cathédrale à partir de 1318. C'est alors qu'on entreprit de remplacer le chœur roman par un chœur gothique pourvu d'un vaste déambulatoire. Les travaux étant restés inachevés, la cathédrale dévastée en 1577 par les Huguenots et enfin la route, construite au 18ᵉ s., ayant amputé les chapelles du déambulatoire, il ne subsiste de l'époque gothique que la tour Nord (à droite en regardant le chevet).
Le **chevet roman** est, lui, resté en place. A cinq pans, en beau grès rouge ou ocre, il arbore une magnifique décoration. Ses cinq contreforts-colonnes sont surmontés de chapiteaux corinthiens incorporés dans une large corniche, très richement ornée, comprenant deux rangs de modillons, séparés par des cordons d'oves et de feuilles.
A l'intérieur de l'abside, une corniche, plus légère, relie les deux chapiteaux corinthiens, faisant saillie à la base de l'arc triomphal. La salle capitulaire est intéressante pour les élégants chapiteaux romans de sa porte et de ses baies. On reconnaîtra une scène de chasse, la Fuite en Égypte, deux capricornes qui s'affrontent... Voir aussi, dans le cimetière voisin, la porte Sud de l'abbatiale surmontée de hauts-reliefs : lion, taureau et, au-dessus, lion chevauché par un homme.

La vieille ville – Encore enserré dans ses remparts du 12ᵉ s., le vieil Alet ne manque pas de cachet. Sur la **place de la République** se dressent de belles façades à pans de bois, restaurées, et de nobles maisons de pierre du 16ᵉ s., à portique (l'une d'elles abrite le Syndicat d'initiative). De là partent en étoile des rues étroites et pittoresques dont deux, la rue de la Rose et la rue de Cadène, aboutissent aux portes de la ville : porte Calvière, porte Cadène.

Cartes Michelin n° 86 plis 18, 19 ou 235 pli 56 ou 240 pli 45.
Plan dans le guide Rouge Michelin France.

Amélie, qui s'appelait autrefois Bains-d'Arles, doit son nom à la reine Amélie, femme de Louis-Philippe, et son essor au général de Castellane qui fit ouvrir l'hôpital militaire en 1854 et tracer des sentiers promenades sur les pentes environnantes.

La station thermale la plus méridionale de France – La station d'Amélie-les-Bains-Palalda, située à 230 m d'altitude dans le Vallespir et alimentée par des eaux riches en soufre, est réputée pour le traitement des rhumatismes et les affections des voies respiratoires (cures toute l'année). La végétation méditerranéenne de ses jardins – mimosas, lauriers-roses, palmiers, agaves – illustre la douceur de son climat : grande pureté de l'air, très peu de vents violents, ensoleillement intense. Amélie possède un établissement militaire et deux civils : les thermes du Mondony, établis à la sortie des gorges du Mondony, et les Thermes romains qui abritent une piscine romaine restaurée.

★ **Palalda** – *A 3 km du centre d'Amélie.*
Jumelé administrativement avec la station, le bourg médiéval de Palalda, dominant le Tech, est un très bel exemple de village catalan. Parcourir les petites rues fleuries, parfois en forte pente, au pied de la mairie. La placette bordée par l'église St-Martin, le musée et la mairie est le point le plus plaisant.

Église – Remarquer le beau retable retraçant la vie de saint Martin.

Musée ⊙ – Il abrite deux sections.
Le **musée des Traditions et Arts populaires** présente des outils de métiers aujourd'hui disparus ou mécanisés. Une salle est consacrée à la fabrication des espadrilles. Vingt mètres en contrebas, place de la Nation, deux salles reconstituent l'atmosphère d'une cuisine et d'une chambre au début du siècle. On observera avec curiosité le « truc » (jeu de cartes catalanes) et l'évocation de la cargolade, plat d'escargots grillés, dégustés avec un aïoli et arrosés de Rivesaltes ou de Banyuls.
Le **musée de la Poste en Roussillon** rassemble des tableaux, des documents et objets divers retraçant l'histoire de la poste dans cette région. Reconstitution d'un bureau de poste à la fin du 19e s. On s'attardera devant le schéma expliquant le fonctionnement des tours à feux en Roussillon ; grâce à un code dans l'utilisation des fumées, l'ensemble de la région pouvait, en un quart d'heure, être avertie d'une invasion ennemie *(voir p. 28).*
Parmi les machines exposées : rare exemplaire de la « Daguin », machine à oblitérer. On remarquera enfin le costume du postillon et en particulier ses imposantes bottes.

Gorges du Mondony – *1/2 h à pied AR. Partir des Thermes romains et, longeant l'hôtel des Gorges, atteindre la terrasse dominant la sortie des gorges. On suit alors le sentier en corniche et les galeries accrochées à l'escarpement.* Fraîche promenade.

ENVIRONS

★ **Vallée du Mondony** – *6 km jusqu'à Mas Pagris. Parcours de corniche impressionnant (garages de croisement sur les 2 derniers kilomètres).*
Se détachant de l'avenue du Vallespir à la sortie amont de la localité, la route, signalée Montalba, s'élève sur les pentes du piton du Fort-les-Bains et évite par les hauteurs les gorges du Mondony. Tracée ensuite en palier, en vue des découpures du Roc St-Sauveur, elle domine la vallée déserte, boisée uniformément de chênes verts. Laissant à gauche l'antenne de Montalba, poursuivre dans des gorges granitiques jusqu'au petit bassin de Mas Pagris, base de promenades dans le haut vallon du Terme.

Dans le guide Rouge Michelin France de l'année,
vous trouverez un choix d'hôtels agréables, tranquilles, bien situés,
avec l'indication de leur équipement
(piscines, tennis, plages aménagées, aires de repos...)
ainsi que les périodes d'ouverture et de fermeture des établissements.

Vous y trouverez aussi un choix de maisons
qui se signalent par la qualité de leur cuisine :
repas soignés à prix modérés, étoiles de bonne table.

Dans le guide Michelin Camping Caravaning France de l'année,
vous trouverez les commodités et les distractions offertes
par de nombreux terrains (magasins, bars, restaurants, laverie,
salle de jeux, tennis, golf miniature, jeux pour enfants, piscines...)

Cartes Michelin n° 🔲🔲 plis 14, 15 ou 🔲🔲🔲 plis 50, 51, 54.

L'Andorre, territoire de 464 km², attire de nombreux touristes intéressés par les beautés rudes de ses paysages et la réputation de ses coutumes patriarcales.

En moins d'un demi-siècle, l'Andorre a connu une évolution surprenante dans ses modes de vie ; les premières voies carrossables permettant une liaison avec le monde extérieur furent ouvertes, du côté espagnol, en 1913 et, du côté français, en 1931 seulement. Aussi le petit État donne-t-il des signes d'une croissance parfois désordonnée, tels que la prolifération d'immeubles résidentiels et commerciaux dans la vallée du Gran Valira.

L'intérêt se porte maintenant sur les hauts plateaux ou les vallées latérales, desservis par de petites routes de montagne qui permettent encore un « voyage dans le temps ».

La principauté d'Andorre compte 61 599 habitants (1992), en majorité de langue catalane, répartis dans sept « paroisses » ou communes : Canillo, Encamp, Ordino, La Massana, Andorre-la-Vieille, Sant Julià de Loria et Escaldes-Engordany.

Formalités douanières – Un passeport (périmé depuis moins de 5 ans) ou la carte d'identité (validité : 10 ans) suffisent. Les enfants mineurs doivent posséder une carte d'identité et, s'il y a lieu, une autorisation parentale.

La « carte verte » est exigée à la frontière.

Monnaie – L'argent français et l'argent espagnol ont cours indifféremment.

Régime postal ⊙ – A Andorre-la-Vieille coexistent les administrations postales française et espagnole.

La fille de Charlemagne – « Le grand Charlemagne, mon père, des Arabes me délivra. » C'est par ces mots que débute l'hymne andorran qui, fièrement poursuit : « Seule, je reste l'unique fille de l'empereur Charlemagne. Croyant et libre, onze siècles, croyante et libre je veux être entre mes deux vaillants tuteurs et mes deux princes protecteurs. »

La coprincipauté d'Andorre a vécu jusqu'en 1993 sous le régime du paréage, hérité du monde féodal. Dans un tel contrat, deux seigneurs voisins délimitaient leurs pouvoirs et leurs droits sur un territoire qu'ils tenaient en fief, en commun. La particularité de l'Andorre réside dans le fait que ses seigneurs, étant devenus étrangers l'un à l'autre par la nationalité, ont laissé survivre, conformément au droit féodal, le statut d'un territoire dont aucun des deux partenaires ne pouvait revendiquer la possession. L'acte de paréage, signé en 1278 par l'évêque d'Urgel et Roger-Bernard III, comte de Foix, instituait comme coprinces l'évêque d'Urgel et le comte de Foix. Les évêques d'Urgel restent toujours coprinces, mais la suzeraineté des comtes de Foix, par l'intermédiaire de Henri IV, a été transmise au chef de l'État français, en la personne du président de la République.

Depuis 1993, les Andorrans se sont dotés, par référendum, d'une nouvelle constitution conférant à la principauté sa pleine souveraineté. La langue officielle est le catalan. La principauté a signé un traité de coopération avec la France et l'Espagne, premiers pays à avoir reconnu son indépendance ; elle est devenue pays membre de l'O.N.U. également.

Le goût de la liberté – Les Andorrans sont avant tout « avides, fiers, jaloux de leur liberté et de leur indépendance.

Le Conseil général tient ses sessions à la « Casa de la Vall ». Il assure la représentation mixte et paritaire de la population nationale et des 7 paroisses. Les conseillers (au nombre de 28 au moins et de 42 au plus) sont élus au suffrage universel pour une durée de 4 ans. Le Conseil général élit le syndic général et le vice-syndic. Après chaque renouvellement du Conseil général, il est procédé à l'élection du chef de gouvernement. Les « Comuns » sont des conseils de paroisses, qui représentent les intérêts de ces dernières et les administrent. Le pouvoir juridictionnel est exercé par le tribunal des bayles, le tribunal des Corts et le tribunal supérieur de justice d'Andorre.

Les Andorrans ne sont soumis ni aux impôts directs ni au service militaire ; ils bénéficient de la franchise postale en régime intérieur. La propriété privée de la terre demeure très réduite, vu l'importance des biens communaux.

Les travaux et les jours – La vie, toute patriarcale, était naguère consacrée en grande partie à l'élevage et à la culture.

Entre les hauts pâturages d'été et les hameaux subsistent les « cortals » formés de granges ou bordes, dont les accès sont rendus, peu à peu, carrossables. Sur les soulanes *(voir p. 65)* subsistent des cultures en terrasses. Les plantations de tabac se maintiennent jusqu'à 1 600 m d'altitude ; elles constituent la culture dominante dans la vallée de Sant Julià de Lória.

L'enracinement de la foi se manifeste dans le choix de la solennité de N.-D.-de-Meritxell (8 septembre) comme fête nationale. La messe se déroule en présence du clergé du pays et des autorités. Comme tout « aplec » catalan (pèlerinage) elle est suivie de repas champêtres sur les prairies d'alentour.

Le développement de l'équipement hydro-électrique, les opérations d'« urbanitzacio » (lotissements touristiques), l'afflux des visiteurs étrangers ont bouleversé la vie andorrane.

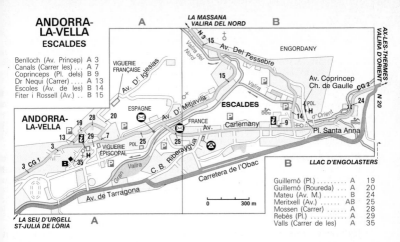

ANDORRE-LA-VIEILLE (ANDORRA LA VELLA)

Capitale des vallées d'Andorre, la « ville », massée à l'étroit sur une terrasse au bord escarpé dominant le Gran Valira, est une métropole du négoce. L'agglomération se soude, à l'Est, au-delà du pont sur le torrent, à la commune non moins animée d'Escaldes, établie plus au large dans la petite plaine où confluent les deux rameaux supérieurs du cours d'eau.
A l'écart des voies de traversée, le noyau d'Andorre garde ses ruelles et sa Maison des Vallées, où se discutent toujours les intérêts du pays.

Maison des Vallées (Casa de la Vall) (A B) ⊙ – Elle est à la fois le Parlement et le palais de justice des Vallées. Le « Très Illustre Conseil général » y tient ses séances.
Cette construction massive doit son allure d'ensemble à des aménagements du 16e s. mais a été fortement restaurée en 1963, son appareil défensif ayant alors été complété par une deuxième échauguette d'angle, au Midi. Le portail s'ouvre sous de longs et lourds claveaux caractéristiques des constructions nobles aragonaises. Les armes des Vallées apposées en 1761 illustrent le régime de coprincipauté : à gauche, la mitre et la crosse d'Urgel et les quatre « pals » de gueules de la Catalogne ; à droite, les trois « pals » du comté de Foix et les deux « vaches passantes » du Béarn. L'intérieur doit sa noblesse à ses plafonds et ses lambris. On montre au 1er étage la salle de réception, jadis réfectoire, ornée de peintures murales du 16e s. La salle du Conseil conserve la fameuse « armoire aux sept clés » munie de sept serrures différentes (chacune des paroisses détient une clé) qui abrite les archives.

Caldea

Situé à 1 000 m d'altitude et utilisant l'eau thermale d'Escaldes-Engordany puisée à 68°, Caldea (5, avenue Coprincep De Gaulle) est un grand centre aquatique, conçu pour le bien-être et le plaisir. L'ensemble architectural, réalisé sur les plans du Français Jean-Michel Ruols, se présente sous la forme d'une gigantesque cathédrale de verre à l'allure futuriste. Sur une superficie totale de 25 000 m², 6 000 m² sont dévolus aux espaces aquatiques. L'éventail des possibilités de détente et de relaxation est très large : bains indo-romains, hammam, jacuzzis, lits à bulles, marbres chauds, fontaines de brumatisation, etc. Des lieux de restauration, une galerie commerciale, un bar panoramique à 80 m de hauteur concourrent à rendre particulièrement attrayant ce paradis des eaux. Renseignements : ☎ (628) 6 57 77.

★ 1 VALLÉE DU VALIRA D'ORIENT

D'Andorre-la-Vieille à la route du Puymorens
36 km – environ 1 h 1/2 – schéma p. 44

Le port d'Envalira peut être obstrué par la neige, mais sa réouverture est assurée dans les 24 h. Par temps de tourmente, l'issue, par la route du Puymorens, risque de n'être ouverte que vers Porté et la Cerdagne.

Se dégageant, à Escaldes, de l'agglomération, la route remonte la vallée continuellement rude. Elle laisse en arrière le bâtiment des machines de Radio-Andorre, flanqué d'un clocher néo-roman inattendu.
Après Encamp, par un raidillon, on surmonte le verrou des **Bons, site★** d'un hameau bien groupé sous la ruine du château qui défendait le passage et la chapelle Sant Roma. A droite s'élève la chapelle **N.-D. de Meritxell**, sanctuaire national de l'Andorre, reconstruite en 1976.

Canillo – L'église collée au rocher est surmontée du plus haut clocher d'Andorre. A côté se détache, en blanc, l'ossuaire (dont les cellules abritent les caveaux funéraires), construction fréquente dans les pays de civilisation ibérique.

Sant Joan de Caselles ⊙ – L'église, isolée, est l'un des types les plus accomplis d'édifice roman d'Andorre, avec son clocher à trois étages de baies. A l'intérieur, derrière la pittoresque grille de fer forgé et découpé du chœur, apparaît un retable peint, œuvre du Maître de Canillo (1525) : la vie de saint Jean et les visions apocalyptiques de l'apôtre. Lors de la dernière restauration (1963) on a pu rétablir

une **crucifixion ★** romane : les morceaux épars d'un Christ en stuc ont été recoll
sur le mur, à leur emplacement d'origine, après dégagement de la fresqu
complétant la scène du Calvaire (le soleil, la lune, Longin, le soldat porte-lanc
et Stéphaton, le soldat présentant l'éponge).

La route décrit une boucle dans le beau vallon pastoral d'Inclès.

Soldeu El Tarter – Centre de ski à 1 826 m d'altitude.

Au cours de la montée au port d'Envalira, on découvre, s'épanouissant a
Sud-Ouest, le cirque des Pessons aux replats d'origine glaciaire. A droite s
détache du chemin du centre de ski de Grau Roig.

★★ **Port d'Envalira** – Alt. 2 407 m. C'est le plus haut col pyrénéen franchi pa
une bonne route. Il marque la ligne de partage des eaux entre la Méditerrané
(Valira) et l'Océan (Ariège) et offre un **panorama** sur les montagnes de l'Andorr
atteignant 2 946 m, dans le lointain à l'Ouest, à la Coma Pedrosa.

La descente vers le Pas de la Casa offre de très belles vues sur l'étang et l
cirque de Font-Nègre.

✶ **Pas de la Casa** – Alt. 2 091 m. Simple poste-frontière, ce village, le plus élev
d'Andorre, est devenu un centre important de ski.
La N 22 se déroule à travers un paysage désolé et se rattache à la N 20, rou
du Puymorens.

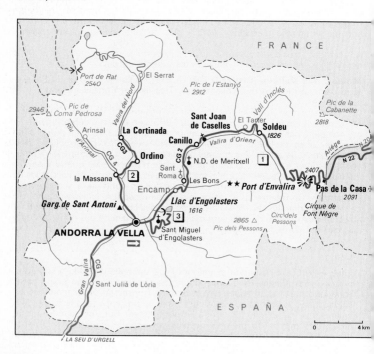

★ 2 **VALLÉE DU VALIRA DEL NORD**

D'Andorre-la-Vieille à la Cortinada *9 km*

Fraîche vallée où l'on trouve encore des témoins de la vie montagnarde.
Par une rampe, la route se dégage rapidement d'Andorre-Escaldes.

Gorges de Sant Antoni – D'un pont sur le Valira del Nord, on aperçoit à
droite le vieux pont en dos d'âne qu'utilisait l'ancien chemin muletier de la
vallée.

A la sortie de cet étranglement, la vallée s'épanouit, radieuse, sur un fond de
montagnes arides. Par la vallée d'Arinsal, belle vue sur les sommets du groupe
de la Coma Pedrosa.

Par La Massana, agréable villégiature, gagner Ordino.

Ordino – *Laisser la voiture dans le village haut sur la place près de l'église.*
Bourg pittoresque dont on parcourra les ruelles en contrebas de l'église. L'église
a gardé de belles grilles de fer forgé et découpé, que l'on découvre encore dans
plusieurs sanctuaires proches des anciennes « forges catalanes ». Une autre
réalisation de ferronnerie ancienne s'observe près de l'église : le balcon, long
de 18 m, de la « maison de Don Guillem » jadis propriété d'un maître de
forges.

La Cortinada – Site agréable. En contrebas de l'église et du cimetière à
ossuaire, voir une ancienne maison de notable à galeries extérieures et à
pigeonnier.

*La route se poursuit vers le Nord. Elle doit un jour établir, par le port de Ra
(alt. 2 540 m), une liaison avec le Vicdessos (p. 96).*

Engolasters – Église St-Michel.

③ **LAC D'ENGOLASTERS** *9 km puis 1/2 h à pied AR*

> *Sortir d'Escaldes, à l'Est d'Andorre, par la route de France ; à la sortie de l'agglomération, tourner à droite en arrière dans la route de montagne d'Engolasters.*

Sur le plateau de pâturages d'Engolasters, annexe sportive d'Andorre-la-Vieille, se dresse la fine tour romane de l'**église St-Michel.**

Du terminus de la route, franchir la crête, sous les pins, pour redescendre aussitôt (à pied) au barrage. L'ouvrage a élevé de 10 m le niveau du lac (alt. 1 616 m), reflétant la forêt sombre. A l'extrémité opposée se dressent les antennes de Radio-Andorre.

★ ## Haute vallée de l'ARIÈGE

Cartes Michelin n° 🔠🔠 plis 4, 5, 15 ou 🔠🔠🔠 plis 38, 42, 46, 47, 51.

L'Ariège prend naissance aux confins de l'Andorre dans le cirque de Font-Nègre et rejoint la Garonne peu avant Toulouse, après un parcours de 170 km.

Dans son cours supérieur, elle suit un sillon glaciaire qui s'élargit et change de direction à hauteur d'Ax. Les traces de l'ancien glacier sont particulièrement remarquables de part et d'autre de Tarascon. Par le défilé de Labarre, l'Ariège tranche les chaînes calcaires du Plantaurel et, gagnant la plaine de Pamiers que ses alluvions ont constituée, s'évade du domaine pyrénéen.

Un musée minéralogique – La diversité des affleurements géologiques et des filons minéraux fait du département de l'Ariège un pays minier dont les ressources ont été tantôt exploitées, tantôt abandonnées, suivant les cours des marchés mondiaux. Le fer, la bauxite, le zinc, le manganèse et, dernièrement, le tungstène (à Salau) ont été exploités de façon significative. À l'heure actuelle, seul le talc de **Luzenac** constitue une ressource minérale d'importance nationale (10 % de la production mondiale).

★ ### DU COL DE PUYMORENS A TARASCON-SUR-ARIÈGE

54 km – environ une demi-journée

La route du Puymorens établit une liaison entre la Cerdagne, la Catalogne, les Pyrénées ariégeoises, Foix et Toulouse. Fin 1994, un tunnel long de 4 820 m permettra d'éviter le passage par le col, d'un accès hivernal difficile.

★ **Col de Puymorens** – Alt. 1 915 m. Les champs de neige sont desservis par la route, dégagée au moins sur le versant Sud, ou par les remontées de **Porté-Puymorens**. On descend par l'ancien tracé de la route – à sens unique – fréquentée par les troupeaux de chevaux en liberté, pour atteindre **l'Hospitalet**, premier village de la vallée de l'Ariège, à 1 436 m d'altitude. Le paysage dépouillé, dégradé, sévère, devient de moins en moins âpre au cours de la descente.

Centrale de Mérens – Alt. 1 100 m. Cette usine automatique constitue le palier intermédiaire de l'aménagement du même nom, rendu possible par la surélévation de l'étang de Lanoux. Ce captage, dérivant dans le bassin de la Garonne des eaux tributaires du Sègre (bassin de l'Èbre), a donné lieu à un accord avec l'Espagne, compensant la perte d'eau subie.

Une table d'orientation permet d'identifier les sommets du fond de la vallée.

Mérens-les-Vals – Le village s'est reconstitué le long de la route après l'incendie de Mérens-d'en-Haut, allumé par les Miquelets (irréguliers espagnols craints depuis le 16ᵉ s.) en 1811, au cours de la guerre napoléonienne d'Espagne. La race chevaline de Mérens, de petite taille, à robe noire uniforme, a pour souche l'une des plus antiques races européennes. Elle est encore préservée dans sa pureté, à l'initiative du haras de Tarbes.

La route longe les ouvrages d'art de la ligne transpyrénéenne, l'une des pl[...] élevées d'Europe. Elle pénètre dans les gorges de Mérens où s'élève la stati[...] inférieure du téléphérique du Saquet. On descend la haute vallée de l'Ariège encadrée de superbes forêts. Sur la droite, on aperçoit la Dent d'Orlu.

⚓ Ax-les-Thermes – *Page 50.*

A la sortie d'Ax, on longe la rive gauche de l'Ariège. L'église d'Unac, au be[...] clocher roman, est campée sur l'autre rive.

Luzenac – *Page 99.*

Le contraste entre le versant ensoleillé, où s'étalent cultures et habitations, le versant d'ombre, couvert de forêts, devient frappant. Sur les plus proch[...] promontoires se détachent successivement les ruines du château de Lordat de l'ermitage St-Pierre. A droite se dégage le pic de St-Barthélemy (alt. 2 348 n[...] A la sortie du bassin des Cabannes, débouché de la vallée de l'Aston, la rou[...] pénètre en Sabarthès, dont les escarpements, criblés de grottes, constituent [...] Val d'Ariège, ancienne auge glaciaire profonde et régulière à cet endroit.

Grotte de Lombrives – *Page 98.*

Tarascon-sur-Ariège – *Page 141.*

DE TARASCON-SUR-ARIÈGE A PAMIERS
37 km – environ une demi-journée – schéma p. 87

En début de parcours dans le bassin de Tarascon, remarquer, à gauch[...] d'importants amas morainiques semés de blocs erratiques correspondant à l'u[...] des stades de retrait de la langue terminale du glacier : deux de ces blocs so[...] bien visibles près de la route avant d'arriver à Bompas. Sur la gauche, on aperço[...] le Roc de Soudour (alt. 1 070 m). L'église romane de **Mercus-Garrabet,** isolée dar[...] son cimetière, est élevée sur une bosse rocheuse. D'autres pitons, sur la riv[...] opposée, au fond de la vallée, donnent au paysage un aspect désordonné [...] accidenté.

Le Pont du Diable – On y accède au départ de la N 20, par un passage [...] niveau suivi d'une descente très rapide au fond de la gorge (trois lacets trè[...] serrés). Laisser la voiture sur la rive gauche, après avoir passé le pont.
Pittoresque ouvrage jeté sur l'Ariège au flot puissant et silencieux. Le ressa[...] inférieur de l'arche maîtresse atteste au moins une surélévation effectuée au 14e[...] Jeter un coup d'œil sur le dispositif fortifié de la construction, du côté rive gauch[...] (porte et chambre inférieure). Ce pont inspirait la terreur aux populations d[...] comté : on le recommença plus de dix fois... les travaux effectués le jou[...] s'effondraient la nuit, dit la légende. D'où son nom.
Après le Pont du Diable, on distingue, sur la rive opposée, le rebord de la terrass[...] de matériaux morainiques, dans laquelle l'Ariège s'est enfoncé d'une cinquan[...] taine de mètres. Plus loin, on observe les traces laissées par l'ancien glacie[...] de l'Ariège qui a pu atteindre là une épaisseur de 100 à 400 m. Aprè[...] l'embranchement vers Lavelanet apparaît, en avant, le **Pain de Sucre,** piton q[...] domine le village de Montgaillard.

★ Foix – *Page 85.*
Dans Foix, prendre la direction de Vernajoul (D 1) où tourner à gauche.

★ Rivière souterraine de Labouiche – *Page 94.*

Entre Foix et Varilhes, la route longe l'Ariège qui traverse les monts du Plantaure[...] Elle court ensuite à travers la plaine pour atteindre Pamiers.

Pamiers – *Page 119.*

Cascade d'ARIFAT

Cartes Michelin n° **83** pli 1 ou **235** pli 27 – 16 km à l'Est de Réalmont.

Par un sentier en sous-bois, on gagne cette cascade *(1/2 h à pied AR)* sur u[...] affluent du Dadou. Jolie vue sur le rocher d'Arifat où s'accroche le village.
Poursuivant au Nord-Est, par la D 11 et la D 57, on peut atteindre le **barrag[...] de Rassisse** (alt. 360 m) – aux versants boisés – qui retient les eaux du Dadou[...] D'une superficie de 149 ha, il constitue un but agréable de promenade et es[...] aménagé pour la voile.

Afin de donner à nos lecteurs l'information la plus récent[...] possible, les conditions de visite des curiosités décrites dans[...] ce guide ont été groupées en fin de volume.

Dans la partie descriptive du guide, le signe ⊙ placé à la[...] suite du nom des curiosités soumises à des conditions de[...] visite les signale au visiteur.

ARLES-SUR-TECH
2 837 h. (les Arlésiens)

Cartes Michelin n° 🆚 pli 18 ou 🆚 pli 56 ou 🆚 pli 45.

Foyer de traditions religieuses et folkloriques en Haut-Vallespir, Arles s'est bâtie autour d'une abbaye installée au bord du Tech vers l'an 900, dont subsistent l'église et le cloître. On y fabrique des tissus catalans traditionnels.

★ **Église** – *Visite : 1/2 h.* Au tympan, remarquer un Christ en majesté inscrit dans une croix grecque dont les bras portent, dans des médaillons, les symboles des évangélistes (1re moitié du 11e s. comme l'ensemble de la façade). Avant de pénétrer dans l'église, on verra, à gauche de l'entrée principale, derrière une grille, un sarcophage en marbre blanc du 4e s., la **sainte Tombe**, d'où suintent chaque année plusieurs centaines de litres d'une eau limpide incorruptible. Aucune explication scientifique n'a, jusqu'à présent, rendu compte de ce phénomène. Au-dessus, belle statue funéraire (début du 13e s.) de Guillaume Gaucelme de Taillet.

Intérieur – La nef surprend par sa hauteur sous voûte (17 m). En progressant dans le vaisseau, remarquer le dispositif des arcades témoignant de deux chantiers : les arcades basses, à jour, correspondent à l'édifice du 11e s. couvert d'une charpente relativement légère. Quand l'église fut voûtée, au 12e s., la pesée des voûtes exigea le renforcement des supports : les piles furent alors doublées, intérieurement, et on lança le long des murs de la nef de hautes arcades aveugles. Dans la 1re chapelle à droite, le grand retable baroque des saints Abdon et Sennen, vénérés jadis dans tout le Roussillon comme protecteurs en cas de calamités, retrace en 13 panneaux le martyre de ces jeunes princes kurdes et la translation de leurs reliques d'abord en bateau, puis dans des barils chargés à dos de mulet. La 2e chapelle réunit trois représentations du Christ (dans l'attente, sur la croix, étendu dans une châsse de verre) dont le réalisme laisse pressentir la proximité de la Catalogne. Ces effigies, appelées « misteris », sont portées par les Pénitents lors de la procession nocturne du Vendredi Saint.

Cloître – *Porte d'accès au bas du bas-côté gauche.* Cloître gothique (13e s.).

El Palau Santa Maria ⊘ – C'est l'ancien palais abbatial. Certains éléments de la façade gardent la marque du 13e s. La visite de cette propriété privée et habitée permet de voir une collection de tableaux du peintre espagnol Pallarès-Lleó retraçant l'histoire des saints Abdon et Sennen et celle de l'abbé Arnulfe.

EXCURSIONS

Coustouges – *20 km au Sud – 3/4 h environ – Quitter Arles à l'Ouest par la D 115 et prendre à gauche la D 3.*
La route traverse le Tech et s'élève sur la rive droite du torrent, au milieu des châtaigneraies, pour s'engager ensuite dans la vallée affluente de la Quéra. A droite, une curieuse montagne pyramidale porte la tour de Cos (alt. 1 116 m). Un virage dans un ravin offre ensuite une bonne vue, à droite, sur Montferrer et Corsavy.

Coustouges – *Page 82.*

Corsavy et Montferrer – *36 km – environ 2 h.*
A la sortie d'Arles, la route (D 43), en forte montée entre la fraîche vallée du Riuferrer et l'encoche supérieure des gorges de la Fou, adopte un tracé de crête.
On aperçoit bientôt les ruines de l'ancienne église paroissiale du village de Corsavy.
La route descend doucement et traverse Corsavy. A droite, ancienne tour de guet.
Prendre la D 44 qui remonte et bientôt traverse le ruisseau de la Fou (très belle vue). Dans un virage à droite, au point culminant de la route (899 m), le panorama prend tout son ampleur sur le massif du Canigou, les Albères, le Roussillon et la Méditerranée.

Montferrer – L'église a un joli clocher roman. A gauche, ruines d'un château.

Continuer la D 44 jusqu'à la vallée du Tech.

Le Tech – *Page 156.*

Prendre la D 115 à gauche. La route longe le Tech. Avant de regagner Arles, laisser la voiture près du sentier qui mène, à gauche, dans les belles gorges de la Fou.

★ **Gorges de la Fou** ⊘ –
1 h 1/2 à pied AR (parcours de 1 200 m le long de passerelles bien entretenues).
La première exploration de ces gorges date de 1928. La fissure n'atteint pas 3 m de largeur par endroits pour une hauteur de plus de 100 m. Les parties où grondent les cataractes, chutant de marmite en marmite, alternent avec des passages plus lumineux. Remarquer plusieurs blocs coincés.

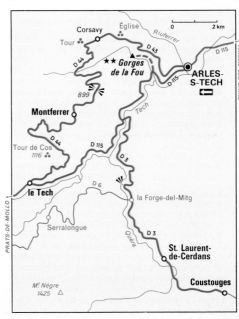

Cartes Michelin n° 86 pli 18 ou 235 plis 52, 56 ou 240 plis 41, 45.

On appelle ainsi la région délimitée au Nord par la vallée de la Têt, au Sud pa
celle du Tech, à l'Est par la plaine perpignanaise et à l'Ouest par le massif d
Canigou. Pays sauvage et silencieux parce que peu peuplé, couvert de bo
d'oliviers et de chênes-lièges, il réserve au visiteur la beauté de ses paysage
méditerranéens sur fond de schiste ou de granit et la découverte du prieuré d
Serrabone isolé dans un paysage austère.

D'ILLE-SUR-TÊT A AMÉLIE-LES-BAINS 56 km – environ 3 h

Ille-sur-Têt – Page 124.

Quitter Ille-sur-Têt au Sud (D 2) pour rejoindre Bouleternère par la D 1
La D 618, prise à gauche, au sortir des vergers de la vallée de la Têt, s'enfonc
dans les garrigues, le long des gorges du Boulès.

A 7,5 km, prendre à droite vers Serrabone.

★★ **Prieuré de Serrabone** – Page 140.

Col Fourtou – Alt. 646 m. Vue en arrière sur le Bugarach, point culminant de
Corbières (alt. 1 230 m), en avant sur les monts frontière du Vallespir : Roc d
France et, plus à droite, Pilon de Belmatx, à l'arête dentelée. A droite appara
le Canigou.

Chapelle de la Trinité – Église romane s'ouvrant par une porte à penture
à volutes. A l'intérieur, Christ habillé du 12ᵉ s. et retable baroque de la Trinité
représentant le Saint-Esprit sous l'aspect d'un adolescent, à côté du Christ, adulte
et du Père Éternel, vieillard.

Château de Belpuig – *De la Trinité, 1/2 h à pied AR à travers la lande.*
Ruines sombres très bien situées sur un piton commandant un vaste **panorama**★
Canigou, Albères, Côte du Roussillon et du Languedoc, Corbières (pic d
Bugarach).
Après le col Xatard, la route en descente vers Amélie, jalonnée par les seu
villages de St-Marsal et de Taulis, contourne le bassin supérieur de l'Ample, su
des pentes où foisonnent les chênes verts et les châtaigniers.

‡‡ **Amélie-les-Bains** – Page 41.

★★ Haute vallée de l'AUDE

Cartes Michelin n° 86 plis 7, 16, 17 ou 235 plis 43, 47, 51, 55.

L'Aude prend naissance sur le versant Est du Carlit et coule d'abord parallèlemen
à la Têt puis s'oriente au Nord. Le col de la Quillane (alt. 1 714 m) marque l
ligne de partage des eaux. L'Aude traverse ensuite la haute plaine du Capc
que des montagnes boisées, longuement enneigées, isolent. Moins abrité de
vents du Nord que la Cerdagne, le Capcir connaît des températures hivernale
sévères. Mais la pureté du ciel, l'intensité de l'ensoleillement y favorisent le
séjours d'altitude.
Le torrent est soumis à des crues considérables ; la pluie et la fonte des neige
modifient son débit dans la proportion de 1 à 1 000. Il charrie des masse
énormes de limon arrachées au cours de sa descente. L'abondance du torren
au moment de la fonte des neiges, a justifié l'aménagement de deu
barrages-réservoirs – Matemale et Puyvalador – régularisant le flot destiné à u
escalier de centrales hydro-électriques dont les usines de Nantilla et de St-George
marquent les paliers inférieurs. En septembre 1993, la région de Couiza a
confluent de l'Aude et du Sals a été gravement endommagée par des inondation

Les forêts du bassin supérieur de l'Aude – Le département de
Pyrénées-Orientales possède de très belles forêts. Dans le Capcir, les pin
sylvestres de la forêt de la Matte sont parmi les plus beaux de France. Leur
fûts, longs et réguliers, dépassent souvent 20 m. La D 118 et la D 52, entr
Formiguères et **les Angles**, permettent de les admirer.
Recouvrant des versants plus ou moins accidentés, les autres massifs boisé
du Capcir, peuplés de pins à crochets, pins sylvestres ou sapins, sont desserv
par des routes forestières, revêtues ou précaires, offrant d'intéressants itinéraire
d'excursions : étang de Balcère en forêt des Angles, étangs de Campoureils,
plus de 2 200 m d'altitude, route du col de Sansa par le col de Creu, en forê
de Matemale.
Plus au Nord règne l'association sapin-hêtre, si majestueuse et impressionnante
forêts du Carcanet et des Hares, en pays de Donézan, forêts de la région d
Quillan et, surtout, forêts du Plateau de Sault *(p. 138)*.

La chapellerie – En 1804, quelques habitants de Bugarach, dans les Corbière
à leur retour de captivité en Haute-Silésie, cherchèrent à développer chez eu
l'industrie qu'ils avaient apprise là-bas. En 1820, attirés par l'eau, ils s'installère
à Espéraza *(p. 83)*, puis fondèrent d'autres fabriques à Quillan, Couiza et Chalabr
Au début, les ressources locales en laine et en poil de lapin suffirent, mais bientô
les centres chapeliers importèrent leurs matières et exportèrent des chapeau
finis et des « cloches » (chapeaux semi-finis).
Cependant l'abandon du port du chapeau par les jeunes générations a provoqu
une régression dans la fabrication. Une seule usine reste en service à Montazels
la plupart des autres ont été converties en fabriques de chaussures, de meuble
de mousse plastique (Espéraza) ou de panneaux décoratifs lamifiés (revêtemen
« Formica »).

★ LE CAPCIR

de Mont-Louis à Usson-les-Bains *36 km – environ 1 h*

★ Mont-Louis – *Page 109.*

> *Quitter Mont-Louis au Nord, par la D 118.*

S'élevant en légère montée, la route offre une jolie vue sur la citadelle, émergeant d'une couronne de bois, devant le massif du Cambras d'Azé, évidé d'un ancien cirque glaciaire. On atteint la ligne de partage des eaux au col de la Quillane où l'on pénètre dans le Capcir. Le paysage y est largement épanoui, mais l'empreinte d'un climat rigoureux se marque dans les bourgs aux maisons basses couvertes de schiste patiné de tons rouille. Cependant les terrains labourés y sont nombreux. Le lac artificiel de Matemale occupe le fond du bassin. A gauche s'étend la forêt de pins de la Matte.

Après Formiguères, l'un des villages surveillant l'entrée du défilé de l'Aude, au-dessus du second barrage, mérite bien son nom de Puyvalador, « montagne sentinelle ».

Laisser la route de droite qui serpente dans la forêt du Carcanet (sapins, hêtres, ormes) pour prendre à gauche la D 32, vers Quérigut.

Le Donézan – Le pays du Donézan (altitude des villages : 1 200 m environ), l'un des plus sauvages des Pyrénées, a pour cadre un bassin évidé dans les granits des plateaux du Quérigut et versant ses eaux dans l'Aude. Le Donézan faisait partie du comté de Foix, qui devint l'Ariège.

Usson-les-Bains – Les ruines imposantes du château, perché à gauche sur un rocher isolé, signalent le confluent de la Bruyante, descendue du Pays du Donézan.

★★ LES GORGES

d'Usson-les-Bains à Quillan

30 km – environ 1 h (visite des grottes de l'Aguzou non comprise)

Usson-les-Bains – *Description ci-dessus.*

La route pittoresque longe le rebord du plateau de Sault.

Grottes de l'Aguzou ⊙ – Riche réseau souterrain découvert en 1965. La visite fait découvrir une concentration de cristaux et de splendides aragonites.

Dans les **gorges de l'Aude**, sillon d'une dizaine de kilomètres, le torrent bouillonne entre de hautes murailles couvertes d'une abondante végétation. La centrale de Nantilla, alimentée par conduites forcées, marque le palier inférieur de l'aménagement hydro-électrique le plus puissant de la haute Aude.

★ Gorges de St-Georges – Taillées verticalement dans le roc nu, ce sont les gorges les plus étroites de la haute vallée de l'Aude.

★ Défilé de Pierre-Lys – Passage impressionnant entre des falaises où s'accrochent quelques buissons. Le dernier tunnel, le **trou du Curé**, rappelle le souvenir de l'abbé Félix Armand (1742-1823), curé de St-Martin-Lys, qui fit ouvrir le passage au pic et à la pioche.

Quillan – *Page 130.*

LE PAYS DE RAZÈS

de Quillan à Limoux *35 km – environ 2 1/2.*

Belle route ombragée de platanes, mais très fréquentée.

Quillan – *Page 130.*

En aval de Quillan, la vallée se poursuit, dans une région plus déprimée : l'antique pays de Razès.

Espéraza – *Page 83.*

Couiza – Ville industrielle (chaussures). L'ancien **château** ⊙ des ducs de Joyeuse, du milieu du 16ᵉ s., cantonné de tours rondes, se distingue par sa silhouette, commune à nombre d'édifices du Languedoc et des Cévennes, et par son bon état de conservation. Il a été transformé en hôtellerie.

Par un portail à bossages on pénètre dans la cour à la sobre architecture Renaissance ; la galerie au revers du portail montre un décor de colonnes et d'entablements superposés.

Rennes-le-Château – *4 km à partir de la D 118 par une route étroite en forte montée (vue sur Coustaussa et les ruines de son château du 12ᵉ s.). Description p. 131.*

Alet-les-Bains – *Page 40.*

A la sortie d'Alet, l'Aude écorne un pli du massif des Corbières et la vallée s'encaisse à nouveau : c'est l'**Étroit d'Alet.**

Limoux – *Page 97.*

Vous trouverez, en début de ce guide,
un choix d'itinéraires de visite régionaux.
Pour organiser vous-même votre voyage,
consultez la carte des principales curiosités.

AVIGNONET-LAURAGAIS

954 h. (les Avignonetains)

Cartes Michelin n° 🔲🔲 pli 19 ou 🔲🔲🔲 pli 35 – 7 km au Sud-Est de Villefranche-de-Lauragais.

Régulièrement ordonnée à flanc de pente à proximité du seuil de Naurouze, Avignonet domine du haut de ses vestiges d'enceinte la N 113. Son clocher marque, lorsque l'on vient du pays des églises de brique toulousaines, la réapparition des monuments de pierre.

Au 14ᵉ s., Avignonet compte 5 000 habitants ; la culture du pastel lui apporte la prospérité. Au 19ᵉ s., la commune s'oriente définitivement vers sa vocation agricole.

Église N.-D.-des-Miracles ⊙ – Commencée en 1385, sa construction, en grès appareillé, dura un siècle.

L'église dresse sur une souche carrée décorée d'arcatures aveugles son clocher octogonal flanqué d'une élégante tourelle d'escalier et couronné par une flèche gothique à crochets. A l'intérieur, un tableau (1631) placé au fond de l'église évoque le massacre perpétré le 28 mai 1242 par des conjurés du Lauragais des membres du tribunal de l'Inquisition au château d'Avignonet, disparu depuis. Une petite troupe descendue de Montségur avait permis le succès de l'opération qui devait décider les autorités à réduire la citadelle cathare *(voir p. 110).*

✠ AX-LES-THERMES

1 488 h. (les Axéens)

Cartes Michelin n° 🔲🔲 pli 15 ou 🔲🔲🔲 plis 47, 51.

Dans la vallée de l'Ariège, au débouché de l'Oriège et de la Lauze, Ax est à la fois une station thermale, une villégiature estivale et une station de sports d'hiver.

Ses quatre-vingts sources, aux températures variant de 18 à 78°, alimentent trois établissements : le Couloubret, le Modèle et le Teich. On y soigne surtout les rhumatismes, les affections des muqueuses respiratoires et certaines dermatoses. Le centre de la station est la promenade du Couloubret.

Bassin des Ladres – Sur la place du Breilh, un dégagement de vapeur signale ce bassin d'eau chaude empli le matin et pouvant servir alors de lavoir public. Saint Louis l'avait fait établir pour les soldats lépreux qui revenaient des Croisades.

L'hôpital St-Louis (1846), reconnaissable à son clocheton, est un témoin du style « thermal » du 19ᵉ s.

EXCURSIONS

★ **Vallée d'Orlu** – 8,5 km – *schéma ci-contre. Sortir d'Ax par la route de Puymorens ; la quitter aussitôt avant le pont sur l'Oriège ; rester sur la rive droite du torrent.*

La route longe la retenue du barrage d'Orgeix où se reflète le manoir d'Orgeix. L'ancienne forge d'Orlu est entourée d'escarpements rocheux où ruissellent des eaux vives.

★ **Plateau de Bonascre** – 8 km – *schéma p. 51. Sortir d'Ax par la N 20 vers Tarascon ; la quitter aussitôt pour la D 820, à gauche.*

La route s'élève rapidement en lacet, en vue des trois vallées convergeant vers Ax : Val d'Ariège (vers Tarascon), vallée d'Orlu dominée par la Dent d'Orlu, vallée de la haute Ariège. On atteint le plateau de Bonascre, site de la station de ski d'**Ax-Bonascre-le Saquet**. La **télécabine** ⊙ conduisant au **plateau du Saquet** (alt. 2 030 m) en constitue l'équipement de base.

Poursuivre, en voiture, au-delà de la maison de vacances de « Sup-Aéro » ; appuyer à gauche dans la route forestière des Campels, tracée à flanc de montagne et la suivre sur 1 500 m : **vue** ★★ d'enfilade superbe sur le sillon de la haute Ariège jusqu'aux montagnes frontière de l'Andorre. Remarquer les tracés enchevêtrés de la route et de la voie ferrée.

★ **Col du Pradel** – 30 km – *schéma ci-dessous. Quitter Ax à l'Est par la route de Quillan ; à 3,5 km, prendre à droite vers Ascou, puis, 3,5 km plus loin, à gauche la D 22. L'étroite route du col du Pradel est fermée du 15 novembre au 14 mai.* La Dent d'Orlu (alt. 2 222 m), sommet pointu caractéristique de la haute Ariège, se dessine au Sud-Est. Par maints lacets serrés à travers prés, on atteint le col (alt. 1 680 m). Belle vue sur les montagnes qui encadrent le bassin supérieur de l'Ariège.

Du col du Pradel, on peut atteindre le pic de Sérembarre (1 h 1/2 à pied AR).

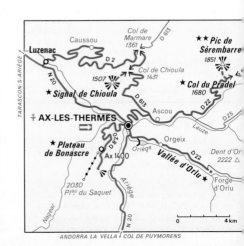

★ **Pic de Sérembarre** – Alt. 1 851 m. Du sommet un **panorama** se développe au Sud sur la chaîne des Pyrénées du Pic Carlit à gauche, aux montagnes de l'Andorre, aux Pyrénées centrales (massif de la Maladeta) jusqu'au Pic du Midi de Bigorre à droite ; à l'Est et au Nord sur les Corbières et le plateau de Sault.

★ **Signal de Chioula** – *Circuit de 38 km – environ 3 h – Sortir d'Ax au Nord par la D 613, tracé en lacet au-dessus du Val d'Ariège.*

Au col de Chioula, une large piste *(3/4 h à pied AR)* conduit au Signal (alt. 1 507 m). Belvédère sur les sommets de la haute Ariège.

Au col de Marmare, prendre la D 2. Dans le lacet de Cos, la vue se dégage à nouveau sur le Val d'Ariège. Aux abords de Caussou, village situé dans un paysage de cultures en terrasses, remarquer des croix de fer, produits de l'ancienne métallurgie ariègeoise.

La D 2 regagne le fond de la vallée de l'Ariège.

Luzenac – *Page 99.*

La N 20 ramène à Ax.

Étang de BAGES et de SIGEAN

Cartes Michelin n° 🎱🎱 pli 10 ou 🎱🎱🎱 plis 29, 33, 34.

L'étang de Bages et de Sigean ne communique avec la mer qu'au grau de la Nouvelle. Dans l'Antiquité, du temps de la province Narbonnaise, et jusqu'au 14ᵉ s., cet étang était relié à celui de Gruissan formant une vaste lagune où l'Aude, détournée par une digue, venait se jeter. Narbonne était alors un port très actif. De nombreux vestiges archéologiques découverts autour de ces lagunes témoignent de l'importance économique de cette côte à l'époque romaine. Plus tard, infestés par le paludisme, ces étangs et leurs rives furent longtemps désertés.

DE NARBONNE A PORT-LA-NOUVELLE *29 km – environ 5 h*

★ **Narbonne** – *Page 112.*

Prendre la N 9 vers Perpignan. Après 2 km, en face de Montplaisir, prendre à gauche la D 105 vers Bages.

Bages – Bâti sur une éminence rocheuse cernée par l'étang, ce village aux ruelles étroites a vu s'installer quelques artisans.

Poursuivre vers Peyriac-de-Mer.

La route se faufile entre les vignes, les rochers, et longe la lagune d'où émergent les roseaux. En approchant de Peyriac on voit quelques salines.

Peyriac-de-Mer – Du matériel provenant des fouilles effectuées à l'oppidum du Moulin (au sommet de la colline) est exposé dans le **musée archéologique** ⊙.

Rejoindre la N 9 et suivre la signalisation vers la Réserve africaine de Sigean.

★ **Réserve africaine de Sigean** – *Page 141.*

Sigean – Les fouilles de l'oppidum de Pech de Mau à proximité de Sigean ont révélé une occupation hellénistique.

Port-la-Nouvelle – Construit à l'entrée du grau au débouché du canal de la Robine de Narbonne, Port-la-Nouvelle est, entre Sète et Port-Vendres, la seule ville côtière du golfe du Lion à conserver une activité soutenue hors saison, grâce à son port de commerce, base de redistribution des hydrocarbures dans tout le Sud-Ouest.
On peut y observer le trafic des cargos et des pétroliers.
Port-la-Nouvelle est également bien aménagée pour la navigation de plaisance.

BANYULS-SUR-MER   4 662 h. (les Banyulencs)

Cartes Michelin n° 🎱🎱 pli 20 ou 🎱🎱🎱 pli 46 – Schéma p. 80.

Banyuls, station balnéaire la plus méridionale de France, dotée d'un charmant port de plaisance (voile), se développe harmonieusement, dans son décor de vignoble, autour d'une baie divisée en deux anses par le promontoire de la vieille ville. A l'abri de la tramontane, le site a permis l'acclimatation en France d'essences exotiques (caroubier, eucalyptus, palmiers divers) introduites par le biologiste Charles-Victor Naudin (1815-1899) et propagées, de là, sur la Côte d'Azur. Un centre de thalassothérapie y fonctionne depuis peu.

La mer – Les eaux littorales de la Côte Vermeille, profondes, claires et poissonneuses, ont attiré l'attention des scientifiques pour leur richesse biologique, justifiant l'installation à Banyuls du laboratoire Arago (Université de Paris VI), centre de recherches et d'enseignement en océanographie, biologie marine et écologie terrestre. Une réserve naturelle a été créée entre Banyuls et Cerbère.
La plage principale (sable et galets) s'abrite dans l'anse fermée, à l'Est, par l'île Petite et l'île Grosse (monument aux Morts, par Maillol), reliées à la terre par une digue.

Aquarium ⊙ – Spécimens de la faune méditerranéenne, présentés avec clarté.

Le vignoble et la montagne – Le vignoble règne sur les derniers flancs des Albères, couvrant les extrêmes promontoires des Pyrénées ou les versants raides du bassin de la Baillaury. Les pentes schisteuses, découpées en terrasses soutenues par des murettes, sont défendues contre le ruissellement dans les zones les plus exposées, par un système de rigoles entrecroisées en X.

Les raisins sont vinifiés selon les méthodes ancestrales mises au point par les Templiers. Après un long vieillissement en cuve de chêne dans des celliers ou dans des parcs de vieillissement à l'air libre, on obtient un cru fameux : le **Banyuls**. De type doux, sec ou demi-sec, il a sa place sur les meilleures tables, à l'apéritif comme au dessert et aussi en accompagnement de certains mets : foies gras, fromages forts, gibiers...

Plusieurs **caves** ⊘ sont ouvertes à la visite, dont deux sur la route du balcon de Madeloc.

Tombeau de Maillol – *4 km au Sud-Ouest. Quitter Banyuls vers les Arènes. Après un mas d'artisanat, prendre à gauche, à angle droit.* La route longe le vallon de la Baillaury. Enfant de Banyuls, **Aristide Maillol** (1861-1944), « monté » à Paris à 20 ans, s'initie à la peinture et surtout, suivant la tendance du cercle « nabi » à la renaissance de l'artisanat d'art : céramique, tapisserie. La quarantaine passée, il affirme son génie dans la sculpture, tirant de ses cartons d'esquisses les éléments de ses compositions de nus robustes. Si le peintre et dessinateur travaillait d'après modèles, le sculpteur, grâce à son observation constante, à sa recherche du mouvement équilibré, à son sens de la grandeur, a laissé des compositions remarquables : ses statues sont tout aussi gracieuses que puissantes.

L'artiste aimait se retirer dans ce petit mas au fond d'un vallon torride et poussiéreux en été. Il se fit enterrer dans le jardin (bronze : « La Pensée », 1905).

BÉLESTA 223 h.

Cartes Michelin n° 86 pli 18 ou 240 pli 37.

Village remarquablement groupé sur un nez rocheux surgissant des vignes, Bélesta est une ancienne ville-frontière entre les royaumes d'Aragon et de France. Le bourg est connu depuis longtemps par les archéologues, qui ont répertorié dans les galeries de la caune de Bélesta *(en cours de fouille)* de nombreux vestiges préhistoriques. En 1983, notamment, a été découverte, dans une petite salle de la caune, une sépulture collective vieille de 6 000 ans environ (néolithique moyen), qui, outre 32 dépouilles humaines, recélait un ensemble de 28 céramiques.

CHÂTEAU-MUSÉE ⊘

Parking possible près de la cave coopérative ou de la poste.

La visite des collections archéologiques présentées de façon attrayante dans la maison forte médiévale, qui domine le village, s'articule autour de quatre axes. D'abord le visiteur est familiarisé avec les méthodes et le matériel utilisés de nos jours au cours de fouilles archéologiques (analyse des pollens notamment, permettant des déductions liées au climat et à la végétation). Il est invité ensuite à pénétrer dans le site archéologique de Bélesta, reconstitué à l'identique : le carré de fouille de la caune, la chambre de la sépulture collective, qui baigne dans une atmosphère humide. La pièce suivante est consacrée aux céramiques qui accompagnaient les ossements : vases, bols, marmites, écuelles sont en parfait état de conservation. Trois dioramas évoquent les tâches quotidiennes dans la caune : meunerie, travail de l'os, métallurgie.

Une présentation du passé de Bélesta instruit notamment sur le site préroman de St-Barthélemy-de-Jonquerolles et l'édifice où est aménagé le musée.

De la terrasse-belvédère s'offre un ample **panorama** sur le village et le haut pays du Fenouillèdes.

Cartes Michelin n° 86 pli 19 ou 240 pli 41.

Station thermale et bon centre d'excursions en étoile dans le Roussillon, le Boulou au pied des Albères et sur la rive gauche du Tech (l'ancienne locution « El Voló », usitée chez les Celtibères, désigne une falaise) occupe une position de carrefour sur les axes Perpignan-Espagne et Argelès-Amélie-les-Bains.

De son passé médiéval, la cité conserve à l'Est, non loin du Tech, une tour quadrangulaire, vestige de l'enceinte du 14ᵉ s., ainsi que la chapelle St-Antoine du début du 15ᵉ s.

Le Boulou, situé en lisière des bois de chênes-lièges, compte deux usines importantes de fabrication de bouchons.

Église Notre-Dame d'El Voló – De l'édifice roman du 12ᵉ s. subsiste le beau **portail** en marbre blanc du maître de Cabestany *(p. 123)*. Au-dessus de l'arc décoré d'entrelacs, sept corbeaux sculptés supportent une frise illustrant des scènes de l'enfance du Christ.

Remarquer, à l'intérieur, le retable baroque du maître-autel ainsi que sur le mur gauche de la nef une prédelle du 15ᵉ s., surmontée de deux panneaux représentant à gauche saint Jean-Baptiste et à droite saint Jean l'Évangéliste (15ᵉ s.)

Les Thermes du Boulou ⊙ – Riches en sels minéraux (potassium, sodium, magnésium) et oligo-éléments, les eaux du Boulou sont utilisées pour le traitement thermal des affections hépato-biliaires et des maladies métaboliques. Grâce à leur haute teneur en gaz carbonique, elles servent également à soigner les artérites des membres inférieurs. Deux des cinq sources se prêtent à l'embouteillage.

A proximité, le casino attire de nombreux Catalans d'Espagne.

EXCURSIONS

La Route des Albères – Le massif des Albères constitue la dernière avancée de roches cristallines de la chaîne pyrénéenne, à l'Est. Cette montagne, à peine découpée, avant de s'engloutir dans la fosse occupée par la Méditerranée, isole deux compartiments affaissés : au Nord, le Roussillon, au Midi (en Espagne), l'Ampurdan, anciens golfes remblayés par des alluvions tertiaires sur plusieurs centaines de mètres (800 m dans le Roussillon). Le point culminant, le pic Neulos, atteint 1 256 m.

① **Par le pic de Fontfrède** *49 km – compter une demi-journée.*

Quitter le Boulou à l'Ouest par la D 115.

★ **Céret** – *Page 69.*

Quitter Céret au Sud-Ouest par la D 13ᶠ, route de Fontfrède.

La route, pittoresque et agréable, s'élève à travers les châtaigniers, offrant de multiples échappées.

Laissant la route de las Illas au col de la Brousse (alt. 860 m), prendre à droite une route en sous-bois, très sinueuse. On atteint le col de Fontfrède (stèle juin 1940-juin 1944 : par cette montagne les évadés de France rejoignirent l'armée de la Libération), puis la fontaine (coin de pique-nique).

Par un large chemin en lacet, on peut aller en voiture jusqu'au sommet du pic de Fontfrède.

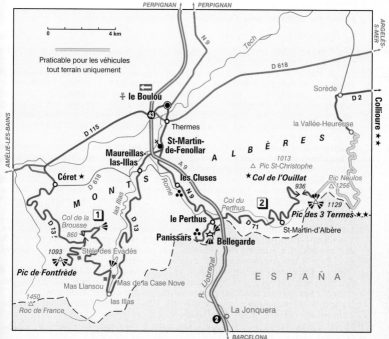

Pic de Fontfrède – Alt. 1 093 m. Il offre une **vue★** sur le Roussillon, à gauche, la Méditerranée, à droite, visible de part et d'autre de l'échine des Albères (baie de Rosas, en Espagne), le Canigou à la triple cime, et le rempart de Corbières.

Revenir au col de la Brousse et prendre à droite vers las Illas.

La route serpente à travers une végétation touffue. Puis des jardins en terrasses, des fermes éparpillées à flanc de pente, chacune avec son petit chemin d'accès, des troupeaux de chèvres à clarines signalent la présence humaine à chaque tournant. Le mas de la Case Nove, sur la gauche de la route, dans un grand virage, puis le mas Llansou, tout de suite après, sur la droite, sont caractéristiques de l'habitat traditionnel des Albères.

Après la traversée de las Illas, la route suit la rivière du même nom, parcours en corniche offrant de bonnes vues sur les gorges. La végétation a recouvert toutes les surfaces rocheuses, en faisant un pays verdoyant.

Maureillas-Las-Illas – Dans cette agréable villégiature, située au milieu de forêts de chênes-lièges (appelées suberaies) et de vergers, d'anciens bouchonniers ont créé un **musée du Liège** ⊙, retraçant le travail de cette matière, depuis la levée sur l'arbre jusqu'au marquage du bouchon. D'étonnantes sculptures en liège ainsi que six magnifiques foudres en chêne servant d'écrin à des produits artisanaux retiennent l'attention.

Chapelle St-Martin-de-Fenollar ⊙ – Ce modeste édifice est de plan préroman avec nef unique et chevet trapézoïdal. La nef, charpentée à l'origine, a été ensuite voûtée sur arcs doubleaux. Fondé au 9e s. par les bénédictins d'Arles-sur-Tech, il conserve, dans le chœur, d'intéressantes **peintures murales★** du 12e s., illustrant le mystère de l'Incarnation : au registre inférieur, l'Annonciation, la Nativité, l'Adoration des Mages et le Retour des Mages dans leur pays ; au-dessus, les 24 Vieillards de l'Apocalypse ; à la voûte, le Christ en majesté, entouré des 4 Évangélistes, figurés par des anges tenant chacun un livre et le symbole approprié. Ce décor peint, caractérisé par la vigueur du trait et la fraîcheur des tons ocre, rouge, vert et bleu, séduisit des artistes comme Picasso et Braque.

La N 9, passant devant les Thermes, ramène au Boulou.

La légende en p. 2 donne la signification des signes conventionnels employés dans ce guide.

② Par la vallée de la Rome et le pic des Trois Termes

53 km – compter une demi-journée.

Quitter le Boulou au Sud par la N 9, en direction du Perthus.

La **vallée de la Rome** ⊙, empruntée depuis plus de 2 000 ans par la voie Domitienne (Via Domitia, construite entre 120 et 177 avant J.-C.), reste toujours une voie de communication très importante entre la France et l'Espagne. Délaissant l'autoroute « La Catalane », le touriste, amateur d'histoire et d'archéologie, y découvrira un ensemble de site mégalithiques, gallo-romains et médiévaux dans de superbes paysages, où tous les verts de la végétation sont mêlés.

Chapelle St-Martin-de-Fenollar ⊙ – *Description ci-dessus.*

Revenir à la N 9.

Les Cluses – Ce nom désigne un ensemble de hameaux situés de part et d'autre du défilé étroit (ou clusa, en latin) qu'empruntaient la voie Domitienne et la vallée de la Rome à cet endroit. De part et d'autre subsistent des vestiges de fortifications romaines des 3e-4e s. : sur la rive gauche, le **château des Maures** ou « Castell dels Moros » ; sur la rive droite, le **fort de la Cluse Haute**. Du belvédère aménagé sur la « Dressera » (ancienne voie de crête romaine), on surplombe les ruines d'une porte, peut-être ancien poste de péage où était perçu le « quarantième des Gaules » sur les marchandises transitant entre la Narbonnaise et la Taraconnaise.

Contiguë à ce dernier fort, l'**église St-Nazaire** ⊙ est une construction préromane à trois nefs (fin 10e-début 11e s.) se terminant par des absides en cul-de-four dont la médiane présente encore des restes de fresques où l'on reconnaît le Christ Pantocrator dans une mandorle et un ange ailé : la facture et les coloris employés les font attribuer au maître de Fenollar. Précédant la façade Sud, où s'ouvre une fenêtre géminée, un grand arc, en retrait, témoigne du porche disparu.

Le Perthus – Depuis la Préhistoire, le Perthus (mot dérivé d'un verbe latin signifiant « ouvrir à coups de pic ») n'a cessé de connaître le flux et le reflux des hordes, des armées, des réfugiés, des touristes enfin. Le bourg a succédé au 19e s. à un simple village de cabanes de douaniers.

Jusqu'à l'ouverture de l'autoroute « La Catalane » en 1976, des millions de touristes ont « circulé » chaque année dans sa rue (l'avenue de France), dont la chaussée sépare, sur 200 m, les territoires français et espagnol.

L'importance stratégique de ce col (alt. 290 m) des Albères fut reconnue primordiale après le traité des Pyrénées.

Du centre du Perthus, prendre à gauche la direction du fort de Bellegarde.

Fort de Bellegarde ⊘ – Isolé sur un rocher, à 420 m d'altitude, cet ouvrage de grande puissance, reconstruit par Saint-Hilaire puis par Vauban entre 1679 et 1688 à l'emplacement d'un fort espagnol, domine l'agglomération du Perthus. Il est précédé, au Sud, en contrebas, par un fortin, ouvrage avancé sur l'Espagne. On accède au fort par un pont-levis suivi d'une rampe qui débouche sur la « place d'Armes », vaste cour intérieure. Les bâtiments réhabilités abritent diverses expositions dont l'une est consacrée à l'histoire du fort ; les autres traitent de la Via Domitia et des trophées de Pompée. Le bastion St-André conserve dans une salle basse le système de puisage utilisé par la garnison depuis le 18e s. Le puits (de 62 m de profondeur, de 5,85 à 6 m de diamètre) a été entièrement creusé dans le rocher et paramenté sur 50 m de hauteur. A l'Est, une stèle commémorative rappelle l'action du général **Dugommier** (1738-1794), qui, nommé au commandement de l'armée française dans les Pyrénées orientales, reprit Bellegarde aux Espagnols et y fut enterré jusqu'en 1800.

De la grande terrasse s'offre un vaste **panorama**★★ découvrant : à l'Ouest le Canigou et le pic de Fontfrède, au Nord la vallée de la Rome et son étranglement au défilé des Cluses, la pyramide de Ricardo Bofill en bordure de l'autoroute (symbolisant la jonction ici des deux Catalogne), le village étiré du Perthus, au Sud le site de Panissars, et en Espagne la vallée du rio LLobregat avec, en arrière-plan, la ville de La Jonquera.

Site archéologique de Panissars – Le col de Panissars constitua dans l'Antiquité, sous le nom de « Summum Pyrenaeum », la voie principale de franchissement des Pyrénées. Il marque la limite de partage des eaux, la frontière franco-espagnole et le point de jonction des voies Domitienne et Augustéenne (la Via Augusta rejoint Cadix en Espagne). En 1984 ont été mis au jour sur ce site les soubassements en grand appareil d'un monument romain enjambant la voie tracée dans le rocher : on pense qu'il s'agit des vestiges du trophée de Pompée érigé au retour de sa campagne victorieuse en Espagne sur Sertorius (71 avant J.-C.). Ils sont surmontés par les ruines du prieuré de Ste-Marie (11e-17e s.), dont on a dégagé l'église et les bâtiments annexes. A l'Ouest du site, sur la crête s'étendent également les ruines d'un village. La borne frontière n° 567 date du 18e s.

Faire demi-tour et, au Nord du Perthus, prendre à droite la D 71 vers le col de l'Ouillat.

D'abord ombragée de châtaigniers, la route s'attarde un instant sur le replat cultivé (seigle) de St-Martin-de-l'Albère (magnifiques chênes). La vue se dégage sur le Canigou et le versant Sud des Albères ; au Nord, la montagne St-Christophe dessine un profil humain regardant le ciel.

Dans un virage à droite, vue sur le pic des Trois Termes.

★ **Col de l'Ouillat** – Alt. 936 m. Lieu de halte en lisière de la forêt domaniale, bien peignée, de pins Laricio de Laroque-des-Albères, dans un site frais (terrasse-belvédère).

Passant dans la zone du hêtre puis du pin, la route débouche au pied d'un pointement rocheux, le pic des Trois Termes.

★★ **Pic des Trois Termes** – Alt. 1 129 m. **Panorama** sur les ravins et les crêtes des Albères, la plaine du Roussillon et son chapelet d'étangs côtiers, les coupures du Confluent et du Vallespir.

Du côté de l'Espagne, vue sur la Costa Brava, au-delà du cap de Creus, jusqu'à la courbe de la baie de Rosas.

Faire demi-tour.

On peut aussi gagner la plaine du Roussillon par Sorède, sachant que le chemin non revêtu entre le pic des Trois Termes et Sorède n'est accessible qu'aux véhicules tout terrain.

★ Le CANIGOU

Cartes Michelin n° 86 plis 17, 18 ou 235 plis 52, 56.

Le Canigou, mont révéré des Catalans de France et d'Espagne qui viennent aujourd'hui allumer à son sommet le premier des feux de la Saint-Jean, dresse au-dessus des vergers du Roussillon sa cime longtemps enneigée, parfaitement dégagée sur trois faces par la coupure de la Têt (Conflent), la plaine d'effondrement du Roussillon, la vallée du Tech (Vallespir).

Dès le règne de Louis XIV, les géographes chargés de déterminer le méridien de Paris avaient reconnu que le Canigou jalonnait, à quelques minutes d'angle près (7'48" à l'Est), ce méridien et avaient calculé son altitude par rapport au niveau de la mer. En l'absence de relevés aussi précis dans les autres massifs, le Canigou usurpa un temps le rang de point culminant des Pyrénées.

Prouesses en tout genre – Depuis la première ascension, faite, d'après la chronique, en 1285, par le roi Pierre III d'Aragon, les sportifs catalans se sont plu à vaincre le Canigou par tous les moyens disponibles. Le chalet des Cortalets fut atteint en 1901 à bicyclette, en 1903 à skis, puis à bord d'une voiture automobile Gladiator 10 CV. En 1907, un lieutenant de gendarmerie monta au sommet à cheval sans mettre pied à terre. Le projet d'un chemin de fer à crémaillère sombre en raison de la guerre 1914-1918. Seules des routes forestières relient Vernet-les-Bains et Prats-de-Mollo.

★★★ ROUTES DU CANIGOU

1 De Vernet-les-Bains à Mariailles
12 km – environ 3/4 h

Seul accès possible avec sa propre voiture. Gagner Casteil au Sud puis le c⚬
de Jou. Là, bifurquer à gauche en direction de Mariailles où on laisse la voitur⚬
De Mariailles on gagne le sommet du Canigou à pied *(6 h AR pour marche⚬
confirmé).*

2 De Vernet-les-Bains au chalet-hôtel des Cortalets
23 km – environ 1 h 1/2

La vieille route des Cortalets, construite en 1899 pour le Club Alpin pa⚬
l'administration des Eaux et Forêts, est un chemin de montagne pittoresque ma⚬
accidenté.

> *Praticable uniquement l'été et par temps sec, en voiture 4 × 4 ou en Jee⚬
> Des excursions en Jeep ou Land-Rover sont organisées à partir d⚬
> Vernet-les-Bains ⊙. La difficulté de cette route forestière n'est pas liée à so⚬
> tracé mais à la dégradation de sa chaussée. La partie la plus délicate : pen⚬
> à 21 %, très étroite, est bordée d'un parapet. Elle compte 31 lacets.*

★ **Vernet-les-Bains** – *Page 157.*

> *Prendre la D 27 vers Prades. Après Fillols, tourner à droite.*

Dès le départ du col (alt. 842 m) la route monte en lacets très rapproché⚬
long de la crête rocailleuse séparant les vallées de Fillols et de Taurinya. S⚬
la gauche, des vues se dégagent sur Prades et St-Michel-de-Cuxa. La route adop⚬
un tracé hardi parmi les pins Laricio et les chaos rocheux. Dans un grand lac⚬
à gauche, vue grandiose sur la Cerdagne et le Fenouillèdes. Prades disparaît d⚬
plus en plus, dans le lointain. La route grimpe en forte montée à travers d⚬
magnifiques sous-bois (très beaux fûts).

Escala de l'Ours – Parcours en haute corniche, le plus spectaculaire du trac⚬
La route franchit un passage rocheux, étroit, sous voûte, dominant de plusieu⚬
centaines de mètres les gorges du Taurinya (rochers-belvédères de part et d'aut⚬
du tunnel).

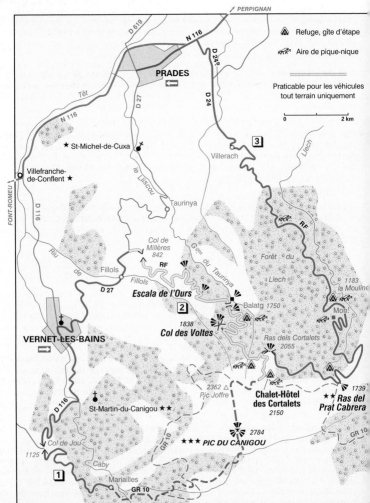

J.-D. Sudres/SCOPE

Le Canigou.

Après le refuge forestier de Balatg, les arbres sont de moins en moins denses, de plus en plus pelés (pins arolles). La route pénètre dans l'étage pastoral des prairies.

Col des Voltes – Alt. 1 838 m. Vue sur le versant Nord du Canigou et sur le bassin du Cady.

Au ras (col) des Cortalets (alt. 2 055 m), aire de pique-nique, laisser la route des gorges du Llech et prendre à droite.

Chalet-hôtel des Cortalets – Il se dresse à 2 150 m d'altitude au débouché du cirque formé par le Canigou et ses deux contreforts Nord : le pic Joffre et le pic Barbet.

Du chalet-hôtel des Cortalets au sommet *3 h 1/2 à pied AR*

Prendre à l'Ouest du chalet le sentier jalonné de marques blanches et rouges, longeant un étang puis s'élevant sur le versant Est du pic Joffre. Abandonner ce sentier lorsqu'il redescend vers Vernet et continuer la montée à gauche sous la crête. Un sentier en lacet parmi les rochers permet l'ascension de la cime.

★ **Pic du Canigou** – Alt. 2 784 m. Une croix et les décombres d'une cabane en pierre utilisée aux 18e et 19e s. pour les observations scientifiques couronnent le sommet. Au Sud, les sonnailles des troupeaux montent du vallon du Cady. De la table d'orientation le **panorama** est immense, au Nord-Est, à l'Est et au Sud-Est, vers la plaine du Roussillon et la côte méditerranéenne : le Canigou a pu être identifié de N.-D.-de-la-Garde, à Marseille, à 253 km à vol d'oiseau, lorsque la montagne se détache sur le disque du soleil couchant (vers les 10 février et 28 octobre). Le faible écran des Albères, largement dominé, n'empêche pas la vue de porter très loin en Catalogne, le long de la Costa Brava. Au Nord-Ouest et à l'Ouest se succèdent sur plusieurs plans les lourds chaînons du socle cristallin des Pyrénées orientales (Madrès, Carlit, etc.), contrastant avec les crêtes calcaires plus tourmentées des Corbières (Bugarach).

③ De Prades au chalet-hôtel des Cortalets par les gorges du Llech *20 km – environ 1 h 1/2*

La route praticable l'été seulement et par temps sec devient raboteuse dans les gorges du Llech ; parcours en corniche de 10 km.
Les excursions ⊘ en Jeep et 4 × 4 sont organisées à partir de Prades.

Prades – *Page 127.*

Quitter Prades par la N 116, direction Perpignan, puis prendre à droite la D 24B.
Après Villerach, la D 24 traverse les vergers du Conflent, puis pénètre dans les gorges. Taillée dans le rocher, elle domine le fond des gorges du Llech de 200 à 300 m. La route se poursuit en terrain plus accidenté, avant d'atteindre le refuge forestier de la Mouline (alt. 1 183 m – aire de pique-nique).

★ **Ras del Prat Cabrera** – Alt. 1 739 m. Beau lieu de halte (banc), au-dessus de la sauvage vallée de la Lentilla. Les crêtes de la Serra del Roc Nègre limitent la vue en amont. Panorama sur la plaine du Roussillon, les Albères, la Méditerranée.
La route se déploie dans le cirque supérieur de la vallée du Llech boisée de pins de montagne. Elle procure des **vues★★★** immenses : au Nord, on reconnaît la barrière Sud des Corbières, coupée par l'entaille des gorges de Galamus. Après avoir traversé les vergers du Bas-Conflent on atteint les contreforts du Canigou.

Pour la montée au Pic du Canigou, voir ci-dessus.

Cartes Michelin n° 🔲🔲 pli 7 ou 🔲🔲🔲 pli 39.
Plan dans le guide Rouge Michelin France.

Carcassonne, dont la ville basse s'étale sur la rive gauche de l'Aude, est le gra
centre commercial de l'Aude viticole. C'est aussi une cité fortifiée apparemme
figée depuis le Moyen Âge. Pour le touriste, la renommée et l'attrait sans pa
de la forteresse, support d'un grand spectacle de l'**embrasement** traditionnel
14 juillet, éclipsent l'animation de la ville qui s'étend à ses pieds.
Les célèbres industries de draps, complètement disparues aujourd'hui, ont cé
la place à la fabrication du caoutchouc synthétique et des accessoires po
automobile. Des ateliers de montage de machines agricoles, de confection
vêtements et l'industrie alimentaire sont aussi installés dans la ville.
Carcassonne est la patrie de Fabre d'Églantine et du général Sarrail, qui s'illus
en 1914 lors de la bataille de la Marne.

UN PEU D'HISTOIRE

L'escarpement sur lequel est bâtie la Cité de Carcassonne commande
communications entre la Méditerranée et Toulouse. Aussi, dès le 1er s.,
Romains établissent à Carcassonne, « cité » de la Narbonnaise, un car
retranché. Les Wisigoths s'en emparent au 5e s. et, à l'abri de l'encein
organisent leur conquête (royaume de Toulouse, puis Septimanie). Devenue u
importante place forte, elle compte même un évêché après la conversion c
Wisigoths au catholicisme. Au 8e s., la forteresse tombe sous la dominati
franque.

Un cœur fier – Pendant 400 ans Carcassonne reste la capitale d'un com
puis d'une vicomté sous la suzeraineté des comtes de Toulouse. Elle conn
alors une époque de grande prospérité, interrompue au 13e s. par la croisa
des Albigeois *(voir p. 34 et 144).*
Les croisés du Nord, descendus par la vallée du Rhône, pénètrent en Langued
en juillet 1209, pour châtier l'hérétique. Le comte Raymond VI de Toulou
étant tenu par la pénitence publique à laquelle il vient de se soumettre
St-Gilles-du-Gard *(voir le guide Vert Michelin Provence)*, le poids de l'invas
retombe sur son neveu et vassal **Raymond-Roger Trencavel**, vicomte de Carcasson
Après le sac de Béziers, l'armée conduite par le légat Arnaud-Amaury inves
Carcassonne le 1er août. A cette époque la place n'est encore défendue que p
une seule enceinte. Malgré l'ardeur de Trencavel – il n'a que 24 ans –, la pla
est réduite à merci au bout de quinze jours par le manque d'eau.
Le Conseil de l'armée investit alors Simon de Montfort de la vicomté
Carcassonne, en lieu et place de Trencavel. L'année n'est pas terminée que celu
est trouvé sans vie dans la tour où il était détenu.

Carcassonne.

La pucelle du Languedoc (13e s.) – En 1240, le fils de Trencavel tente en vain de recouvrer son héritage ; il assiège Carcassonne ; les engins et les mines ébrèchent les murailles, mais une armée royale le force à battre en retraite. Saint Louis fait alors raser entièrement les bourgs formés au pied des remparts. Les habitants expient leur rébellion par sept ans d'exode ; après quoi ils ont l'autorisation de construire une ville sur l'autre rive de l'Aude. C'est la ville basse actuelle. La Cité est remise en état et renforcée. L'œuvre est continuée par Philippe le Hardi. La place est désormais si bien défendue qu'elle passe pour imprenable.

Décadence et résurrection – Après l'annexion du Roussillon au traité des Pyrénées, le rôle militaire de Carcassonne se trouve amenuisé : cinquante lieues la séparent de la frontière. Perpignan prend la garde à sa place. Il est même question d'une démolition.

Mais le Romantisme remet le Moyen Âge à la mode. Prosper Mérimée, inspecteur général des Monuments historiques, s'intéresse aux ruines dans ses *Notes d'un voyage dans le Midi de la France – 1835*. Un archéologue local, Cros-Mayrevieille, passe sa vie à plaider en faveur de sa ville. Viollet-le-Duc, envoyé sur place, revient à Paris avec un rapport enthousiaste qui décide la Commission des Monuments historiques à entreprendre, en 1844, la restauration de Carcassonne.

★ **LA CITÉ** *visite : 2 h*

La Cité de Carcassonne, bâtie sur la rive droite de l'Aude, est la plus grande forteresse d'Europe.

Elle se compose d'un noyau fortifié, le Château Comtal, et d'une double enceinte : l'enceinte extérieure, qui compte 14 tours, séparée de l'enceinte intérieure (24 tours) par les lices.

Elle garde une population résidante de 139 h. disposant d'une école, d'une poste, etc. ; elle échappe ainsi au sort des villes mortes, animées uniquement par le tourisme.

Accès – Laisser la voiture sur les parkings aménagés hors les murs, en avant de la porte Narbonnaise (côté Est).

Porte Narbonnaise – C'est l'entrée principale, la seule où passaient les chars. Un châtelet à créneaux, édifié sur le pont franchissant le fossé, et une barbacane percée de meurtrières précèdent les deux tours Narbonnaises, de part et d'autre de la porte, massives constructions à éperons (ou à becs) destinés à repousser l'assaillant ou à faire dévier les projectiles. Entre les tours, au-dessus de l'arche, antique statue de la Vierge.

À l'intérieur, des salles du 13e s. restaurées par Viollet-le-Duc servent de cadre à des **expositions temporaires** de peinture moderne.

Rue Cros-Mayre-vieille (24) – Elle permet d'accéder directement au château, mais on aimera flâner un peu dans le bourg médiéval aux ruelles intéressantes et tortueuses, bordées de nombreuses boutiques (artisanat, souvenirs). A droite de la place du Château se situe un grand puits profond de près de 40 m.

Le Château Comtal et le rempart Ouest

LA CITÉ

Cros-Mayrevieille (R.) 24
St-Jean (R.) 46
St-Sernin (R.) 47
Viollet-le-Duc (R.) 53

Château Comtal ⊙ – Érigé au 12ᵉ s. par Bernard Aton Trencavel, le château était à l'origine palais des vicomtes, adossé à l'enceinte gallo-romaine, il fut transformé en citadelle après le rattachement de Carcassonne au domaine royal en 1226. Depuis le règne de Saint Louis, un immense fossé et une grande barbacane de plan semi-circulaire (comme toutes les tours d'architecture gallo-romaine mais cependant dites « wisigothiques » – *voir p. 61*) le protègent et en font une véritable forteresse intérieure.

Du pont, remarquer les hourds, à droite.

La visite commence par le musée.

Musée lapidaire – Des vestiges provenant de la Cité et de la région y sont exposés : lavabo (12ᵉ s.) de l'abbaye de Lagrasse, **calvaire★** de Villanière (fin du 15ᵉ s.), belles fenêtres du couvent des Cordeliers, petits personnages finement sculptés, bornes milliaires, stèles funéraires discoïdales du Lauragais, dites « cathares », gisant d'un chevalier mort au combat. Salle d'iconographie de la Cité.

Cour d'honneur – Spacieuse, elle est entourée de constructions modernes. Du côté Sud, le bâtiment présente une façade romane dans sa partie inférieure, gothique au milieu et Renaissance dans sa partie supérieure. Des colombages sont bien visibles. Sur la droite, portes de cachots.

Cour du midi – A l'angle Sud-Ouest s'élève la plus haute des tours, la tour de Guet très bien conservée, desservie par un unique escalier de bois.

Rempart Ouest – En partie constitué par le Château Comtal, le rempart Ouest comprend aussi d'autres tours.

Tour de la Justice – Les Trencavel, vicomtes de Béziers et de Carcassonne, protecteurs des cathares, s'y réfugièrent avec le comte de Toulouse, pour échapper à l'armée de Simon de Montfort, lors de la Croisade des Albigeois. C'est une tour ronde (bâtie sous Saint Louis à la place d'une tour gallo-romaine) dont les ouvertures étaient protégées par des volets roulants permettant de voir le pied des murailles sans être vu.

Les schémas ci-dessous permettent de mieux comprendre le système défensif de la Cité :

Tour de Balthazar.

Château Comtal.

Postes de tir :

1 - Archères disposées sur 3 ou 4 étages.

2 - Trous « de boulin » pour le montage des hourds.

3 - Hourds montés : plates-formes de charpente permettant de lancer des projectiles en tir vertical.

4 - Meurtière pratiquée dans un merlon sur deux.

Procédés de construction :

5 - Empattement de la maçonnerie : le « fruit » rend le travail de sape plus difficile ; il disperse aussi, par ricochets meurtriers, les projectiles lancés des hourds.

6 - Éperon : la proue fait dévier les projectiles des assaillants ainsi que les coups de bélier.

Dates des fortifications :

– Époque gallo-romaine (3e-4e s.) : les murs sont en petit appareil coupé d'assises de brique rétablissant l'horizontalité des lits de maçonnerie. Les bases à lits alternés de moellons et de mortier sont bien visibles lorsque les fondations sont déchaussées.

– Période séparant les deux sièges (entre 1209 et 1240) et règne de Saint Louis : les murailles présentent un moyen appareil, régulier, de pierres grises rectangulaires. Au 13e s., la partie gallo-romaine, reprise et renforcée, la plupart du temps en sous-œuvre (ce qui aboutit, par endroits, à inverser la succession des époques), a donné naissance à des ouvrages dits « wisigothiques ». Étroits, terminés en abside vers l'extérieur et par un mur plat à l'intérieur, ils se prêtaient non seulement à la défense mais aussi à l'aménagement de salles ou magasins superposés.

Le long de l'enceinte extérieure, de nombreuses tours furent bâties en fer à cheval, ouvertes à la gorge ; d'autres, complètement fermées, formaient des réduits d'où l'on harcelait l'ennemi entré dans la lice.

– Règne de Philippe le Hardi : les pierres sont à bossages, les tours souvent à éperons. De cette époque datent les plus belles constructions : châtelet de la porte Narbonnaise, tour du Trésau (ou Trésor), tour de l'Inquisition entre autres.

Tour de l'Inquisition – Comme son nom l'indique, elle était le siège du Tribunal de l'Inquisition. Un pilier central, avec des chaînes, et un cachot témoignent des tortures subies par les hérétiques.

Tour carrée de l'Évêque – Elle est construite à cheval sur les lices, empêchant ainsi toute communication entre la partie Nord et la partie Sud de celles-ci. Comme elle était réservée à l'Évêque – sauf le chemin de ronde supérieur –, elle fut aménagée plus confortablement. Depuis la deuxième salle on a une bonne vue sur le château.

Les lices

On appelle ainsi la partie comprise entre les deux enceintes. Remarquer les chemins de ronde, les courtines, les crénelages, les hourds, de niveaux différents : ils suivent la pente du terrain extérieur.

On accède aux lices par la tour St-Nazaire ou par la porte d'Aude.

Tour St-Nazaire – Bel ouvrage de plan carré dont la poterne – masquée par une échauguette d'angle – n'était accessible qu'avec des échelles. Elle conserve un puits et un four (au premier étage). Elle protégeait l'église, placée en arrière dans la Cité. Au sommet a été installée une table d'orientation.

Porte d'Aude – C'est l'élément majeur des lices. Un chemin fortifié, la Montée d'Aude, qui part du pied de la colline (du côté Ouest, où s'élève l'église St-Gimer) y donne accès. De tous côtés, elle est puissamment défendue : grand châtelet, petit châtelet, place d'Armes et portes.

Les lices basses – Elles sont situées à l'Ouest et au Nord. A l'Ouest, elles s'étendent depuis la tour Mipadre ou tour d'Angle et se rétrécissent jusqu'à devenir inexistantes au niveau de la tour de l'Évêque qui barre le passage.

Au-delà de la porte d'Aude, on passe devant le Château Comtal et on circule alors sur le front Nord, wisigoth, partie la plus ancienne. Là, les courtines et les tours de l'enceinte intérieure sont très élevées ; les toitures d'origine, plates, de style méridional, sont bien visibles sur les tours de l'enceinte extérieure (alors que celles refaites par Viollet-le-Duc sont pointues).

Les lices hautes – Elles commencent, côté Est, à la tour du Trésau (ou Trésor), sont très larges et bordées de fossés. Après la porte Narbonnaise, à gauche, remarquer sur l'enceinte extérieure la tour de la Vade, donjon avancé, haut de trois étages, destiné à la surveillance de tout le côté Est. La promenade sur le front Sud jusqu'à la tour d'Angle du Grand Brulas, face à la tour Mipadre, présente, elle aussi, beaucoup d'intérêt.

★ Basilique St-Nazaire

De l'ancienne église dont les matériaux furent bénis en 1096 par le pape Urbain II ne subsiste que la nef. Le transept et le chevet gothiques (1269-1320) ont remplacé l'abside et les absidioles romanes. La façade Ouest a été modifiée par Viollet-le-Duc : ayant cru, par erreur, que l'église faisait partie d'une enceinte fortifiée « wisigothique », l'architecte s'autorisa à couronner de créneaux ce clocher-mur.

En pénétrant à l'intérieur, on saisit mieux le contraste entre la nef centrale, échantillon d'art roman méridional, simple et sévère sous sa voûte en berceau, et le chevet illuminé par les baies de l'abside et des six chapelles orientées. Cet ensemble, ajouré à l'extrême, constitue, par ses proportions parfaites, la pureté et la légèreté de ses lignes, le goût de sa décoration, une réussite architecturale. Les chapelles latérales ont été ouvertes postérieurement au Nord et au Sud de la nef romane.

Les **vitraux**★★ de St-Nazaire (13e et 14e s.) sont considérés comme les plus intéressants du Midi. De remarquables **statues**★★ – elles rappellent celles de Reims et d'Amiens – ornent le pourtour du chœur. Plusieurs tombeaux d'évêques, entre autres celui de Pierre de Roquefort (14e s.), dans la chapelle à gauche, et celui de Guillaume Razouls (13e s.), dans la chapelle du croisillon droit, retiennent l'attention.

LA VILLE BASSE

Noyau de la ville actuelle, le « bourg » créé par Saint Louis est délimité par les boulevards qui occupent l'emplacement des anciens remparts. Il offre un plan régulier de « ville nouvelle ». Seule l'esplanade de la place Carnot, égayée par une fontaine de Neptune (1770) et par les éventaires des maraîchers, les mardis, jeudis et samedis, rompt la monotonie de ce damier que domine la haute tour (15ᵉ s.) de l'église St-Vincent.

Musée des Beaux-Arts ⊘ – *Entrée : rue de Verdun.*
Peintures des 17ᵉ s. et 18ᵉ s. (maîtres flamands et hollandais) présentées avec raffinement, en harmonie avec des porcelaines. La touche régionale est donnée par de grands portraits de Rigaud et de Rivalz et par des scènes de batailles du peintre carcassonnais Jacques Gamelin (1738-1803). Peinture de Chardin, *Les Apprêts d'un déjeuner.*
Le musée rassemble des souvenirs de la famille Chénier, languedocienne d'adoption : portraits d'André Chénier, de sa mère, dans son costume national grec : le père d'André Chénier remplissait les fonctions de consul à Constantinople et s'y était marié. La peinture du 19ᵉ s. est bien représentée avec notamment Courbet et des artistes académiques.

Ne prenez pas la route au hasard !
Michelin *vous apporte à domicile*
ses conseils routiers, touristiques, hôteliers :
3615 MICHELIN *sur votre Minitel !*

CARMAUX   10 957 h. (les Carmausins)

Cartes Michelin nº 🛂 pli 20, 🔟 pli 11 ou 🔟 pli 23.

La ville, située au Nord d'Albi, doit sa notoriété à la présence d'un gisement houiller, qui s'étend au Sud-Ouest de la localité sur environ 10 km de longueur et 1 à 3 km de largeur. Les couches de charbon, dont l'épaisseur varie de 30 cm à 28 m, sont séparées par des amas de grès ou de schistes.

L'activité minière dans le Carmausin – L'extraction de la houille, dans le pays carmausin, a commencé au milieu du 13ᵉ s. Au 16ᵉ s., certains puits atteignaient déjà une profondeur de 100 m. Mais ce n'est qu'au milieu du 18ᵉ s. que débuta véritablement l'exploitation industrielle du bassin, lorsque Gabriel de Solages, propriétaire des terres, reçut du roi une concession pour y extraire le charbon et aménager une verrerie, destinée à réemployer la « charbonille » ou le mauvais charbon.
Le gîte houiller de Cagnac, plus au Sud, fut découvert en 1881 et exploité par la « Société des Mines d'Albi ». La fin du 19ᵉ s. fut marquée par des conflits entre la famille de Solages et les ouvriers, aux cours desquels le député Jean Jaurès (1859-1914) prit fait et cause pour ces derniers *(voir le guide Vert Michelin Gorges du Tarn Cévennes Languedoc).* La période s'étendant de 1912 à 1950 fut celle qui connut la plus forte productivité. L'arrêt de l'exploitation par le fond eut lieu en 1987 au puits de la Tronquié. L'activité aujourd'hui se concentre sur le seul site de la Découverte de Ste-Marie.
Sur la place Jean-Jaurès, en ville, a été érigée une statue du député de Carmaux entouré de personnages représentant différents métiers (paysan, verrier, métallurgiste et mineur).

CIRCUIT INDUSTRIEL DU CARMAUSIN ⊘

compter 3 h

> *Quitter Carmaux à l'Ouest par la D 90.*

Château de la Verrerie ⊘ – C'est le nom donné à l'annexe du château d'origine édifié par la famille de Solages, qui conserva la concession des mines de Carmaux de 1752 à 1946, année de leur nationalisation. Le château lui-même fut détruit lors d'un incendie en 1895.
Cette annexe abrite aujourd'hui des services administratifs et une exposition didactique sur les méthodes traditionnelles et contemporaines d'extraction de la houille dans le pays carmausin (photos, documents, équipements et outillage de mineurs). Une salle est consacrée à l'écrivain et homme politique Jean Jaurès.

> *Sortant du domaine de la Verrerie, prendre la D 90 à gauche puis la D 73*
> *à l'entrée de Blaye-les-Mines, pour gagner, en prenant à droite, le belvédère*
> *de la Découverte de Ste-Marie.*

La Découverte de Ste-Marie – Du belvédère s'offre une vue saisissante sur le gigantesque cratère de plus de 1 km de diamètre et de 180 m de profondeur que forme le site d'exploitation à ciel ouvert. A terme, en 2010, la profondeur atteinte sera de 280 m et une quinzaine de millions de tonnes de charbon auront été extraites. Là s'affairent, dans une sorte de ballet surréaliste, d'énormes camions Dresser Haulpak, d'une capacité de 108 t en charge, des excavateurs à godets ou « roues-pelles », équipés de ponts de liaison dits « sauterelles » et destinés à déverser les terres stériles sur des convoyeurs à bandes. Le chantier fonctionne toute l'année.

> *Regagner la D 73 puis la D 90 à gauche en direction de Cagnac-*
> *les-Mines.*

Cité des Homps  –
Cette cité ouvrière, compo-
sée de petites maisons
bien alignées, a été créée
par la Société des Mines
d'Albi pour accueillir les
mineurs immigrants de
Pologne (pour la majorité).
L'une d'elles, accessible à
la visite, montre un intérieur reconstitué : trois
pièces d'un confort rudi-
mentaire et peintes en
bleu (couleur obligatoire) ;
une exposition de brode-
ries ornant des vêtements
folkloriques agrémente la
visite.

**Musée-mine de Ca-
gnac** ⊙ – C'est la partie
la plus intéressante du circuit et qui fait le mieux
comprendre le difficile et
périlleux travail du mineur
de fond. Sur le site de
Camp-Grand, le chevale-
ment du puits n° 2 et ses
bâtiments annexes (datant
de 1891) ont été pré-
servés de justesse de la
destruction. Ils sont les
seuls vestiges de l'exploitation minière par le fond
et forment un carreau de
mine quasi complet. Imbri-
quées avec ces derniers,
des galeries souterraines
reconstituées sur 300 m
de longueur invitent le visiteur à découvrir l'activité quotidienne minière et
les différentes méthodes
d'extraction du charbon
du 19ᵉ s. à nos jours.
Une restitution sonorisée
des bruits de marteaux-
piqueurs et de ventila-

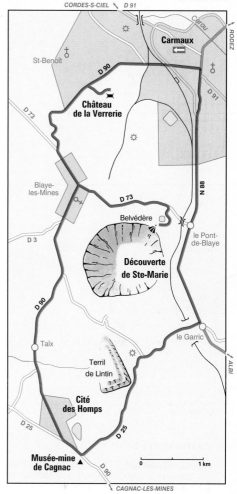

teurs ajoute une note de réalisme à l'évocation du travail des « gueules noires ».

Retour à Carmaux par la D 25 puis la N 88.

Gourmets...

*Le chapitre en introduction de ce guide vous documente
sur les spécialités gastronomiques les plus appréciées
et les vins les plus réputés du pays.*

*Et chaque année, le **guide Rouge Michelin France**
vous propose un choix de bonnes tables.*

CASTELNAUDARY
10 970 h. (les Chauriens)

Cartes Michelin n° 82 pli 20 ou 235 plis 35, 39.

Sa situation sur le canal du Midi lui valut longtemps d'être le siège d'un trafic
commercial intense que relaie aujourd'hui, en partie, la **navigation de plaisance** ⊙.
Castelnaudary est réputée pour ses fabriques de cassoulet, ses ateliers et usines
de poterie, de céramique et de briqueterie.

La bataille du Fresquel – La plaine où coule le Fresquel fut le théâtre au 17ᵉ s.
d'une bataille célèbre. Sur l'initiative de Richelieu, les États du Languedoc
(symbole de l'indépendance de la province face à la monarchie) se voient
dépossédés de leur droit de répartir et lever les impôts. Henri de Montmorency,
gouverneur de la province, met son épée au service des États et affronte l'armée
royale à Castelnaudary le 1ᵉʳ septembre 1632. Fait prisonnier, il est jugé et
exécuté à Toulouse sur l'ordre du cardinal.

Le cassoulet de Castelnaudary – La tradition veut que la « cassole » (qui
a donné le terme de « cassoulet ») soit en argile d'Issel, que les haricots aient
poussé sur le sol de Lavelanet, qu'ils soient cuits dans l'eau très pure de
Castelnaudary ; enfin, que des ajoncs de la Montagne Noire alimentent le feu
du four.

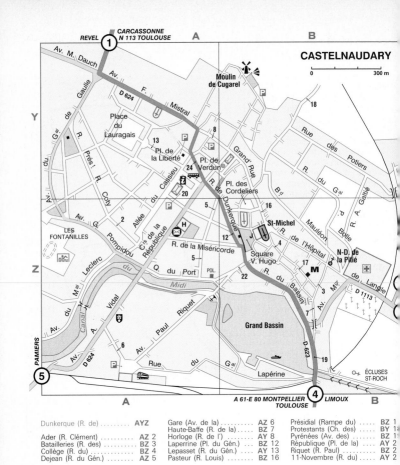

CURIOSITÉS

Église St-Michel (BZ) – Érigée en collégiale au début du 14ᵉ s., elle fu
reconstruite à l'emplacement d'un édifice antérieur. Le clocher-porche haut d
56 m, la façade Nord percée de deux portails (gothique et Renaissance) et ajouré
de roses sont remarquables. Dans la deuxième chapelle de la nef gothique,
droite : belle croix de pierre sculptée du 16ᵉ s. Orgues (18ᵉ s.) de Cavaillé-Col

Présidial (BZ M) – Édifié à la fin du 16ᵉ s. à l'emplacement du château qui donn
naissance à la ville, le Présidial – ou tribunal de la Sénéchaussée – fut en parti
détruit sous Louis XIII. Reconstruits et agrandis par la suite, les locaux abritèren
à partir de la Révolution d'un côté une école et de l'autre une prison qui serv
jusqu'en 1926. Sur la façade, seule la partie gauche aux trois grandes fenêtre
à meneaux date du 16ᵉ s. A l'intérieur, le **musée archéologique du Présidial** ⊙ retrac
l'évolution de l'occupation du pays au cours de la protohistoire, de l'époqu
gallo-romaine, du Moyen Âge et de l'époque moderne (formes d'habita
nécropoles, lieux de culte...). Une salle est également consacrée aux diverse
productions et techniques céramiques régionales.

Chapelle Notre-Dame-de-la-Pitié (BZ) – Elle abrite un bel ensemble d
boiseries dorées du 18ᵉ s. qui évoque dans le désordre dix épisodes de la vi
du Christ.

Le Grand Bassin (BZ) – Plan d'eau formé par le canal du Midi, il constitue un
retenue pour les quatre écluses de St-Roch et une base de navigation de plaisanc

Moulin de Cugarel ⊙ (BY) – Au début du siècle, une dizaine de moulins étaien
encore en activité sur les hauteurs de Castelnaudary. Le moulin de Cugarel, bâ
sur la butte du Pech, offre une belle vue sur la plaine du Lauragais. Du 17ᵉ s
il a été restauré en 1962. La toiture mobile et, à l'intérieur, l'ancien systèm
de meunerie ont été reconstitués.
Par ailleurs, Castelnaudary était un centre de minoteries dont la force motric
était empruntée au canal.

ENVIRONS

St-Papoul – *5 km par ② du plan, D 103.*
L'**abbaye** ⊙ du village, fondée en 768 par Pépin le Bref, fut érigée en évêché e
1317. Dans le cloître, au Sud de l'abbatiale, des colonnettes jumelées porten
des arcs en plein cintre et sont ornées de chapiteaux assez bien conservés
Dans l'abbatiale, le narthex, le chœur et l'absidiole Nord, datant du 12ᵉ s., seraien
les parties les plus anciennes de l'édifice. Entre l'abside centrale et les absidiole
deux arcs sont supportés par des chapiteaux préromans.
Remarquer le tombeau en marbre gris de l'évêque F. de Donnadieu, mort en 162

Seuil de Naurouze – *12 km par ① du plan puis N 113. Description p. 11*

CAZÈRES

3 155 h. (les Cazériens)

Cartes Michelin n° 🔳🔳 plis 16, 17 ou 🔳🔳🔳 pli 37.

La ville, ancienne étape de pèlerins et de marchands sur la route de Toulouse aux Pyrénées, tire un agrément nouveau de sa position sur le léger abrupt d'une rive concave de la Garonne, depuis qu'un barrage de l'E.D.F. a rehaussé le niveau du fleuve (plan d'eau de Cazères, activités nautiques).

Église ⊙ – 14e et 15e s. Elle conserve dans la salle des fonts baptismaux, greffée sur la chapelle oblique de la Vierge, à droite, les pièces d'un **trésor** remis en valeur. Autour de fonts baptismaux (1320) à cuve décagonale – remarquer l'agneau et la croix du diocèse de Rieux – sont présentés des bustes-reliquaires (sainte Quitterie, saint Jacques), des pièces d'orfèvrerie religieuse et des vêtements sacerdotaux, des vitrines de documents ayant trait à l'histoire locale (confréries, pèlerinages).
Vierge à l'Enfant du 13e s., et retables en bois doré et peint, du 17e s.

ENVIRONS

★ **Panorama des carrières de Belbèze** – *15 km au Sud-Ouest puis 1/4 h à pied AR. Quitter Cazères vers Couladère. Dans ce village, prendre la D 62 à droite. A Mauran, prendre la D 83 à gauche.*
La route, pittoresque, longe la rive droite de la Garonne jusqu'à Mauran. Après un passage en virages serrés, la D 83 offre des vues très dégagées vers les Petites Pyrénées, particulièrement avant l'arrivée à Ausseing.

> *Laisser la route de Belbèze-en-Comminges et prendre à gauche l'itinéraire signalé « table d'orientation ».*

Du parking terminal on monte à vue vers la table d'orientation érigée sur un versant pierreux de la montagne : panorama sur la dépression du Salat et les Pyrénées ariégeoises, sur la droite, le pic du Midi de Bigorre, le pic de Montaigu et les derniers contreforts pyrénéens vers le Pays basque. Des carrières de Belbèze fut extraite la pierre utilisée dans la construction de plusieurs hôtels et monuments de Toulouse.

*L'**EUROPE** en une seule feuille : **carte Michelin** n° 🔳🔳🔳.*

★ La CERDAGNE

Cartes Michelin n° 🔳🔳 plis 15, 16, ou 🔳🔳🔳 plis 51, 55.

La Cerdagne, région des Pyrénées orientales au relief uniforme, « meitat de Franca, meitat d'Espanya » (moitié de France, moitié d'Espagne), occupe le haut bassin du Sègre, affluent de l'Èbre, entre le défilé de St-Martin (alt. 1 000 m environ) et le col de la Perche (alt. 1 579 m).
Exceptionnellement ensoleillée et abritée, cette dépression baignée d'une lumière dorée offre l'image paisible d'un terroir rural de plaine : damier de moissons et de prairies, ruisseaux bordés d'aulnes et de saules.
Des montagnes majestueuses encadrent ce bassin d'effondrement occupé par un lac à l'ère tertiaire : au Nord, côté **soulane,** le massif granitique du Carlit (alt. 2 921 m) ; au Sud le chaînon de Puigmal (alt. 2 910 m), incisé de grands ravins parallèles où se maintiennent les forêts de pins de l'**ombrée.**
La région vit de l'élevage et du tourisme d'hiver (Font-Romeu).

Le berceau de l'État catalan – Après la reconquête, sur les Arabes, du Roussillon et de la Catalogne, la Cerdagne fait figure de petite nation montagnarde, de moins en moins liée à l'administration franque de la Marche d'Espagne.
L'un de ses seigneurs, Wilfred le Velu, est investi en 878 des comtés de Barcelone et de Gérone. Au 10e s., ses héritiers, devenus en fait souverains dans leur comté, contrôlent la haute vallée du Sègre, le Capcir, le Conflent, le Fenouillèdes, la haute plaine du Roussillon. Cette dynastie s'éteint en 1117. L'État, administré dès lors de Barcelone par les rois d'Aragon de race catalane, perd le caractère montagnard qui avait marqué ses origines.
Le souvenir des comtes de Cerdagne survit dans l'histoire religieuse et monumentale : Wilfred le Velu avait fondé les abbayes de Ripoll, de San Juan de las Abadesas et l'évêché de Vic *(voir le guide Vert Michelin Espagne)* ; au 11e s. le comte Guifred agrandit l'abbaye St-Martin-du-Canigou ; son frère l'abbé Oliva, grand bâtisseur et maître spirituel, fait de Ripoll et de St-Michel-de-Cuxa d'incomparables foyers de culture.
De leur passé de « capitale » civile, Corneilla-de-Conflent, Hix, Llivia conservent leur belle église.

La Cerdagne française – En 1659, le traité des Pyrénées n'avait pas délimité dans les détails la nouvelle frontière franco-espagole en Cerdagne, l'accord ne s'étant pas fait sur le choix des monts appelés à devenir frontières naturelles.
Les experts signent, en 1660, à **Llivia**, le traité de division de la Cerdagne reconnaissant à l'Espagne la possession du comté, sauf la vallée de Carol et une bande de territoire permettant aux sujets du roi de France une communication entre la vallée de Carol, le Capcir et le Conflent, à concurrence de 33 villages à annexer à la France.
Les 33 villages sont choisis parmi les plus proches de la frontière, mais Llivia, considérée comme « ville », échappe à ce décompte et reste à l'Espagne, formant depuis une enclave en territoire français.

★★ ① VALLÉE DU CAROL

Du col de Puymorens à Bourg-Madame

27 km – environ 1 h

Quittant la haute vallée de l'Ariège *(p. 45),* aux versants assez aplatis, on pénètr
dans une vallée de plus en plus profonde.

★ Col de Puymorens – *Page 45.*

Au col le paysage change. On est sur le seuil de partage des eaux : celles d
l'Ariège, tributaires de la Garonne, vont vers l'Atlantique, celles du Sègre, affluen
de l'Ebre, coulent vers l'Espagne.

Après un pont sur un couloir d'avalanche, la route, en descente, perme
d'apprécier le site ensoleillé du village de Porté-Puymorens, la vallée du Caro
plus humanisée, et le verrou glaciaire surmonté des ruines rousses de la tou
Cerdane.

La route plonge vers la vallée de Font-Vive, dominée par les pics de Col Roug
et les premiers escarpements du pic Carlit (alt. 2 921 m).

Au-delà de Porté, la route pénètre dans le défilé de la Faou. Jolie vue à gauch
sur le hameau de Carol et les deux tours en ruine derrière le viaduc. Le parcour
encaissé se termine aux abords d'Enveitg. La Cerdagne s'épanouit. On arrive dan
une plaine riche, haut perchée (moyenne d'altitude : 1 200 m) : les sommet
qui la ferment paraissent, de ce fait, moins élevés.

Avant Bourg-Madame, on voit à gauche le Grand Hôtel de Font-Romeu, e
avant la « ville » de Llivia, enclave espagnole. Sur sa butte se hauss
Puigcerdà.

Bourg-Madame – Bourg-Madame est le nom donné à la localité en 1815, e
l'honneur de Madame Royale, par la grâce du duc d'Angoulême, son époux, rentr
en France par cette route après le séjour qu'il fit en Espagne, à la chute d
l'Empire. Auparavant, le hameau des Guinguettes d'Hix avait su tirer parti d
sa situation au bord du ruisseau frontière de la Rahur pour développer se
activités : industrie, colportage et contrebande.

★ ② ROUTE DE LA SOULANE

De Bourg-Madame à Mont-Louis *36 km – environ 2 h*

Bourg-Madame – *Voir ci-dessus.*

*Quitter Bourg-Madame par le Nord
(N 20). A Ur, prendre à droite la
D 618 et à Villeneuve-des-Escaldes
prendre à gauche la D 10.*

Dorres – Dans l'**église** *(rarement ouverte
au public),* on peut voir à l'autel latéral
de gauche un témoin typique du goût
tenace du peuple catalan pour les
statuettes parées : une Vierge des
Douleurs (« soledat ») ; dans la chapelle
de droite, fermée par une grille, impressionnante Vierge noire anguleuse.

En descendant le chemin cimenté, en
contrebas de l'hôtel Marty, on atteint
(1/2 h à pied AR) une source sulfureuse
(41°) où les Cerdanais et les estivants
viennent pratiquer le thermalisme de
plein air.

Revenir à la D 618.

Angoustrine – Monter à pied à
l'**église** ⊙ haute, romane, pour admirer
ses **retables★**, surtout celui dédié à saint
Martin : cavalier de la niche centrale et,
sur les panneaux peints, sauvetage d'un
marin, d'un pendu, etc., prodiges du saint.
L'horizon s'élargit tandis que la route
s'élève en lacet. Tracée légèrement
au-dessus de la plaine, elle la domine
sans cesse.

Chaos de Targasonne – Gigantesque
amoncellement de blocs granitiques
roulés par les glaciers quaternaires.
Fantastiques amas rocheux aux formes
tourmentées.

A 2 km du chaos de Targasonne, vue sur
la chaîne frontière, du Canigou au Puigmal, et sur la Sierra del Cadi plus découpée. Sur les pentes rases de la Soulane
paissent les troupeaux de moutons.

Odeillo – L'église abrite, en dehors de
la saison pastorale (juin à septembre),
une Vierge à l'Enfant, la Vierge de
Font-Romeu, du 13ᵉ s. En été, la Vierge
de l'Ermitage (15ᵉ s.) prend sa place.

Le **four solaire** ⊙, dont le miroir concave reflète le versant de la Soulane, a été mis en service en 1969. Étagés à flanc de pente, 63 héliostats (miroirs plans orientables) dirigent les rayons solaires sur le miroir parabolique (1 800 m²) fait de 9 500 petites glaces. L'énergie solaire (1 000 KW thermiques) est ainsi concentrée sur un espace de 80 cm de diamètre où la température peut dépasser 3 500 °C. L'installation permet le traitement de composés réfractaires et de minerais et des essais de matériaux soumis à des chocs thermiques.

L'agglomération de Font-Romeu devient plus dense et l'on reconnaît, outre l'imposant Grand Hôtel, le monument du Christ-Roi. En avant, par le seuil de la Perche, le Canigou se dessine à l'extrémité du chaînon dominant le versant rive droite de la Têt.

✳ **Font-Romeu** – *Page 89.*

La route traverse la forêt de pins de **Bolquère**, village pittoresque dont on aperçoit la petite église perchée sur un promontoire. On atteint le plateau de Mont-Louis, point de départ pour la vallée de l'Aude et pour le Conflent. Au carrefour de la N 116 s'élève le monument d'Emmanuel Brousse, député cerdan.

★ **Mont-Louis** – *Page 109.*

③ **ROUTE DE L'OMBRÉE**

De Mont-Louis à Bourg-Madame *112 km – une demi-journée*

Au départ de Mont-Louis, la N116, en palier, atteint le large seuil herbeux du col de la Perche faisant communiquer, à 1 579 m d'altitude, les bassins de la Têt (Conflent) et du Sègre (Cerdagne). Au sud s'élève le Cambras d'Azé, évidé d'un cirque glaciaire très régulier. En progressant dans la haute lande le long de la route d'Eyne, le **panorama★** d'ensemble sur la Cerdagne prend de l'ampleur ; de gauche à droite on identifie la Sierra del Cadi, relativement dentelée, Puigcerdà sur sa butte morainique surgissant du fond du bassin, le massif frontière de l'Andorre (pic de Campcardos), le massif du Carlit.

La route va désormais se rapprocher, plus ou moins loin, de la sortie des quatre vallées qui échancrent le massif du Puigmal : vallées d'Eyne, de Llo, d'Err, d'Osséja.

Eyne – Joli site de village étagé, dans une conque.
Dans une descente en lacet se découvre le site plus âpre de Llo.

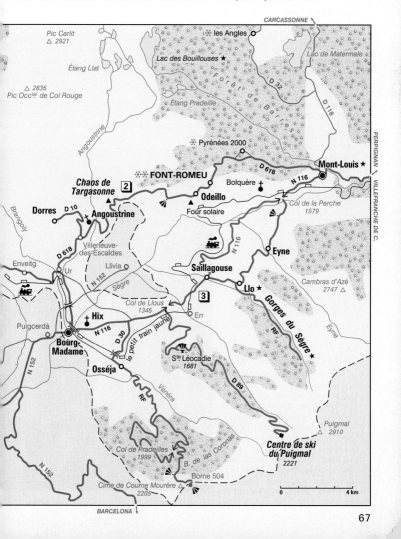

★ **Llo** – Bourg pittoresque échelonné sur des pentes escarpées à la sortie d'u
ravin affluent du Sègre. Une atalaye ou tour de guet *(voir p. 28)* domine
paysage.
En contrebas, l'église romane montre à son portail une voussure médiane décoré
de motifs en tête de clou, de têtes d'hommes et de spirales.

★ **Gorges du Sègre** – Partir de l'église de Llo. Le Sègre s'échappe du mass
du Puigmal par des gorges que l'on peut remonter jusqu'au troisième pont su
le torrent. Au passage on admire un beau rocher, formant aiguille, vu d
l'aval.

Saillagouse – L'un des centres de production des célèbres charcuterie
cerdanes.

Après le col de Llous, prendre à gauche la route de la station du Puigm
(D 89) : arrivant en lisière de la forêt, aussitôt après un lacet, prendre à droi
la route forestière, revêtue.

Table d'orientation de Ste-Léocadie – Alt. 1 681 m. Elle se dresse à gauch
à l'entrée du virage, en contrebas. **Panorama★** sur la Cerdagne, face à la troué
de la vallée du Carol par laquelle apparaît le pic de Fontfrède.

Revenir à la D 89 et prendre à droite.

La route de montagne remonte la vallée de l'Err.

Station de Puigmal 2900 – Alt. 2 221 m. Centre de sports d'hiver.

De retour à la N116, prendre à gauche et encore à gauche (D 30).

★ **Routes forestières d'Osséja** – Aires de pique-nique aménagées le long d
parcours.

Osséja – Lieu de cure médicale d'altitude.

En amont d'Osséja, laisser la route de Valcebollère pour suivre la route forestièr
qui se scinde à la lisière d'un des plus importants massifs de pins de montagn
des Pyrénées. Par la branche de droite, on aboutit, après le col de Pradeille
sur la croupe du Puigmal, à la borne 504 (cime de Courne Mourère, alt. 2 205 m
environ). **Vues★** sur la Cerdagne, les montagnes frontières de l'Andorre et, a
Sud, les sierras catalanes.

Redescendre à Osséja par la branche de la route forestière non emprunté
à la montée et rejoindre la N 116. La prendre à gauche.

Hix – Ancienne résidence des comtes de Cerdagne et capitale commerciale d
pays jusqu'au 12ᵉ s., Hix a été ravalée au rang de simple hameau lorsque
roi Alphonse d'Aragon fit transférer la ville sur le site moins vulnérable du « Mor
Cerdan » (Puygcerdà), en 1177, et surtout après la consécration du quartier de
« guinguettes » comme siège de la municipalité en 1815, sous le nom d
Bourg-Madame.
La petite **église** ⊙ romane abrite deux œuvres d'art. A droite, l'important retab
peint au début du 16ᵉ s., et dédié à saint Martin, incorpore une Vierge assis
du 13ᵉ s. A la prédelle se succèdent, de gauche à droite : sainte Hélène, la Vierg
le Christ de pitié, saint Jean,
saint Jacques le Majeur. Du
Christ roman aux cheveux
épars se dégage une cer-
taine douceur.

Bourg-Madame – *Page*
66.

Le « petit train jaune » ⊙ *:*
La visite touristique de la
Cerdagne peut-être
complétée par le parcours
de la ligne SNCF à voie
étroite Latour-de-Carol-
Villefranche-Vernet-les-
Bains desservie par des
services réguliers. La
section de Mont-Louis à
Olette (Haut Conflent) est la
plus pittoresque (pont
Gisclard, viaduc Séjourné,
etc.).

Viaduc Séjourné – Le petit train jaune.

Cartes Michelin n° 86 pli 19 ou 235 pli 56 ou 240 pli 45 – Schéma p. 53.

Céret, cité du Vallespir, est, avec ses corridas et ses sardanes, un vivant foyer de la tradition catalane au Nord des Pyrénées. Ses vergers irrigués en font un centre important de primeurs : les cerises y mûrissent dès la mi-avril et sont parmi les premières sur le marché français.

L'artisanat d'art s'épanouit de nos jours dans la petite ville.

L'« école de Céret » – Au début du siècle, le sculpteur catalan Manolo Hugué (1872-1945), ami de Picasso, s'installe à Céret. Il est rejoint par le compositeur Déodat de Séverac (son monument avec médaillon, réalisé par Manolo, se dresse à côté de l'Office de tourisme), Picasso lui-même, Braque, Juan Gris, mais aussi Herbin, Kisling et Max Jacob, poète et peintre.

Après l'interruption due à la Première Guerre mondiale, les séjours d'artistes encouragés par Manolo, Pierre Brune et Pinkus Krémègne reprennent avec Masson et Soutine en 1919, Chagall en 1928-1929 et bien d'autres. Brune fut à l'origine de la création du musée d'Art moderne, qui ouvrit ses portes en 1950 avec la présentation d'un fonds constitué par les dons des artistes de passage à Céret. A partir de 1966 furent mises en place d'importantes expositions d'art contemporain, faisant de Céret un haut lieu de la création artistique.

CÉRET

Clemenceau (Av. Georges)
Commerce (R. du) 4
Joffre (Bd Mar.) 16
Picasso (Pl. Pablo) 23
St-Férréol (R.)

Arago (Bd) 2
Aribaud (Av. M.) 3
Cosmonautes
  (Allées des) 7
Déodat de Séverac (Av.) 9
Évadés de France (R. des) 12
Fusterie (R. de la) 13
Jardins fleuris (R. des) 14
Jaurès (Bd Jean) 15
Liberté (Pl. de la) 18
République (Pl. de la) 25
Résistance (Pl. de la) 28
Tarris (R.) 29
Tilleuls (Av. des) 30
Tilleuls (Pl. des) 33

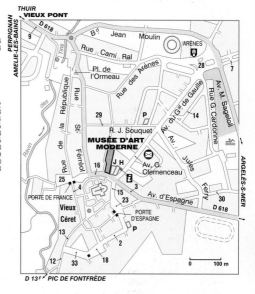

CURIOSITÉS

Le Vieux Céret – Entre la place de la République et la place de la Liberté, les cours ombragés de gigantesques platanes sont favorables à la flânerie. Des remparts, il reste place de la République une porte fortifiée, la porte de France, et place Pablo-Picasso un vestige restauré de la porte d'Espagne. Un monument dédié à Picasso (1973), la *Sardane de la paix*, a été édifié face aux arènes en fer forgé soudé sur inox, d'après un dessin du maître.

Comme plusieurs villes du Roussillon, Céret avait fait appel à Aristide Maillol pour son monument aux Morts de 1914-1918.

★ **Musée d'Art moderne** ⊙ – Le bâtiment moderne, dressant sa façade sobre sur le boulevard Maréchal-Joffre, a été conçu par l'architecte barcelonais Jaume Freixa. La porte d'entrée est flanquée de part et d'autre par un diptyque mural d'Antoni Tapiès réalisé sur des plaques de lave émaillée.

A l'intérieur les volumes spacieux se répartissent de façon harmonieuse autour de patios qui, dispensant une lumière accrue, mettent en valeur les œuvres présentées. Le rez-de-chaussée, outre les expositions temporaires, abrite des céramiques de Picasso et des œuvres d'art contemporain des années 1960-1970. Le 1er étage est dévolu à l'art contemporain : Tony Grand, Joan Brossa et Perejaume, Viallat, Tapiès.

Une bibliothèque, un auditorium et un service éducatif contribuent à l'animation du musée, qui développe par ailleurs une politique continue d'acquisitions en axant les recherches sur les artistes du Sud de la France et notamment de la Catalogne.

★ **Vieux Pont** – Nullement déprécié par le voisinage du pont routier moderne et du pont ferroviaire, ce « pont du Diable » (14e s.) à une seule arche de 45 m d'ouverture enjambe le Tech, à 22 m au-dessus de la rivière. Belle vue, d'un côté sur le massif du Canigou et, de l'autre, sur les Albères qui s'abaissent vers le col du Perthus.

Descendre, à pied, vers l'aval, à une scierie, pour admirer le pont.

ENVIRONS

Pic de Fontfrède – *14 km au Sud – 1 h environ. Quitter Céret par la place des Tilleuls. Description p. 54 (Route des Albères).*

Collioure, jolie petite ville de la Côte Vermeille que dominent les dernie
contreforts des Albères, offre tant d'agréments qu'elle attire chaque année un
foule innombrable de touristes.
Elle est bien connue pour ses anchois (ateliers de salaison et de semi-conserve
installés sur place), pêchés à Port-Vendres.

★★ **Le site** – Collioure, bâtie dans un cadre naturel encore intact, occupe un
situation privilégiée que le soleil et le bleu du ciel et de la mer rendent plu
charmante encore. Son église fortifiée, avançant si près de la côte qu'on la croira
dans la Méditerranée, ses deux petits ports séparés par le vieux château roya
avec leurs filets étendus et leurs barques catalanes aux couleurs vives et à l
mâture typique, ses vieilles rues aux balcons fleuris, aux escaliers pittoresque
sa promenade du bord de mer, ses terrasses de cafés et ses boutiques aux vitrine
colorées donnent à la petite cité beaucoup de caractère.
De nombreux peintres, séduits par ses couleurs, l'ont choisie pour l'immo
taliser sur leurs toiles. Déjà, vers 1910, les premiers « fauves » s'y réunissaien
Derain, Bracque, Othon, Friesz, Matisse... Plus tard, Picasso et Foujita
séjournèrent.
Aujourd'hui encore, la plage Boramar est un sujet apprécié par de nombreu
artistes.

Au bord du « lac catalan » – La Collioure médiévale est avant tout le po
de commerce du Roussillon, d'où s'exportent les fameux draps « parés » d
Perpignan. C'est l'époque où la marine catalane règne sur la Méditerrané
jusqu'au Levant.
En 1463 l'invasion des troupes de Louis XI inaugure pour la ville une périod
troublée. Le château se développe sur l'éperon rocheux séparant le port e
deux anses, autour du donjon carré élevé par les rois de Majorque. Charle
Quint et Philippe II le transforment en une citadelle renforcée par le fo
St-Elme et le fort Miradou. Après la paix des Pyrénées, Vauban met la dernièr
main aux défenses : la cité enclose est rasée à partir de 1670 et laisse l
place à un vaste glacis. La « Ville » basse devient désormais l'agglomératio
principale.

Barques catalanes à Collioure.

CURIOSITÉS

*Gagner à pied le Vieux Port ou « port d'Amont » par le quai de l'Am
rauté, le long du « ravin » du Douy, généralement à sec. Longer la plag
Boramar.*

Église Notre-Dame-des-Anges – Elle a été construite entre 1684 et 169
pour succéder à l'église de la ville haute, rasée sur l'ordre de Vauban.
Le clocher, d'un cachet si particulier, avec son dôme rose, était le phare du Vieu
Port.
L'intérieur, sombre, surprend par la richesse de ses neuf **retables**★ sculptés su
bois et dorés (notice explicative à gauche du chœur). Celui du maître-autel es
l'œuvre du Catalan Joseph Sunyer. Il date de 1698. C'est un immense triptyqu
de trois étages qui occupe tout l'arrière-chœur. De ce fait, il cache entièremer
l'abside, dans le style des retables churrigueresques (de Churriguera, famill
d'architectes espagnols des 17ᵉ et 18ᵉ s.) des églises d'Espagne de cette époqu

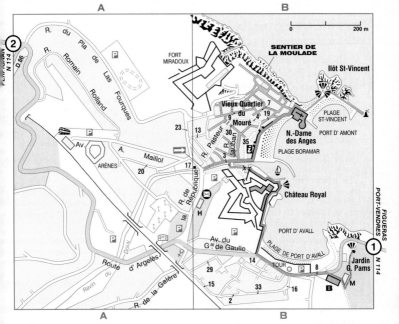

Au centre, la Vierge de l'Assomption, au sommet le Père Éternel entre la Justice et la Charité. Toutes les statues sont finement sculptées et attirent l'admiration. De Joseph Sunyer également, remarquer le retable du Saint-Sacrement, à gauche du chœur, de taille plus modeste mais tout aussi délicatement ciselé.

Trésor ⊘ – La sacristie abrite un beau meuble-vestiaire d'époque Louis XIII, des peintures du 15ᵉ s., un reliquaire du 16ᵉ s. et une Vierge du 17ᵉ s. qui aurait appartenu à l'église sacrifiée.

Ancien îlot St-Vincent – Il est relié à l'église par deux plages dos à dos. Derrière la petite chapelle, le vaste panorama s'étend sur la Côte Vermeille. Une digue mène au phare.

Revenir sur ses pas en passant derrière l'église.

★ **Sentier de la Moulade** – *3/4 h à pied AR à partir du pied de l'ancien château St-Vincent.* Très agréable promenade, bien aménagée entre la falaise et la mer. Vers le Nord, on aperçoit Argelès-sur-Mer, St-Cyprien et Canet-Plage.

Vieux quartier du Mouré – On aimera flâner dans les ruelles escarpées et fleuries de ce vieux quartier situé près de l'église.

Traverser le Douy, au fond du port de plaisance.

On contourne alors, en suivant le quai, les impressionnantes murailles du Château Royal.

Château Royal ⊘ – Construit sur un site d'occupation romain, ce château, qui dresse sa masse imposante au pied de la mer entre le port d'Amont et le port d'Avall, fut la résidence d'été des rois de Majorque entre 1276 et 1344 avant d'appartenir au royaume d'Aragon. Vauban fit ajouter l'enceinte extérieure et raser le village qui s'étendait à ses pieds pour aménager les glacis.
La visite fait découvrir les souterrains, la place d'Armes, la prison du 16ᵉ s. (présentation d'une forge catalane), la chapelle du 13ᵉ s., la cour d'honneur, la chambre de la Reine, les salles hautes, les remparts et le chemin de ronde. Les casernements du 17ᵉ s. abritent des expositions sur la vigne, le liège, la fabrication des fouets de Sorède et des espadrilles, les barques catalanes, etc. Quelques salles sont réservées à la présentation d'expositions temporaires.
Du parking Ouest, côté Douy, bonne **vue** sur la ville et le port ; en arrière, les Albères, au-dessus de la mer.

Poursuivre jusqu'à la plage de port d'Avall, dite du Faubourg.

Admirer au passage les jolies embarcations colorées. On pourra aussi faire une halte agréable sous les palmiers, près des aires de jeux de boules, nombreuses et très animées.

Église de l'ancien couvent des Dominicains (B B) – Elle est située à droite sur la route de Port-Vendres. Désaffectée, elle abrite désormais une cave coopérative.

Jardin Gaston-Pams – Composé de terrasses, il offre, de la gloriette de style mauresque, une bonne **vue** sur la baie de Collioure et la cité.

71

Le CONFLENT

Cartes Michelin n° 86 plis 16 à 18 ou 235 plis 51, 52, 55.

C'est la partie du Roussillon traversée par la vallée de la Têt, que longe la N 116. C'est une région riche, grâce à l'abondance de ses rivières et torrents, où prédominent les cultures maraîchères et surtout les vergers. Parallèle à la vallée du Tech *(p. 156)*, elle en est séparée par le massif du Canigou que l'on aperçoit de Mont-Louis, aux portes de la Cerdagne.

DE MONT-LOUIS A VILLEFRANCHE-DE-CONFLENT
30 km – environ 4 h

> *La route, tracée en corniche entre Mont-Louis et Olette, connaît, en fin de semaine surtout, une circulation intense.*

★ **Mont-Louis** – *Page 109.*

La N 116 que l'on prend en direction de Prades, à la sortie de Mont-Louis, serpente sous le couvert d'arbres : la forteresse de la ville n'est plus visible. Dans la descente, à chaque virage apparaissent les hauts sommets de la rive droite de la Têt : Cambras d'Aze, pic de Gallinas et pic Redoun, sommets aux lignes calmes encadrant la courbe pure du col Mitja, le Canigou au dernier plan.

Pont Gisclard – Ce pont ferroviaire suspendu, d'une hardiesse remarquable, porte le nom de son créateur, officier du génie, tué accidentellement au cours des essais (monument en bordure de la route).
La route, en forte descente, devient plus sinueuse. Les horizons sont nettement dégagés. A droite, au milieu des cultures en terrasses, s'étagent les hameaux de St-Thomas et de Prats-Balaguer. On passe à **Fontpédrouse** (108 h.), village qui dévale la paroi rocheuse.

Pont Séjourné – Viaduc élégant et robuste, dédié à son constructeur, l'ingénieur Paul Séjourné (1851-1939). Si l'on a la chance d'y voir passer le « petit train jaune » *(voir p. 68)* de la ligne de Villefranche-Bourg-Madame, le spectacle est particulièrement pittoresque.
La végétation arbustive, nettement moins dense, laisse apercevoir les ouvrages d'art de la voie ferrée que l'on suit de près.

Thuès-les-Bains – Modeste station. Un centre thermal de rééducation et de réadaptation fonctionnelles y est installé pour les handicapés.
La vallée devient rectiligne et sauvage. La route est parfaitement tracée et pénètre dans le défilé des Graüs. Sur la droite, la rivière de Mantet a creusé un étroit vallon. La vigne et les derniers agaves disparaissent.

Olette – 532 h. Village-rue dont les maisons, à 3 ou 4 étages, adossées contre le rocher, composent un site séduisant. On aperçoit bientôt l'usine et les ruines du château de la Bastide. Jusqu'à Serdinya, le paysage change de caractère : les hameaux s'étagent en terrasses.

★ **Villefranche-de-Conflent** – *Page 157.*

DE VILLEFRANCHE-DE-CONFLENT A ILLE-SUR-TÊT
41 km – environ 5 h

★ **Villefranche-de-Conflent** – *Page 157.*
> *Quitter Villefranche au Sud par la D116.*

Corneilla-de-Conflent – *Page 80.*
La route, ombragée de platanes, remonte la vallée épanouie du Cady, domaine des vergers de pommiers et de poiriers. Le torrent s'épanche sur un lit caillouteux.

Vernet-les-Bains – *Page 157.*
Dans la descente vers le col d'Eusèbe, la D 27, encadrée de pommiers puis de chênes, procure de très jolies vues sur la vallée du Cady. Après Fillols, on atteint le col de Millères, d'où part la route vers le Canigou *(p. 52)*. La descente s'accentue dans la vallée de la Taurinya, avec de belles échappées sur St-Michel-de-Cuxa et Prades.

★ **Abbaye St-Michel-de-Cuxa** – *Page 136.*

Prades – *Page 127.*
> *Traverser Prades et prendre la N 116 à droite.*

On entre dans la plaine du Conflent, couverte de vergers. Accroché à un éperon du versant opposé, le village d'Eus offre une jolie **vue★** depuis la route tracée entre la Têt et la voie ferrée. A la sortie de **Marquixanes**, bourg fortifié groupé autour de son église, au clocher couronné, au 17ᵉ s., de tourelles décoratives, la N 116 longe le **barrage de Vinça** (1977), aménagement destiné à l'irrigation à la régularisation des crues d'automne de la Têt et à la constitution d'une réserve d'eau potable.

Vinça – Cette autre cité fortifiée possède une église du 18ᵉ s., construite dans le style gothique méridional, dont l'intérieur surprend par la richesse de sa décoration : 9 retables baroques, une Pietà et une Mise au Tombeau du 15ᵉ s. ainsi qu'un imposant maître-autel dédié à la Vierge de l'Assomption.
Après Vinça, la route passe au-dessus de la retenue, dont la partie droite est aménagée pour la baignade, et atteint bientôt Ille-sur-Têt.

Ille-sur-Têt – *Page 124.*

CONQUES-SUR-ORBIEL
2 043 h. (les Conquois)

Cartes Michelin n° 83 plis 11, 12 ou 235 pli 40 – 8 km au Nord de Carcassonne.

Ce pittoresque village conserve quelques vestiges de fortifications, dont la porte méridionale surmontée d'une statue de la Vierge, du 16ᵉ.

Église ⊙ – Son clocher-porche, sous lequel passe une rue, a l'aspect d'une construction fortifiée. A l'intérieur, l'abside gothique à sept pans flanquée de deux absidioles est de lignes très pures. A droite du chœur, retable du 16ᵉ s.

ENVIRONS

Rieux-Minervois – *14 km à l'Est par la D 35.*
Ce gros village viticole possède une **église★** du 12ᵉ s. construite sur un plan circulaire, surmontée d'un clocher heptagonal remanié au cours des siècles. L'intérieur est construit sur un plan polygonal à quatorze côtés. Le centre de l'édifice est occupé par une coupole soutenue par sept colonnes, trois rondes et quatre carrées symbolisant la sagesse et rappelant la phrase du livre des Prophètes : « La Sagesse a bâti sa maison, elle a taillé ses sept colonnes. » Les chapelles latérales s'ouvrent sur la nef circulaire. Certaines sont du 15ᵉ s. Jadis l'entrée se trouvait à la place de la chapelle Ste-Thérèse *(à gauche de l'entrée actuelle)* ; on peut y admirer de très beaux chapiteaux historiés et une statue de saint Jacques de Compostelle. La chapelle à gauche de la porte Sud abrite une belle Mise au tombeau de l'école bourguignonne du 15ᵉ s., celle à droite une toile du 17ᵉ s. représentant Jean-Baptiste, Roch et Jacques le Majeur.

★ Les CORBIÈRES

Cartes Michelin n° 86 plis 7 à 10 ou 235 plis 39, 40, 43, 44, 47, 48 ou 240 plis 29, 30, 33, 34, 37, 38.

Les Corbières, limitées par le grand coude de l'Aude, la Méditerranée et le sillon du Fenouillèdes, forment un glacis des Pyrénées orientales, orienté au Nord.
Dominant de leurs barres rocheuses calcaires (Pic de Bugarach – alt. 1 230 m) la dépression du Fenouillèdes, les Corbières féodales, avec leurs « citadelles du vertige », ont conquis la notoriété. Au centre du pays, un noyau de sédiments primaires détermine dans le bassin de l'Orbieu un relief enchevêtré et des contrastes de couleurs avivés par la lumière méditerranéenne.
La garrigue épineuse et parfumée constitue la formation végétale dominante ; elle a reculé toutefois devant le vignoble qui a conquis, à l'Est de l'Orbieu, les bassins et les fonds de vallée marneux disponibles, et, autour de Limoux, les coteaux de la région délimitée de la « blanquette ». Les caves-coopératives signalent ces Corbières « vineuses ». « **Corbières** » est aujourd'hui une Appellation d'Origine Contrôlée s'appliquant à des vins, fruités et colorés, dont le bouquet rappelle la flore parfumée du terroir.
Les vins de **Fitou**, produits par un terroir privilégié au point de vue sol et climat, sont d'une finesse plus accentuée. Ils bénéficient de l'Appellation d'Origine Contrôlée.

Le rempart du Languedoc – Position de repli des Wisigoths refoulés du Haut-Languedoc vers le Sud, puis champ de bataille ensanglanté par des combats épiques entre Francs et Sarrasins, les Corbières deviennent sous l'Empire carolingien une « marche » dont les péripéties relèvent surtout des rivalités de vassaux. Mais après l'intégration au domaine royal français en 1229, la prise des châteaux acquis à la cause des Albigeois et la renonciation du roi d'Aragon à ses droits de suzeraineté sur les territoires du Nord de l'Agly en 1258, la frontière entre la France et l'Espagne se stabilise. Les « cinq fils de Carcassonne », Puilaurens, Peyrepertuse, Quéribus, Termes et Aguilar, deviennent pour cinq siècles des garnisons royales faisant face à la menace espagnole. L'annexion du Roussillon leur fera perdre leur rôle militaire.

Vendanges dans les Corbières.

G. Sioen/C.E.D.R.I.

73

Les abbayes – Les Corbières ont attiré les fondations monastiques et toute[s] leurs dépendances : prieurés, « granges », moulins à huile ou à blé, hospices etc. Les bénédictins étaient fixés à Alet, St-Polycarpe, St-Hilaire et Lagrasse ; le[s] cisterciens tenaient Fontfroide, et leurs sœurs Rieunette.

La densité des sanctuaires, signalés par les cyprès des cimetières, reste frappant[e] dans un pays aussi dépeuplé. Dans les communes à l'habitat dispersé (le[s] Moulines près Fourtou, Caunette-sur-Lauquet), l'église se dresse, solitaire, au fon[d] d'un vallon.

SITES ET CURIOSITÉS

Aguilar (Château d') – *De Tuchan, 2,5 km par la route de Narbonne et u[n] étroit chemin de vignes goudronné partant à droite, aussitôt après un[e] station-service. Du terminus de la route, 1/2 h à pied AR à travers les vigne[s] et les broussailles.*

Aguilar, construit sur une petite colline arrondie très vulnérable, fut renforcé a[u] 13e s., sur l'ordre du roi de Fance, par une enceinte hexagonale flanquée de[s] six tours rondes ouvertes à la gorge. En dehors de l'enceinte subsiste une chapelle romane intacte dans son architecture intérieure, hors une voûte crevée.

Vue agréable sur le vignoble du bassin du Tuchan.

Alet-les-Bains – *Page 40.*

Arques (Donjon d') ⊘ – *Au départ d'Arques, 0,5 km le long de la route de Couiza[.]*
Ce donjon, réservé à l'habitation dès la fin du 13e s., s'élève à l'intérieur d'un[e] enceinte quadrangulaire ruinée. Bâti en beau grès doré et pourvu de très nom[-] breuses meurtrières, il est curieux par le dispositif de ses tourelles d'angle montée[s] sur des socles évidés et s'orne, dans sa partie supérieure, d'un appareil à bossage[s.] A l'intérieur, on visite deux salles superposées et aussi la salle haute à pans coupé[s.]

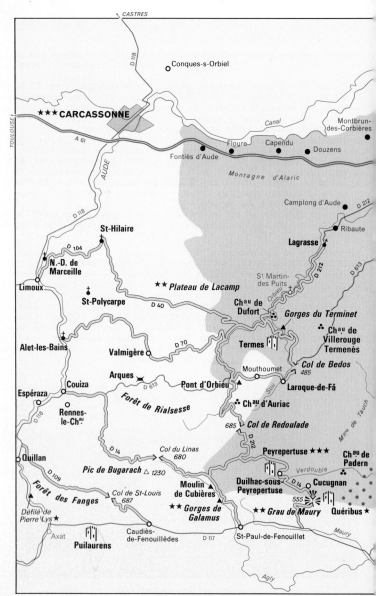

Auriac (Cimetière d') – *Au Sud-Ouest de Monthoumet.*
En contrebas du village agrippé à un éperon, site d'une ruine de château dominant un précipice.

Bages et de Sigean (Étang de) et excursions – *Page 51.*

Bedos (Col de) – *Sur la D 613, au Nord-Est de Mouthoumet.*
Il est situé sur la D 40, **route de crête★** entre des ravins boisés. Dans l'échancrure de la gorge inférieure du Sou se découpent, sur leur rocher, les ruines du château de Termes.

Bugarach (Pic de) – Par des vallons relativement frais mais déserts, on admire les différentes faces de la montagne (alt. 1 230 m) aux escarpements tourmentés. La montée au col du Linas à travers la vaste combe du haut Agly est particulièrement imposante. En arrière, les ruines de St-Georges – éperon Ouest de la citadelle de Peyrepertuse – se confondent avec leur socle rocheux.

Couiza – *Page 49.*

Cubières (Moulin de) – Terrain privé aménagé pour la halte et le pique-nique. Site frais au bord de l'Agly ombragée. Derrière l'ancien moulin, dans la perspective d'eau du canal d'amenée, se découpe le Bugarach.

Cucugnan – Le village est bien connu pour le sermon de son curé, pièce d'anthologie du folklore d'Oc (version provençale par Roumanille, adaptation française par Alphonse Daudet, version occitane en vers par Achille Mir).

Duilhac-sous-Peyrepertuse – A la sortie Nord du bourg-haut, aller voir la fontaine communale : elle est alimentée par une source d'un débit surprenant pour la région.

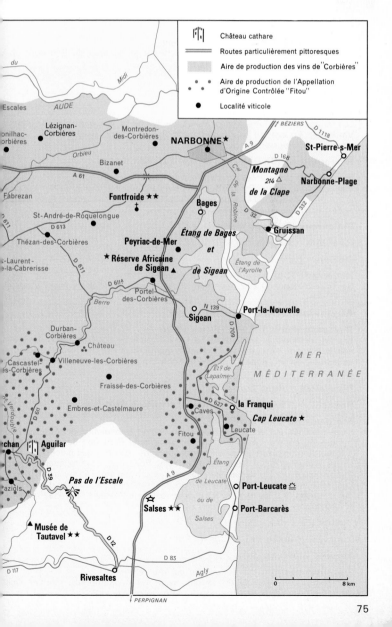

Durfort (Château de) – *Au Sud de Lagrasse.*
Ruine (inaccessible) que l'on aperçoit dans un décor de vignobles, aussitôt apr
le confluent de l'Orbieu et du Sou, en allant vers Lagrasse. Il surgit des fourré
à l'intérieur d'un méandre encaissé.

Escale (Pas de l') – *Sur la D12, au Nord-Ouest de Rivesaltes.*
Échancrure rocheuse dans les crêtes des Corbières orientales. La **vue★** s'éten
jusqu'au Canigou et au Puigmal.

Espéraza – *Page 83.*

Fanges (Forêt domaniale des) – *Au Sud-Est de Quillan.*
Massif de 1 184 ha connu pour ses sapins de l'Aude *(voir p. 126)* exceptionnel
Le **col de St-Louis** (alt. 687 m) est le point de départ des promenades (terra
calcaire souvent chaotique).

★★ **Fontfroide (Abbaye de)** – *Page 88.*

★★ **Galamus (Gorges de)** – *Page 92.*

★★ **Grau de Maury** – Ce petit col offre un admirable **panorama.** Les chaîn
s'échelonnent en profondeur derrière la crête dentelée qui domine, au Sud,
dépression du Fenouillèdes. Du Grau de Maury part le chemin d'accès au châte
de Quéribus.

★★ **Lacamp (Plateau de)** – *Au Sud-Ouest de Lagrasse.*
Entre Caunette-sur-Lauquet et Lairière, sur la D 40, le col de la Louviéro perm
d'accéder au chemin de la « forêt » des Corbières occidentales. Le plateau d
Lacamp forme un môle, de 700 m d'altitude moyenne, projeté vers l'Orbieu. I
chemin court, sur 3 km, près du rebord Sud de ce causse : **vues** immenses s
le bassin de l'Orbieu, le Bugarach et le Canigou, le St-Barthélemy, l'avant-pa
du Lauragais, la Montagne Noire.

Lagrasse – *Page 94.*

Laroque-de-Fâ – *A l'Est de Mouthoumet.*
Site pittoresque d'éperon fortifié, rafraîchi par le ruisseau du Sou dont on
suivre, de loin, la plongée vers l'Orbieu.

Limoux et environs – *Page 97.*

★ **Narbonne et excursions** – *Page 112.*

Padern – *A l'Est de Peyrepertuse.*
Les ruines d'un château des abbés de Lagrasse dominent le village et
Verdouble. En aval du bassin de Padern, la rivière coule dans un défilé encad
d'écailles rocheuses.

★★★ **Peyrepertuse (Château de)** – *Page 125.*

Pont d'Orbieu – *A l'Ouest de Mouthoumet.*
Village-carrefour, sur l'Orbieu, dont on peut parcourir les gorges, au Nord. A droit
la route s'élève jusqu'à la garrigue du plateau de Mouthoumet. A gauche,
rejoint la vallée de l'Aude à Couiza *(p. 49).*

Puilaurens (Château de) – *Page 129.*

★ **Quéribus (Château de)** – *Page 129.*

Quillan – *Page 130.*

Redoulade (Col de) – *Au Sud de Mouthoumet.*
Sur la pittoresque D 212, il permet le passage de la vallée de l'Agly à la vallé
de l'Orbieu.

Rennes-le-Château – *Page 131.*

Rialsesse (Forêt de) – *A l'Est de Couiza.*
Elle fut plantée il y a un siècle. La D 613, route du col de Paradis, permet d
voir nettement, au cours de la montée quand on arrive par l'Ouest, le passag
de la futaie de pins noirs d'Autriche aux couverts de feuillus, sur le versant oppo
de la vallée.

Rivesaltes – *Page 125.*

Roussillon (Plages du) : de Cap Leucate à Port-Barcarès – *Page 13*

St-Polycarpe – *Au Sud-Est de Limoux.*
L'**église fortifiée,** ancienne abbatiale d'une abbaye bénédictine dissoute en 177
montre du côté du cimetière son chevet roman dont des bandes lombarde
forment la membrure. Sous le maître-autel sont exposées des pièces de l'anci
trésor : chef-reliquaire (tête nue) de saint Polycarpe, chef-reliquaire de sai
Benoît, reliquaire de la Sainte-Épine, toutes œuvres du 14ᵉ s. ; tissus du 8ᵉ
Les deux autels latéraux présentent un décor carolingien sculpté d'entrelacs
de palmettes. Sur les murs et les voûtes, restes de fresques du 14ᵉ s. (restauré
en 1976).

★★ **Salses (Fort de)** – *Page 137.*

★★ **Tautavel (Musée de)** – *Page 141.*

Termes (Château de) – *Page 142.*

Terminet (Gorges du) – *Au Nord de Mouthoumet.*
En suivant cette boucle du torrent, avant les deux tunnels, admirer l'allu
farouche du château de Termes, du côté Nord.

Tuchan – Centre de production de vins d'appellation « Fitou ». Le vignoble du bassin de Tuchan, que l'on peut parcourir par la pittoresque D 39, fait une tache, verte ou mordorée suivant la saison, au pied de l'imposante mais désolée montagne de Tauch.

Valmigère – *14 km par la D 70, depuis la D 118, route de la vallée de l'Aude, entre Couiza et Limoux.*
Au Sud du village, beau **panorama★** : au premier plan la vallée d'Arques où la forêt de Rialsesse se détache sur des ravinements rouges, derrière surgit la crête escarpée du pic de Bugarach ; à l'horizon, le Canigou.

Villerouge-Termenès ⊙ – *10 km au Nord de Mouthoumet par la D 613.*
Ce village médiéval, dominé par son château élevé au 13ᵉ s., est le théâtre, chaque année pendant les mois d'été, d'une animation qui ressuscite le Moyen Âge languedocien.

Pour tout ce qui fait l'objet d'un texte dans ce guide
(villes, sites, curiosités isolées, rubriques d'histoire ou de géographie, etc.),
reportez-vous à l'index.

★ # CORDES-SUR-CIEL
932 h. (les Cordais)

Cartes Michelin nᵒ 79 pli 20 ou 235 pli 23.

Perchée au sommet du puech de Mordagne, Cordes-sur-Ciel occupe un **site★★** remarquable dominant la vallée du Cérou. Son nom, comme celui de Cordoue en Espagne, pourrait lui avoir été donné par l'industrie des étoffes et des cuirs qui y prospérait aux 13ᵉ et 14ᵉ s.
En 1222, en pleine guerre des Albigeois, le comte de Toulouse, Raymond VII, décide la création de la bastide de Cordes pour répondre à la destruction de la place forte de St-Marcel par les armées de Simon de Montfort. *Lire « les Bastides » p. 31.*
La charte de coutumes et privilèges dont les habitants pourront bénéficier prévoit, parmi d'autres avantages, l'exemption d'impôts et de péage.
Véritable cité-forteresse, elle va rapidement constituer un repaire de choix pour les hérétiques. Aussi l'Inquisition y fait-elle activement sa besogne.
La fin des troubles cathares marque une période de prospérité. Au 14ᵉ s., le commerce des cuirs et des draps y est florissant, les artisans tissent le lin et le chanvre cultivés dans la plaine, les teinturiers des bords du Cérou utilisent le pastel et le safran, abondants dans la région. Les belles demeures qui ont été construites à cette époque témoignent de la richesse des habitants.
Les querelles des évêques d'Albi qui rejaillissent sur toute la contrée, la résistance cordaise aux huguenots durant les guerres de Religion, deux épidémies de peste mirent fin à cet âge d'or dès le 15ᵉ s. Après un ultime sursaut de vie à la fin du 19ᵉ s., dû à l'introduction de métiers à broder mécaniques, Cordes, volontairement isolée à l'origine, s'assoupissait à l'écart des grandes voies de communication. Par bonheur, les menaces pesant sur ses maisons gothiques mettent la population en émoi et certaines mesures de classement, au titre des Monuments historiques, sont prises à partir de 1923. Mais le charme de Cordes opère surtout sur les artistes et artisans d'art qui secondent efficacement sa sauvegarde et contribuent, pour leur part, à un réveil de la cité.
La restauration se poursuit, confirmant le caractère de Cordes, devenu, en outre, depuis 1970, un centre d'animation musicale.
Dans les ruelles pavées, tortueuses et escarpées, un ferronnier, un émailleur, un imagier, des tisserands, des graveurs, des sculpteurs et des peintres ont donné pour cadre à leurs activités les maisons anciennes auxquelles ils ont su restituer leur noble allure.

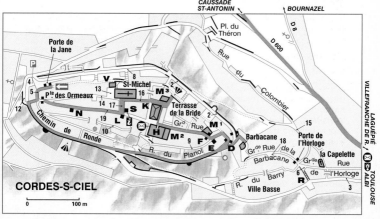

Boucarie ou du Tuadou (R. de la) 2	Lices (Promenade des) 8	St-Louis (Rue) 15
Bouteillerie (R. de la) 3	Mitons (R. des) 9	St-Michel (Rue) 16
Fontourniés (Pl.) 4	Obscure (Rue) 10	St-Michel (Place) 17
Fontourniés (Rue) 5	Ormeaux (Pl. des) 12	Trinité (Place de la) 18
Horloge (Pl. de l') 6	Placette 13	Voltaire (Rue) 19

LA VILLE HAUTE *visite : 2 h*

La « ville aux cent ogives » – Le bel ensemble de **maisons gothiques** (13e-14e s.) et plus particulièrement le **décor sculpté des façades** constituent, av le site exceptionnel, l'attrait principal de Cordes. Les plus importantes et les mie conservées bordent la Grand-Rue (dite rue Droite). Leurs façades en grès de Sa aux tons roses à reflets gris s'ouvrent sur la rue par de grandes arcades en og surmontées de deux étages de fenêtres en arc brisé, quelquefois malheureu ment transformées en simples ouvertures rectangulaires.

Souvent, au niveau du deuxième étage, sont scellées des barres de fer termine par un anneau. Une tige de bois ou de fer passée horizontalement dans chac d'eux servait probablement à tendre un rideau, selon l'usage médiéval répan en Italie ou en Provence ; mais le soleil n'étant vraisemblablement pas t redoutable dans ces rues étroites, peut-être permettaient-ils de suspendre d bannières les jours de fête.

Possibilités de parking près de la Porte de la Jane ou en bas de la Gra Rue de l'Horloge. La montée à la vieille ville est plus aisée à partir de la Po de la Jane.

En 1222, Cordes, construite sur plan en losange, fut entourée de deux enceint fortifiées surtout en leurs points d'accès relativement facile pour les attaquan l'Est et l'Ouest.

Porte de la Jane – Vestige de la deuxième enceinte, elle doublait la porte d Ormeaux.

Porte des Ormeaux – C'est à ses grosses tours que les assaillants, persuad d'avoir pénétré dans la ville par la porte de la Jane, avaient la surprise de heurter.

Chemin de ronde – Les lices du Sud ou Planol procurent de belles vues s la campagne environnante.

Porte du Planol (ou porte du Vainqueur) (D) – Elle constitue le pendant orien de la porte de la Jane.

Barbacane – A la fin du 13e s., la cité s'étant étendue, une troisième encein fut construite dont subsiste la barbacane, en contrebas de la porte du Plan

Maison Gorsse (E) – De belles fenêtres à croisillons Renaissance ornent façade.

Portail peint (F) – Son nom lui vient probablement de la Vierge peinte l'ornait. C'est l'équivalent de la porte des Ormeaux, à l'Est.

★ **Musée Charles-Portal (ou du Vieux Cordes) (M¹)** ⊘ – Son appellation est hommage à Charles Portal, archiviste du Tarn, grand historien de Cordes. Aménagé à l'intérieur du Portail peint, il présente au rez-de-chaussée d'ancienn mesures à grain, un très curieux sarcophage provenant de la nécropo mérovingienne (6e s.) de Vindrac (5 km à l'Ouest de Cordes), la belle porte clou de la maison du Grand Fauconnier et les faucons qui lui valurent son no Au 1er étage, une salle est entièrement consacrée à l'architecture corda (militaire, religieuse, civile).
Au 2e étage, on peut voir d'intéressantes collections de la préhistoire locale, u série de poteries typiques de la fin de l'âge du bronze, ainsi qu'un riche mobi gallo-romain qui appartenait au temple de Loubers.
Dans la salle du Vieux Cordes est exposé le « libre ferrat » ou livre ferré était rivé par une chaîne en fer. Ce cartulaire contient les règlements de la vi de la fin du 13e s. au 17e s. Sur les extraits d'Évangiles qu'il contient, les cons entrant en fonction prêtaient serment.
Le 3e étage abrite le produit des fouilles de la nécropole de Vindrac : bijo boucles, ainsi qu'un ensemble d'antéfixes et de poteries d'époque gallo-romai

La Grand-Rue, très escarpée, conduit au cœur de la ville fortifiée.

Maison Prunet (M²) – Elle abrite le **musée de l'Art du sucre** ⊘.
Conservés pour la plupart dans des vitrines, les chefs-d'œuvre présentés sont réalisés à 100 % avec du sucre.
Dans la seconde salle, la tonnelle « aux cent roses », haute de 2,60 m, accueille le visiteur. Divers tableaux, reproductions de voitures, trains ou avions, évocations variées (album de timbres, marché de Provence, instruments de musique...) jalonnent la visite.

★ **Maison du Grand Fauconnier (H)** – Siège de la mairie, c'est une belle maison ancienne. L'encorbellement du toit était orné de faucons, d'où son nom.

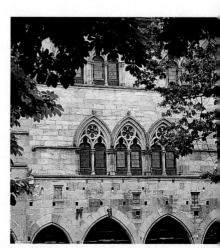

Cordes – Maison du Grand Fauconnier.

La façade, qui fut restaurée au 19e s., est remarquable par son élégance et la régularité de son appareil. L'intérieur, remanié, comporte un escalier à vis du 15e s. qui conduit au 1er étage où se trouve le **musée Yves-Brayer** ⊙ contenant des œuvres du peintre : dessins, lithographies, estampes, aquarelles.
Dans la cave, le **musée de la Broderie cordaise** ⊙ organise des démonstrations sur un métier à broder « à bras ». Ces métiers mécaniques, provenant de St-Gall en Suisse, firent la prospérité de Cordes à la fin du 19e s. et au début du 20e s.

Halle et puits (K) – Vingt-quatre piliers octogonaux (plusieurs fois restaurés depuis le 14e s.) soutenant une toiture (refaite au 19e s.), telle se présente la place autrefois affectée au commerce des étoffes. Adossée à l'un des piliers et derrière une belle croix en fer forgé du 16e s., une plaque de marbre mentionne le massacre de trois inquisiteurs (selon les érudits, il s'agirait là d'une légende). A proximité, on découvre un **puits** de 113,47 m de profondeur.
Au Nord de la place, le **musée des Merveilles du monde minéral** (M³) ⊙.

Terrasse de la Bride – Lieu de repos très apprécié, elle offre une vue apaisante et étendue sur la vallée du Cérou au Nord-Est, sur la silhouette élancée du clocher de Bournazel au Nord.

Église St-Michel ⊙ – Maintes fois remaniée au cours des siècles, elle conserve le chœur et le transept du 13e s., voûtés sur croisée d'ogives et une très belle rosace enchâssée dans la muraille du 14e s. Les contreforts intérieurs séparant les chapelles latérales rappellent ceux d'Albi. De même, les peintures (19e s.) sont une imitation des décorations de la voûte de Ste-Cécile.
L'orgue (1830) provient de N.-D. de Paris (premier orgue de chœur de la cathédrale).
Vaste panorama, du sommet de la tour de guet accolée au clocher.
Au Nord de la place de l'église, le **Palais des Scènes** (V) ⊙ abrite des maquettes géantes animées relatant l'histoire de la cité.

Maison Fonpeyrouse d'Alayrac (S) – L'intérêt de cette maison (fin 13e s.), récemment restaurée, réside dans l'ordonnance de sa cour intérieure. Les étages sont desservis par deux galeries en bois auxquelles on accède par un étroit escalier à vis. Elle abrite le syndicat d'initiative.

★ **Maison du Grand Veneur** (L) – Elle se singularise par sa façade à trois étages, ornée au niveau du deuxième d'une frise de sculptures en haut-relief représentant des scènes de chasse et des personnages. On peut distinguer un piqueur prêt à transpercer un sanglier poussé hors de la forêt par un chien ; puis un lièvre, poursuivi par un chien, va être frappé par la flèche du chasseur (entre les fenêtres de gauche) ; un autre chasseur sonne de la trompe (entre les fenêtres de droite) tandis que deux animaux s'enfuient vers la forêt. Remarquer les anneaux de fer, particulièrement bien conservés.

Maison du Grand Écuyer (N) – Sa façade élégante se distingue par la qualité de son appareil en grès fin de Salles et par la fantaisie décorative des sculptures en ronde-bosse, alliée à un style exceptionnel.

Revenir à la porte des Ormeaux.

AUTRES CURIOSITÉS

La ville basse – Au 14e s., la citadelle s'entourant de faubourgs, une quatrième puis une cinquième enceinte furent bâties. A l'Est de la ville, la **porte de l'Horloge,** probablement reconstruite au 16e s., est un vestige pittoresque de la quatrième muraille. On y accède de la place où aboutit la rue de la Bouteillerie par l'**escalier du Pater Noster** (R) qui comprend autant de marches que la prière de mots.

La Capelette ⊙ – Cette ancienne chapelle, construite en 1511, a été décorée à l'intérieur par Yves Brayer. A l'extérieur, dans une niche, statue de la Vierge, sculptée par Paul Belmondo.

ENVIRONS

Vindrac – *5 km à l'Ouest.* Ce hameau fleuri abrite, dans un vieux moulin, le **musée de l'Outil et des Métiers anciens★** ⊙ qui réunit une rare collection d'outils forgés faisant revivre les métiers d'autrefois.
Au premier étage, remarquer une mesure à grain du pays d'Albi, de 1784, aux charnières en corne d'animal. Un arrache-dents et un boutoir du 19e s., utilisé pour la finition du travail sur la corne du sabot, illustrent deux aspects des tâches du maréchal-ferrant.
De nombreux outils ou objets évoquent les métiers aujourd'hui disparus de chaisier (la « conscience », qui servait d'appui au vilebrequin), de berger (les « forces » pour tondre les moutons), de sabotier (belle paire de sabots montés). Dans une vitrine sont exposés les outils du staffeur (ornementaliste sur plâtre) et un trébuchet du 18e s. qui servait à peser la poudre d'or.
Dans la petite salle attenante à la salle à vivre, on remarquera une très belle collection de moules à **curbelets** (appelés également oublies), gaufres très fines de la région cordaise.
Après une évocation du travail du chanvre, la visite se termine, à l'extérieur, par un four à pain toujours en état.

Musée du Cayla ⊙ – *11 km au Sud-Ouest. Quitter Cordes en direction de Gaillac (D 922). A 8 km suivre la signalisation.*
Cette bâtisse fut la demeure familiale de **Maurice de Guérin** (1810-1839) et de sa sœur **Eugénie** (1805-1848), écrivains et poètes. Le site paisible, les pièces d'habitation fidèlement reconstituées évoquent leur mémoire de façon émouvante.

L'œuvre de Maurice de Guérin prend place dans la littérature romantique et se distingue surtout par son poème en prose *Le Centaure*, que George Sand fit publier la première fois en 1840, et par son *Journal* édité d'abord par Barbey d'Aurevilly, son condisciple. Dans le « Journal » et les « Lettres » d'Eugénie, également édités par Barbey d'Aurevilly en 1855 sous le titre *Reliquiae*, transparaît le souvenir des paysages du Cayla et de ce château où Maurice et Eugénie naquirent et trouvèrent refuge après un séjour décevant dans les milieux littéraires parisiens.

Monestiés – *15 km à l'Est. Quitter Cordes par la D 922, en direction de Villefranche, puis prendre à droite la D 91 en direction de Carmaux.*
Dans un site agréable sur la rive droite du Cérou, Monestiés mérite une visite surtout pour les belles statues qu'abrite la **chapelle St-Jacques** (ou de l'Hôpital) ⊙ : une Mise au tombeau, une Pietà, du 15ᵉ s., un Christ en croix (18ᵉ s.) et un Christ à la colonne, transportés en 1774 du château épiscopal de Combefa (au Sud de Monestiés, aujourd'hui en ruine).
La **Mise au tombeau★★** constitue un ensemble d'une remarquable élégance. Le centre de la scène est occupé par le Christ dans son linceul, soutenu par Nicodème et Joseph d'Arimathie. Admirer l'expression des visages et les détails des costumes des personnages disposés en cortège et non plus statiques comme ils étaient représentés avant la fin du 15ᵉ s.

CORNEILLA-DE-CONFLENT
397 h.

Cartes Michelin nᵒ 86 pli 17 ou 235 pli 52 – 2,5 km au Nord de Vernet-les-Bains

Corneilla, dernière résidence des comtes de Cerdagne et de Conflent possède une intéressante église romane.

★ **Église Ste-Marie** ⊙ – Flanquée d'un clocher carré en moellons de granit, la courte façade est percée d'un portail de marbre à six colonnes du 12ᵉ s. Au tympan sculpté, Vierge en gloire encadrée de deux anges.
Les trois fenêtres du chevet, sous une bande en dent d'engrenage, sont embellies de colonnettes, de chapiteaux à décor floral ou animal, richement sculptés, et voussures comprimées dans les embrasures. L'ensemble est imbriqué comme un jeu de construction.
Le chœur conserve deux **Vierges** assises romanes. La plus majestueuse, à gauche du maître-autel, N.-D.-de-Corneilla, est une œuvre en bois, caractéristique de l'école catalane du 12ᵉ s. Dans une absidiole du transept Sud, une autre Vierge à l'Enfant, du 14ᵉ s., en marbre, serait l'effigie vénérée au Moyen Âge dans la chapelle de la Crèche à Cuxa.
Dans la chapelle du bas-côté gauche, remarquer l'ancien retable du maître-autel, daté de 1345, bel ensemble sculpté en marbre blanc.

★★ La CÔTE VERMEILLE

Cartes Michelin nᵒ 86 pli 20 ou 240 plis 42, 46.

Les stations de cette côte rocheuse, installées au fond de baies étroites, restent marquées par leur vocation antique de petites cités maritimes.

☐ D'ARGELÈS-PLAGE A CERBÈRE par les crêtes
37 km – environ 2 h 1/2

Argelès-Plage – *Page 133.*

Après Argelès, la route (N 114) s'élève sur les premiers contreforts des Albères. Elle ne cessera désormais d'en recouper les éperons, à la racine des caps baignés par la Méditerranée.

A l'entrée de Collioure, au rond-point, prendre à gauche la D 86.

La route, en montée, commence dans le vignoble de Collioure.

Prendre de nouveau à gauche, au premier carrefour, la route en descente.

N.-D.-de-Consolation – Ermitage célèbre en Roussillon. La chapelle renferme de nombreux ex-voto de marins.

Faire demi-tour et prendre à gauche (route de montagne, sans protections).

Les chênes-lièges se multiplient. La roche noire, schiste feuilleté, apparaît.

Suivre la signalisation « Circuit du vignoble » vers Banyuls.

Cette belle route de corniche mène à une table d'orientation. En face, au bord de la route, ruines d'anciennes casernes, bâties en 1885, à trois étages, en brique et en schiste.

> *Prendre à droite le chemin qui monte à la tour Madeloc (pentes à 23 % – croisements et virages difficiles).*

La route passe devant deux ensembles fortifiés pour atteindre une plate-forme.

Tour Madeloc – *1/4 h à pied AR.* Alt. 652 m. Ancienne tour à signaux qui, avec la tour de la Massane, à l'Ouest, faisait partie d'un réseau de guet au temps de la souveraineté aragonaise et majorquine : la tour de la Massane surveillait la plaine du Roussillon tandis que la tour Madeloc observait la mer. Elle est précédée par une poterne faisant belvédère et offrant un **panorama**★★ sur les Albères, la côte Vermeille et le Roussillon. La tour proprement dite est en schiste, ronde et couronnée de mâchicoulis.

Dans la descente qui rejoint la D 86, belles **vues**★ dégagées, spectaculaires, sur la mer et Banyuls.

> *Poursuivre à droite.*

La route, pittoresque grâce aux vues renouvelées sur les versants, mène à Banyuls. Elle passe devant la cave souterraine du Mas Reig, aménagée dans le plus ancien domaine vigneron du terroir de Banyuls, et le moderne cellier de vieillissement de la cave Templers.

Banyuls – *Page 51.*

★★ **Cap Réderis** – *Voir ci-dessous.*

Cerbère – Petite station balnéaire bien abritée au fond de son anse, avec plage de galets en schiste feuilleté. Dernière localité en territoire français, elle est desservie par une gare internationale (Paris-Barcelone) : le viaduc du chemin de fer se remarque dès l'arrivée par la route, tortueuse. Maisons blanches, terrasses de cafés, allées piétonnières ajoutent une note pittoresque.

② DE CERBÈRE A ARGELÈS-PLAGE par la côte

33 km – environ 2 h

Cerbère – *Voir ci-dessus.*

Après Cerbère, la corniche se déroule parmi les vignes – dont plusieurs terrasses sont laissées à l'abandon – découvrant un vaste paysage marin. Les plages se succèdent, séparées par des promontoires très pointus.

★★ **Cap Réderis** – Au point culminant de la route, faire quelque pas en direction du cap pour avoir une vue mieux dégagée. Magnifique **panorama** s'étendant sur les côtes du Languedoc et de Catalogne, jusqu'au cap de Creus.
Plus loin, dans un grand virage, vue à gauche sur toute la baie de Banyuls. La vue sur la haute mer est admirable. La route est très sinueuse, la mer toute proche. En contrebas, nombreuses baies et anses rocheuses. La descente sur Banyuls permet une vue dégagée de la ville avec sa plage de galets de schiste et ses palmiers.

Banyuls – *Page 51.*

A la sortie de Banyuls, on passe devant le centre héliomarin. Au loin, sur la gauche, la tour Madeloc se dresse fièrement.
Avant l'arrivée à Port-Vendres, on a, à droite, une bonne vue d'ensemble du port.

> *Prendre à droite vers le cap Béar puis, après l'hôtel des Tamarins, traverser la voie ferrée et longer la baie, versant Sud.*

Cap Béar – La route s'élève, en corniche, très étroite et sinueuse. Du sémaphore, qui se dresse à son extrémité, on découvre la côte, du cap Leucate au cap Creus.

Port-Vendres – Port-Vendres, le port de Vénus, né autour d'une anse où les galères trouvaient abri, s'est développé sous l'impulsion de Vauban à partir de 1679, comme port militaire et place fortifiée.
Du vieux port, l'animation passa au 19e s. dans le bassin Castellane.
Port-Vendres était un grand port de trafic avec l'Algérie. La fin de la présence française dans ce pays a mis un terme à cette activité. Mais la plaisance a pris son essor dans ce bassin bien abrité et la flottille de pêche est la plus active de la côte roussillonnaise.

★ **Collioure** – *Page 70.*

La route quitte les contreforts des Albères avant d'arriver à Argelès.

Argelès-Plage – *Page 133.*

Vous aimez les nuits tranquilles, les séjours reposants...

chaque année,

les **guides Michelin** **France** *(hôtels et restaurants)*
Camping Caravaning France

vous proposent un choix d'hôtels
et de terrains agréables, tranquilles et bien situés.

Cartes Michelin n° 86 Sud-Est du pli 18 ou 235 pli 56 ou 240 pli 45 – Schém
p. 47.

Ce petit village de montagne est situé tout près de la frontière espagnole.

Église – L'édifice fortifié du 12ᵉ s. a gagné avec le temps une admirable pati
Un cordon décoratif en dents d'engrenage règne sous les combles, de mên
sous le parapet de la tour. Il se superpose, au chevet, à un délicat mc
d'arcatures.
La porte Sud ouvre sur un porche obscur, d'où l'on pénètre dans le vaisse
par un portail roman taillé, fait exceptionnel en Roussillon, non dans le marb
mais dans la pierre tendre, et décoré de nombreuses sculptures. Le chœur e
fermé par une belle grille de fer forgé, montrant ce décor de volutes que l'
retrouve souvent en Vallespir dans les pentures des portes anciennes. Remarqu
les voûtes des chapelles latérales du chœur, soutenues par deux ogives en boud
très archaïques.

ENVIRONS

St-Laurent-de-Cerdans – *4 km au Nord-Ouest.*
Bourg le plus peuplé de cette partie Sud du Vallespir, animé par la fabricati
des espadrilles et par les ateliers de tissage (tissus catalans traditionnels). U
musée ⊙ évoque cette activité.

Can Damoun – *3 km au Sud-Est.*
Site★ panoramique, au-dessus des vallées sauvages et silencieuses des conf
ampourdanais. Des abords de l'oratoire N.-D.-du-Pardon (1968), vue sur la ba
de Rosas, à l'extrémité de la Costa Brava.

★ ELNE

6 262 h. (les Illibériens

Cartes Michelin n° 86 plis 19, 20 ou 240 pli 41.

Ancienne « Illibéris » au temps des Ibères, Elne doit son nom au souvenir
l'impératrice Hélène, mère de Constantin. A la fin de l'Empire romain, elle ét
la véritable capitale du Roussillon. Siège épiscopal du 6ᵉ s. à 1602, elle dut
ce privilège de pouvoir hériter du nom de « cité », qui s'appliquait primitivemen
aux divisions administratives des provinces romaines, alors que Perpignan,
rivale plus fortunée, ne fut jamais que « la ville ».
A 6 km de la mer, entre les vergers d'abricotiers et de pêchers qui bordent
D 4 et la D 612, routes d'accès Est et Ouest, Elne est une ville-étape sur le chem
de l'Espagne.

CATHÉDRALE STE-EULALIE-ET-STE-JULIE *visite : 1 h*

Sa construction remonte au 11ᵉ s. A partir du 14ᵉ s., et jusqu'au milieu du 15ᵉ
on ouvrit les six chapelles du bas-côté Sud dont les voûtes sur croisée d'ogiv
montrent les trois phases d'évolution de l'art gothique. Le plan primitif prévoy
deux clochers : seul fut réalisé le clocher carré de droite, en pierre ; l'autre,
gauche, est une petite tour d'époque indéterminée. Le chevet est entouré p
un soubassement, reste d'un chœur gothique à chapelles rayonnantes. De
terrasse, derrière l'église, on
aperçoit la Méditerranée.

Intérieur – La table romane de
marbre a retrouvé sa place lors
du réaménagement « post-
conciliaire » du maître-autel.
Dans la chapelle à côté du
portail Sud (chapelle n° 3),
retable peint par un maître
catalan du 14ᵉ s. : les appari-
tions et les miracles de saint
Michel ; en face de la porte
d'entrée Sud-Est, sous la croix
de la passion dite des « Impropères », intéressant bénitier de
marbre cannelé en creux, évidé
dans une vasque antique décorée d'une large feuille d'acanthe. Dans la dernière travée du
bas-côté Nord (chapelle des
fonts baptismaux), on aperçoit
un Christ bénissant, du 14ᵉ s.

★★ **Cloître** ⊙ – *Accès au cloître
en contournant le chevet de
l'église par la gauche.*
La galerie Sud, adossée à la
cathédrale, fut élevée au 12ᵉ s.
Les trois autres furent bâties du
13ᵉ au 14ᵉ. Le cloître présente
cependant beaucoup d'unité
dans son architecture, la partie
gothique ayant été copiée sur
la partie romane.

Elne – Cloître vu de la galerie Nord.

Les très beaux **chapiteaux** des colonnes jumelées qui soutiennent les arcades en plein cintre sont historiés et portent des animaux fantastiques, des personnages bibliques et évangéliques, des décors végétaux, particulièrement imagés sous les tailloirs des piliers quadrangulaires. La finesse de leur exécution harmonieuse et la recherche dans le détail truculent témoignent de l'habileté des artistes. La galerie Sud, romane, est la plus remarquable. Le chapiteau n° 12, relatif à Adam et Ève, est la pièce maîtresse du cloître.

De la galerie Est, un escalier à vis monte à une terrasse d'où l'on découvre une partie du cloître, les tours (remarquer surtout la plus grosse) et les combles de la cathédrale, les Albères à l'horizon.

Une salle ouvrant sur la galerie Ouest a été aménagée en musée d'histoire.

Musée d'Histoire et d'Archéologie ⊙ – Installé dans l'ancienne chapelle St-Laurent (descente par un escalier au départ de la galerie Est), il présente le produit des fouilles pratiquées sur le site archéologique d'Elne (céramiques) et en éclaire la signification grâce à un tableau synoptique des civilisations de l'Antiquité dans l'aire ibérique. Vitrine sur la langue et l'écriture ibères. Reconstitution d'un four métallurgique ibère, précurseur des « fourneaux catalans ».

ESPÉRAZA   2 250 h.

Cartes Michelin n° 86 pli 7 ou 235 pli n° 43 – Schéma p. 74.

Petit bourg étalé au bord d'une boucle de l'Aude, Espéraza était jadis un important centre chapelier (on y compta jusqu'à 16 entreprises), dont seul témoigne aujourd'hui le musée de la Chapellerie, installé dans l'ancienne gare de marchandises. A côté de celui-ci, le musée des Dinosaures rappelle la découverte, dès la fin du 19e s., dans la haute vallée de l'Aude et en particulier aux environs d'Espéraza, d'ossements fossilisés ayant appartenu à ces reptiles des temps préhistoriques.

Musée des Dinosaures ⊙ – L'extinction, à la fin de l'ère secondaire, sur toute la surface du globe, des dinosaures, énormes créatures terrestres, carnassiers, comme le tyrannosaure ou herbivores comme le titanosaure et l'iguanodon, est restée inexpliquée. Aussi est-ce avec un vif intérêt que les chercheurs se penchent sur les restes fossilisés qu'ils découvrent, comme c'est le cas dans la haute vallée de l'Aude, notamment sur le plateau surplombant Espéraza. Le musée comprend des panneaux retraçant l'histoire des découvertes, la reconstitution d'une zone de fouilles, des vitrines comprenant des ossements (pour la plupart des moulages) et des œufs, à demi fossilisés.

Un film vidéo illustre les fouilles exercées dans la région par les paléontologues. On peut observer, derrière une baie vitrée, les travaux effectués par les chercheurs du laboratoire.

Le squelette d'un dinosaure de 11 m de long, trouvé dans la région et se rattachant à l'espèce américaine des titanosaures, a été reconstitué. Un **diorama** montre, dans son environnement, un titanosaure femelle de la vallée de l'Aude, aux quatre pattes griffues, protégeant une aire de ponte ou l'éclosion fait apparaître cinq petites têtes.

Musée de la Chapellerie ⊙ – En circulant dans le musée, aménagé comme une véritable usine, on découvre les différentes opérations (au nombre d'une vingtaine) entrant dans la confection des chapeaux de feutre : traitement de la laine (par cardage, enroulage sur deux cônes, foulage, etc.), « clochage » ou moulage du chapeau (à l'origine sur une forme en bois puis à l'aide de machines) enfin finition (dégageage du bord, garnissage, etc.). Une exposition de couvre-chefs (bicorne de polytechnicien, borsalino) et un film vidéo ajoutent à l'intérêt de la visite.

★ FANJEAUX   775 h (les Fanjuvéens)

Cartes Michelin n° 82 pli 20 ou 235 pli 39.

Lieu sacré dès l'époque romaine (le nom de Fanjeaux vient de *Fanum Jovis* : « temple de Jupiter »), le bourg de Fanjeaux, érigé sur un éperon offrant un immense **panorama** sur la plaine du Lauragais et la Montagne Noire, garde des témoignages des premières prédications de **saint Dominique** en pays cathare.

En juin 1206, Dominique, sous-prieur du chapitre de la cathédrale d'Osma en Vieille-Castille, et son évêque interrompent à Montpellier leur voyage de retour de Rome en Espagne, pour soutenir le zèle de trois légats envoyés par le pape Innocent III pour prêcher contre les Albigeois. En avril 1207, après la célèbre dispute qui eut lieu à Montréal avec les cathares, Dominique se fixe au pied de la colline de Fanjeaux, foyer actif du catharisme, fondant à Prouille (à 3 km vers l'Est) une communauté de femmes converties, tandis que des frères s'installent dans le bourg perché. Ils y reçoivent de fréquentes visites de leur maître, avant le départ de celui-ci pour Toulouse, où naîtra, en 1215, l'ordre des Prêcheurs ou Dominicains.

Maison de saint Dominique – Lors de ses séjours à Fanjeaux, Dominique s'installait dans la sellerie du château aujourd'hui disparu. La « chambre de saint Dominique » a gardé ses vieilles poutres et une cheminée. Transformée en oratoire en 1948, elle a été dotée de vitraux de Jean Hugo représentant les miracles de la mission du saint. Du jardinet se découvrent, par temps clair, les Pyrénées.

★ **Le Seignadou** – A l'Est du village. C'est le promontoire-belvédère (monument commémoratif) d'où saint Dominique vit par trois fois un globe de feu descendre sur le hameau de **Prouille**. Ce prodige le décida à fonder là sa première communauté, perpétuée par un couvent de dominicaines (contemplatives).

Du haut de cette colline, vues lointaines sur le Lauragais, la Montagne Noir les Corbières, les Pyrénées. Au premier plan, le village de Prouille, en face, ple Est, le St-Barthélemy.

Église ⊙ – C'est un grand édifice méridional de la fin du 13ᵉ s. Le chœur, raffin présente un bel ensemble décoratif de six peintures du 18ᵉ s. Au-dessus ᵈ maître-autel, en bois sculpté, très beau transparent représentant Notre-Dame ᵈ l'Assomption. A la voûte, gracieux médaillons.

La chapelle de saint Dominique (2ᵉ à gauche) abrite une poutre, témoin ᵈ « miracle du feu ». Sur la fin d'un jour d'hiver, passé à débattre avec les cathare Dominique donne à l'un de ses contradicteurs un écrit résumant ses argumen Rentré chez son hôte, le cathare soumet publiquement la feuille à l'ordalie : lanc dans le feu du foyer par trois fois elle reste intacte mais, par trois fois, s'élè jusqu'au plafond, laissant sur la poutre des traces de combustion. Remarqu encore les vitraux et le beau bénitier.

Trésor ⊙ – Bustes-reliquaires de saint Louis d'Anjou, l'un des patrons de l'ord franciscain (vers 1415), et de saint Gaudéric, protecteur des paysans (1541

★★ Le FENOUILLÈDES

Cartes Michelin n° 🎟️ plis 7, 8 et 17, 18 ou 🎟️ plis 47, 48, 52.

Entre les Corbières méridionales et le Conflent, le Fenouillèdes, glacis Sud ᵈ Languedoc *(1)*, fut rattaché en 1790 au département des Pyrénées-Orientale Géographiquement, le Fenouillèdes associe le sillon évidé entre le col Campér et Estagel – partie vivante du pays, vouée aux vignobles de Maury et des « Côt du Roussillon » – à un massif cristallin plus rude, devenant désertique ent Sournia et Prades. De profonds défrichements témoignent toutefois, là aussi, ᵈ la progression de la vigne dans les garrigues de chênes verts et d'épineux. La partie Nord du « Pays » est traversée par l'Agly dont la vallée, que l'on aperço parfois au fond de ravins escarpés, réserve au visiteur de fortes impression

DE CAUDIÈS A PRADES 45 km – environ 2 h 1/2

Caudiès-de-Fenouillèdes – Porte du Fenouillèdes, le village est aussi le poi de départ pour la vallée de l'Aude à l'Ouest vers Axat par le col Campérié, ᵃ Nord-Ouest vers Quillan par le col de St-Louis.

N.-D.-de-Laval – *Illustration p. 162.* Ancien **ermitage** ⊙. L'église gothique dresse s une esplanade plantée d'oliviers son vaisseau au toit rose flanqué d'une tour couronnement octogonal et toiture de briques en éteignoir. Y accéder de préférenc du côté de Caudiès, par la vieille rampe. Au pied de la rampe, un oratoire form oratoire abritant une statue de la Sainte Parenté, du 15ᵉ s. ; la porte inférieure dédié à Notre-Dame « de Donne-Pain » (Vierge à l'Enfant, également du 15ᵉ s.) montre d colonnes et chapiteaux romans réemployés. De jolies vues sur l'ermitage N.-D.-ᵈ Laval et, à l'horizon, sur le cimier de Bugarach se succèdent au cours de la monté vers **Fenouillet**, village dominé par deux ruines, qui a donné son nom à la région.

Par le col del Mas, on atteint le Vivier où aboutit la D7 (route venant de St-Pau Celle-ci monte vers Prats-de-Sournia. La vue se développe sur les Corbières, au Nor et sur la Méditerranée visible, en deux pans, par la trouée du Bas-Agly. A Sournia ᵒ rejoint l'itinéraire venant de St-Paul (D 619). Suite de la description ci-dessous.

Prades – *Page 127.*

DE ST-PAUL-DE-FENOUILLET A PRADES
47 km – environ 2 h 1/2

St-Paul-de-Fenouillet – Bourg de la rive gauche de l'Agly, peu avant so confluent avec la Boulzane. Au Nord, la D7 conduit dans les gorges de Galamu

Clue de la Fou – Cluse forée par l'Agly. Franchir la rivière ; un violent coura d'air souffle en permanence. La D 619 suit la rivière de près.

Pittoresque et en virages, la route court face au sillon du Fenouillèdes vitico avec, à l'arrière-plan, l'aiguille rocheuse du château de Quéribus. En avant, sou différents angles, remarquer le gros dos rocailleux de la Serre de Verges. Dan le lointain surgit le Canigou. On passe tout près du pont-aqueduc roma d'**Ansignan**, bien conservé et toujours en service. La route, de plus en plus sinueus suit un moment la Matassa et, par Pézilla-de-Conflent, le long de la Desix, attei Sournia. Remontant du fond de la vallée, elle débouche sur le plateau ᵈ Campoussy. Le panorama, très étendu, sur la mer, la plaine du Roussillon, le Corbières, ne cesse de prendre de l'ampleur tandis que l'on parcourt une land parsemée de gros blocs granitiques. Le plus curieux de ceux-ci, le roc Corn au bord de la route, évoque une tête de volatile monstrueux.

La route atteint son point culminant (976 m) en franchissant le chaînon de Roqu Jalère, site d'une station de télécommunications. Dès lors, la **descente**★★ final s'effectue en vue du Canigou dont on détaille, sous lumière rasante, en fi d'après-midi, les lignes brutales et la face ravinée. Après une maison cantonnièr la haute vallée de la Têt se présente d'enfilade, au-delà du défilé de Villefranch Légèrement à droite de Prades pointe la tour de St-Michel-de-Cuxa.

Prades – *Page 127.*

DE ST-PAUL-DE-FENOUILLET A CUBIÈRES description p. 9

(1) Certains noms de localités le rappellent. Ainsi « Latour-de-France » (de telles précisio sur l'appartenance à une province révèlent souvent l'approche d'une ancienne frontièr

Au débouché de l'ancienne vallée glaciaire de l'Ariège, Foix retient le touriste par son **site★** tourmenté où pointent des sommets aigus et par l'image des trois tours de son château surveillant, de leur roc, le dernier défilé de la rivière à travers les plis du Plantaurel.

La ville ancienne, aux rues étroites, a pour centre, à l'angle des rues de Labistour et des Marchands, le carrefour où coule la petite fontaine en bronze de l'Oie. Elle contraste avec le quartier administratif bâti au 19ᵉ s. autour de vastes esplanades que composent les allées de la Villote et le Champ de Mars.

Le Pays de Foix – Le Pays de Foix, qui forma le département de l'Ariège, a pour axe la vallée pyrénéenne de ce grand affluent montagnard de la Garonne. Ce secteur de la chaîne reste, avec le Couserans *(voir le guide Vert Michelin Pyrénées Aquitaine Côte Basque)* et le Donézan *(p. 49)*, l'un des plus riches en traditions, mythes, légendes plus ou moins liés au catharisme.

Château de Foix.

UN PEU D'HISTOIRE

Le comté de Foix – Le Pays de Foix, partie du duché d'Aquitaine, puis du comté de Carcassonne, a été érigé en comté au 11ᵉ s. Lors du traité de Paris (1229) qui met fin à la guerre des Albigeois, particulièrement cruelle ici, le comte de Foix doit se reconnaître vassal du roi de France. En 1290, la famille de Foix hérite, par alliance, du Béarn et se fixe dans cet État, préférant être maître dans sa maison plutôt que de subir la domination royale.

Le rattachement à la couronne, par Henri IV, intervient en 1607.

Le comte de Foix, co-suzerain d'Andorre avec l'évêque d'Urgel, a transmis au roi de France ses droits sur cette seigneurie.

Une glorieuse famille – Gaston III (1331-1391), le plus célèbre des **comtes de Foix** et vicomtes de Béarn, est, à l'époque, le seul vassal du roi de France à avoir de bonnes finances. Vers 1360, il adopte le surnom de **Fébus**, signifiant « le brillant », « le chasseur ». C'est un personnage plein de contrastes. Politique avisé, il exerce un pouvoir absolu. Lettré, poète, il s'entoure d'écrivains et de troubadours ; mais fait assassiner son frère, tue son fils unique. Passionné de chasse, il écrit un traité sur l'art de la vénerie. Gaston Fébus ne fut pas le seul représentant de l'illustre lignée des comtes de Foix.

Gaston IV, fidèle partisan de Charles VII, négocia le traité de 1462 entre le roi d'Aragon et Louis XI. Il reçut en récompense la ville et la seigneurie de Carcassonne.

Catherine de Foix apporta en dot à Jean d'Albret, en 1484, le comté de Foix et la Navarre. Ses États ayant été envahis par le roi d'Espagne, Ferdinand le Catholique, elle en mourut de chagrin en 1517.

Gaston de Foix, le fameux « foudre d'Italie », neveu de Louis XII, reçut le commandement de l'armée royale en Italie. Il gagna la bataille de Ravenne mais y trouva la mort en 1512, à 22 ans, percé de quinze coups de lance. Odet de Foix, son cousin, blessé à ses côtés à Ravenne, survécut à ses blessures et contribua puissamment à la conquête du Milanais (1515).

Métiers d'autrefois – Des siècles durant, les habitants du Pays de Foix se transmirent de père en fils certains métiers, caractéristiques de leur région.

Les mineurs du Rancié – Les minerais de fer des Pyrénées, fort appréciés pour leur richesse, furent, très tôt, l'objet d'une extraction active. En 1293, on trouve déjà mentionné dans une charte « le droit pour tous ou chacun de tirer du minerai des mines de fer de la vallée (de Vicdessos), de couper les arbres et charbonner dans les forêts ».

La mine du Rancié, fermée définitivement en 1931, était encore exploitée ▊
siècle dernier suivant une formule coopérative archaïque : les habitants d▊
vallée, inscrits à l'« Office des Mineurs », étaient des associés plus que des sala▊
Ils n'avaient le droit d'abattre par jour qu'une quantité déterminée de mine▊
Souvent, le mineur travaillait isolé à l'abattage. Une fois sa hotte rempli▊
remontait le minerai à dos jusqu'à l'entrée des galeries et le vendait a▊
comptant aux muletiers qui assuraient le transport jusqu'à Vicdessos▊
s'approvisionnaient les maîtres de forges.

En 1833, soixante-quatorze forges « catalanes » s'alimentaient encore à c▊
mine. Ces forges traitaient directement le minerai par simple réaction avec▊
charbon de bois – l'opération est possible car ce minerai comme celui▊
Pyrénées-Orientales, porte avec lui les fondants nécessaires – mais les fo▊
s'en trouvèrent dévastées.

Les orpailleurs. – L'Ariège roule de l'or dans ses eaux et, du Moyen Âge à la▊
du siècle dernier, les « orpailleurs » étaient nombreux à laver les sables à▊
recherche des précieuses paillettes. C'est en aval de Foix que l'Ariège dev▊
aurifère ; les plus grosses paillettes ont été trouvées entre Varilhes et Pamie▊
certaines pesaient jusqu'à 15 g. Ce pactole devenu trop capricieux, les orpaille▊
professionnels disparurent.

CURIOSITÉS

Château (A) ⊙ – L'histoire du château est liée à celle de la France. En 10▊
le comte de Carcassonne, Roger le Vieux, lègue le château de Foix et des ter▊
à son fils Roger-Bernard qui prend le titre de comte de Foix.

Le château, dont les premières bases datent du 10e s., est une solide place fo▊
que Simon de Montfort évite d'affronter en 1211-1217, lors de la croisade ▊
Albigeois. Mais en 1272, le comte de Foix refusant de reconnaître la souverai▊
du roi de France, Philippe le Hardi prend en personne la direction d'une expédi▊
contre la ville. A bout de vivres et devant l'attaque du rocher au pic, le co▊
capitule.

Après la réunion du Béarn et du comté de Foix en 1290, la ville est pratiquem▊
abandonnée par les comtes. Gaston Fébus est le dernier à avoir vécu ▊
château.

Au 17e s., le château perd son caractère militaire ; Henri IV s'en empare. ▊
château est ensuite transformé en prison, et ce jusqu'en 1864 ; de nos jo▊
il abrite un musée. La réputation du château tient surtout à son site. Il ne re▊
plus aujourd'hui que trois tours et le musée, représentant le quart des bâtim▊
d'origine, dont la partie résidentielle était en bas – immense corps de logis al▊
jusqu'à l'église St-Volusien.

Des trois tours de surveillance et de défense, les plus intéressantes sont la t▊
centrale et la tour ronde qui ont conservé des salles voûtées des 14e et 1▊
Ces tours étaient enveloppées de deux enceintes qui rendaient la position ▊
château fort redoutable. De la terrasse entre les tours, ou mieux, du somm▊
de la tour ronde : **panorama★** sur le site de Foix, la vallée de l'Ariège, le Pain ▊
sucre de Montgaillard.

Musée départemental de l'Ariège (A M) ⊙ – Dans la grande salle basse s▊
rassemblées des collections d'armes de guerre et de chasse rappelant ▊
destination première de la forteresse. Des éléments de préhistoire témoign▊
des industries reconnues dans les grottes de l'Ariège, du paléolithique à l'â▊
du bronze. Importants débris de faune – des moulages pour la plupart – (o▊
des cavernes, rennes, hyènes, mammouth, etc.) ; moulages également d'e▊
preintes humaines provenant de grottes ariégeoises : 300 grottes répertorié▊
et 60 fouillées. On voit aussi des restes de chapiteaux du cloître de St-Volusi▊

Église St-Volusien (B) – Belle église gothique très simple. La nef date du 14▊
et le chœur, surélevé, du début du 15e s. Remarquer les stalles, les grand▊
fenêtres, très étroites, et l'autel Renaissance, en pierre polychrome (Visitati▊
Cène).

Pont sur l'Arget (A) – Point de vue le plus favorable sur le château.

FOIX

*Pour bien lire
les plans de ville,
voir la page
de légende.*

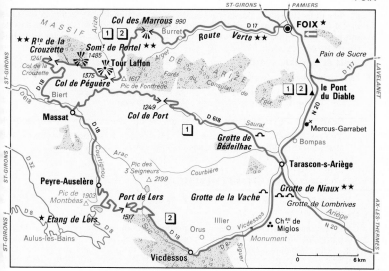

EXCURSIONS

★★ **1** **Route Verte et route de la Crouzette** – *Circuit de 93 km – environ 5 h.*

La route reste généralement obstruée par la neige de la mi-décembre à la mi-juin entre les cols des Marrous et de la Crouzette ainsi qu'au col des Caougnous.

Quitter Foix à l'Ouest par la D17.

★★ **Route Verte** – La route, en rampe légère, remonte la **vallée de l'Arget** ou Barguillère, région autrefois connue pour sa métallurgie (clouterie), et serpente au milieu des bois. Après la Mouline, la montée s'accentue et, à Burret, la route s'écarte de l'Arget qui prend sa source dans une conque boisée. Le paysage devient pastoral.

Col des Marrous – Alt. 990 m. Vues étendues au Sud sur la vallée de l'Arget et la forêt de l'Arize.
La montée se poursuit à travers une forêt où dominent les hêtres. Au départ de la route forestière, dans le premier lacet, belles échappées sur la montagne du Plantaurel et Labastide-de-Sérou. Après le col de Jouels, la route, tracée en corniche sur les pentes supérieures du cirque boisé de Caplong, où naît l'Arize, prend un caractère panoramique. Au second plan surgit la pyramide tronquée du mont Valier (alt. 2 838 m).

Col de Péguère – Alt. 1 375 m. Au col, le panorama se dégage complètement.

Tour Laffon – *1/4 h à pied AR, par le chemin à droite, derrière le refuge.* Magnifique **panorama★** sur les Pyrénées centrales et ariégeoises, depuis le Pic de Fontfrède (1 617 m), jusqu'au pic de Cagire (1 912 m), au-delà du col de Portet d'Aspet.

★★ **Route de la Crouzette** – Parcours de crête sur les croupes du massif de l'Arize couvertes de fougères ; la route domine les cirques forestiers des ruisseaux tributaires de l'Arize, au Nord, et la fraîche vallée de Massat, doucement évidée, au Sud.

★★ **Sommet de Portel** – Alt. 1 485 m. *1/4 h à pied AR.*
A 3,5 km du col de Péguère, laisser la voiture au passage d'un col où la route décrit une large boucle ; monter, au Nord-Ouest, sur cette bosse herbeuse jusqu'aux fondations d'un ancien signal. **Panorama** sur les sommets du haut Couserans, jusqu'à la chaîne frontière. De ce dernier col, le vieux chemin prenant à l'intérieur de la boucle de la route descend en quelques minutes à la fontaine du Coulat, joli coin agréablement situé pour la halte ou le pique-nique.
Après le col de la Crouzette, dans la forte descente vers Massat, par Biert et la D 618 à gauche, vue sur le haut Couserans et tout le massif supérieur en bas du col de Pause, Aulus et la vallée du Garbet.

Massat – *Description dans le guide Vert Pyrénées Aquitaine Côte Basque.*

Poursuivre par la D 618.

A l'Est de Massat, le bassin supérieur de l'Arac s'épanouit et la route, très sinueuse, en offrant de jolies vues sur le verdoyant pays de Massat puis sur le majestueux massif du mont Valier, s'élève vers le col des Caougnous.
En avant s'échancre le col de Port, derrière un premier plan mamelonné, apparaît la cime déchiquetée du pic des 3 Seigneurs.
Des hameaux se succèdent ; la vue sur le mont Valier devient superbe. On atteint bientôt les dernières habitations et la limite supérieure des prairies et forêts, pour pénétrer dans le domaine des landes de fougères et de genêts. A droite, belle forêt de sapins.

Col de Port – Alt. 1 249 m. Là semble passer la frontière naturelle entre les Pyrénées « vertes », soumises à l'influence atlantique, et les Pyrénées « du soleil », aux paysages plus contrastés.

La descente s'effectue par la vallée de Saurat, ensoleillée et fertile. A la sortie de Saurat se dresse, dans l'axe de la route, la tour Montorgueil. On passe ensuite entre les deux énormes rochers de Soudour et de Calamès, ce dernier couronné de ruines.

Grotte de Bédeilhac – *A 800 m du bourg de Bédeilhac. Description page 141.*

Tarascon-sur-Ariège – *Page 141.*

> *Sortir de Tarascon par la N 20, au Nord ; la suite de l'excursion jusqu'à Foix est décrite p. 46 dans la Haute vallée de l'Ariège.*

2️⃣ **Route du Port de Lers** – *Circuit de 94 km – environ une demi-journée.*

> *De Foix à Massat, voir itinéraire p. 87. De Massat à Tarascon-sur-Ariège, voir description p. 96 et de Tarascon-sur-Ariège à Foix p. 46.*

★★ Abbaye de FONTFROIDE

Cartes Michelin n° 🎲🎲 Nord-Est du pli 9 ou 🎲🎲🎲 pli 40 ou 🎲🎲🎲 pli 29 – Schéma p. 75.

Cette **ancienne abbaye cistercienne**, secrètement nichée au creux d'un vallon des Corbières, occupe un site silencieux, peuplé de cyprès, digne d'un paysage toscan. Les belles tonalités flammées, ocre et rose, du grès des Corbières dont l'édifice est construit contribuent à créer, au soleil couchant, une atmosphère de sérénité.
Fondée en 1093 sur les terres d'Aymeric 1ᵉʳ, vicomte de Narbonne, l'abbaye bénédictine se rattacha à l'ordre de Cîteaux en 1145. En 1150 Fontfroide fit essaimer 12 cisterciens de l'abbaye pour aller fonder en Catalogne le monastère de Poblet. Aux 12ᵉ et 13ᵉ s. elle connut la prospérité. Le légat du pape Pierre de Castelnau, dont l'assassinat fut à l'origine de la croisade contre les Albigeois, y résida après son séjour à Maguelone ; Jacques Fournier, élu pape à Avignon en 1334 et qui régna sous le nom de Benoît XII, y fut abbé de 1311 à 1317. Par la suite, l'abbaye périclita et tomba en commende. Désertée en 1791, ses œuvres d'art furent éparpillées.
Propriété privée depuis 1908, elle a été restaurée avec goût.
L'une des plus anciennes métairies est devenue le château de Gaussan.

VISITE ⏱ environ 1 h

L'essentiel des bâtiments a été érigé aux 12ᵉ et 13ᵉ s. Les bâtiments conventuels ont été restaurés aux 17ᵉ et 18ᵉ s. Ceux qui dominent le cloître au Nord sont occupés par les propriétaires.
Des cours fleuries, aux allées bien entretenues, de beaux jardins en terrasse lui font un cadre enchanteur.
La visite commence par la Cour d'Honneur, œuvre des abbés commendataires au 17ᵉ s.

Dans la Salle des Gardes (13ᵉ s.) voûtée d'ogives, on remarque une belle grille en fer forgé du 18ᵉ s. et une cheminée monumentale. Cette salle était le réfectoire des convers et des pèlerins.
On visite ensuite les bâtiments du Moyen Âge, remarquables par la beauté de leur appareil très régulier.

Cloître – Ses galeries sont voûtées d'ogives : celle qui jouxte l'église est la plus ancienne (milieu du 13ᵉ s.). Celle qui lui est opposée a été remaniée au 17ᵉ s. Elles s'ouvrent par des arcades reposant sur de fines colonnettes de marbre décorées de chapiteaux à motifs végétaux et encadrées d'un arc de décharge. Les tympans s'ajourent d'oculi ou d'une rose. L'ensemble est d'une extrême élégance.
Au-dessus des galeries courent des toits en terrasse.

Église abbatiale – Commencée au milieu du 12ᵉ s., elle est de proportions admirables ; l'élégante simplicité cistercienne est rarement plus émouvante. La nef, en berceau brisé, est flanquée de collatéraux voûtés en quart de cercle : observer la base des piliers, rehaussée pour permettre la mise en place des stalles. Les chapelles méridionales sont une adjonction des 14ᵉ-15ᵉ s. Dans la salle des Morts (1) (13ᵉ s.), a été déposé un beau calvaire en pierre du 15ᵉ s. Dans le transept gauche s'ouvre la tribune qui permettait aux pères malades d'assister aux offices.

Salle capitulaire (2) – Elle est couverte de neuf voûtes romanes disposées sur des croisées d'ogives décoratives reçues par de délicates colonnettes de marbre.

Dortoir des moines – Il est situé au-dessus du cellier et couvert d'une belle voûte du 12ᵉ s. en berceau brisé. La cage de l'escalier qui le dessert est couverte d'une charpente de bois.

Cellier – Belle salle, de la fin du 11ᵉ s., séparée du cloître par une étroite ruelle, voûtée probablement au 17ᵉ s.

Roseraie – On y admire un ensemble de plus de 2 000 rosiers. Des chemins piétonniers permettent d'effectuer quelques promenades autour de l'abbaye, et d'ainsi mieux goûter au charme des lieux.

ENVIRONS

Château de Gaussan ⊙ – *8 km à l'Ouest de Frontfroide sur la D 423.*
Les bâtiments d'origine de cette ancienne métairie de l'abbaye de Fontfroide furent édifiés aux 12ᵉ, 13ᵉ et 14ᵉ s. Les moines y demeurèrent jusqu'à la Révolution. Au 19ᵉ s., une restauration importante fut entreprise sous l'égide d'un disciple de Viollet-le-Duc qui nantit les façades de créneaux et autres décorations de style néo-gothique.
L'intérieur, restauré à la même époque, est orné de peintures murales parsemées d'ornements d'or, de plafonds à poutres apparentes, de cheminées monumentales.

✳ # FONT-ROMEU   1 897 h. (les Romeufontains)

Cartes Michelin n° 86 pli 16 ou 235 pli 55 – Schéma p. 67.

Font-Romeu est une création touristique artificielle, née vers 1920, à 1 800 m d'altitude sur le versant ensoleillé de la Cerdagne française, au-dessus de la limite de l'habitat montagnard.
La station occupe un site panoramique, admirable, protégé des vents du Nord, à la lisière d'une forêt de pins.
Son altitude, son ensoleillement, la sécheresse exceptionnelle de son atmosphère l'ont fait choisir dès l'origine comme séjour climatique. Ses imposantes installations sportives (piscine, patinoire, centre équestre, etc.) permettent aux athlètes du monde entier de venir s'entraîner en altitude.
Le domaine skiable de Font-Romeu s'étage de 1 700 m à 2 500 m. Grâce aux nombreux canons à neige, la station n'a pas à pâtir du manque d'enneigement. Certaines pistes au Nord, sur le versant des Bouillouses sont difficiles.
Entre l'agglomération touristique et le lycée, l'ermitage témoigne de l'illustre pèlerinage catalan auquel le lieu dut son nom de « fontaine du Pèlerin » (fount Romeu).

★ **Ermitage** – Il abrite la « Vierge de l'Invention ». Selon la légende, N.-D. de Font-Romeu a été « inventée » (trouvée) par un taureau. La bête restait près d'une fontaine, grattant le sol et poussant des beuglements retentissants. Intrigué et lassé, le bouvier finit par examiner le lieu et découvrit, dans une anfractuosité, une statue de la Vierge.

L'ermitage attire, les jours d'« aplech », une foule considérable. Le 8 septembre, fête « del Baixar » (de la descente), la Madone est portée solennellement à l'église d'Odeillo où elle reste jusqu'au dimanche de la Trinité (« el Pujar »). Elle est ensuite ramenée à la chapelle de l'Ermitage avec la même solennité. Les autres aplechs ont lieu le 3ᵉ dimanche après la Pentecôte (« cantat » des malades) et le 15 août.

La chapelle date des 17ᵉ et 18ᵉ s. La fontaine miraculeuse encastrée dans le mur, à gauche, alimente une piscine située à l'intérieur du bâtiment au pignon dirigé vers la montagne.

A l'intérieur de la **chapelle** ⊙, on verra un magnifique retable de Joseph Sunyer datant de 1707 : la niche centrale abrite la statue de N.-D. de Font-Romeu ou, quand celle-ci est à Odeillo, celle de la Vierge dite de l'Ermitage (15ᵉ s.) ; à la prédelle, trois scènes très fines retracent les épisodes de l'« Invention ».

Ermitage de Font-Romeu – Camaril.

Pradel/IMAGES PHOTOTHÈQUE

Prendre, à gauche du maître-autel, l'escalier qui conduit au **camaril**★★, le petit « salon de réception » de la Vierge, aménagement typiquement espagnol, d'une inspiration touchante ; c'est le chef-d'œuvre de Sunyer. L'autel, aux panneaux peints, est surmonté d'un Christ encadré par la Vierge et saint Jean. Deux délicats médaillons, la Présentation au temple et la Fuite en Égypte, ornent les dessus de porte. Aux quatre angles, jolies statues d'anges musiciens.

★★ **Calvaire** – Alt. 1 857 m. A 300 m de l'ermitage, vers Mont-Louis, prendre à droite un sentier jalonné par les stations d'un chemin de croix. Du calvaire érigé au sommet, le **panorama** est très étendu sur la Cerdagne et les montagnes environnantes.

ENVIRONS

★ **Col del Pam** – Alt. 2 005 m. *5,5 km au Nord par la route des pistes (départ du calvaire), puis 1/4 h à pied AR.*
Du balcon d'orientation aménagé au-dessus de la vallée de la Têt, **vue** sur le massif du Carlit, le plateau des Bouillouses, le Capcir (haute vallée de l'Aude), le Canigou

Créez vos propres itinéraires
à l'aide de la carte des principales curiosités et régions touristiques.

GAILLAC   10 370 h. (les Gaillacois)

Cartes Michelin n° 🔲🔲 plis 9, 10 ou 🔲🔲🔲 pli 27.

Sur la rive droite du Tarn, à un carrefour de routes, Gaillac vécut longtemps des activités commerciales de la navigation sur le Tarn. La vieille ville conserve de charmantes places à fontaines et d'étroites ruelles bordées de maisons anciennes où les briques et le bois sont harmonieusement utilisés.

Le vignoble gaillacois – C'est l'un des plus anciens vignobles de France. Déjà dès le 10e s., les moines bénédictins de l'abbaye de St-Michel avaient instauré une sévère discipline pour sauvegarder la réputation des vins de Gaillac.

S'étendant sur une superficie de 20 000 ha, le vignoble gaillacois produit des vins rouges, rosés, blancs et mousseux.

Sur la rive gauche du Tarn s'expriment les cépages rouges tels que Gamay, Braucol, Syrah et Duras.

Sur les terroirs privilégiés de la rive droite, outre les cépages rouges Duras, Braucol, Syrah, Cabernet, Merlot, prospèrent également les cépages blancs, Mauzac, Loin de l'œil et Sauvignon (qu'on trouve également sur le plateau cordais).

Aire de production des vins de pays "Côtes du Tarn"

Aire de production des vins A.O.C "Gaillac"

Les techniques traditionnelles utilisées dans l'optique de l'œnologie moderne sont les garants de la qualité des vins d'appellation contrôlée (AOC Gaillac). Les efforts réalisés ces dix dernières années par le vignoble de Gaillac le placent dans les premiers vignobles du Sud-Ouest.

CURIOSITÉS

Abbatiale St-Michel – Au 7e s., des moines bénédictins fondèrent à Gaillac une abbaye qu'ils placèrent sous l'invocation de saint Michel. Les travaux d'édification de l'abbatiale débutèrent au 11e s. et, maintes fois interrompus, s'échelonnèrent jusqu'au 14e s. A l'intérieur de l'église, belle statue en bois polychrome de la Vierge à l'Enfant (14e s.).
A côté, les anciens bâtiments abbatiaux abritent la **Maison des Vins de Gaillac**

Tour Pierre de Brens (B) – Cette charmante construction de brique remonte aux 14e et 15e s. et fut remaniée à la Renaissance. Elle conserve encore quelques gargouilles, des fenêtres à meneaux et une ravissante échauguette.
L'édifice abrite le **musée du Compagnonnage, de la Vigne et du Vin** ⊘. Au rez-de-chaussée, outils et chefs-d'œuvre illustrent le travail des compagnons, tandis que les 1er et 2e étages présentent divers aspects de la vie du Gaillacois : activités liées à la vigne et objets folkloriques.

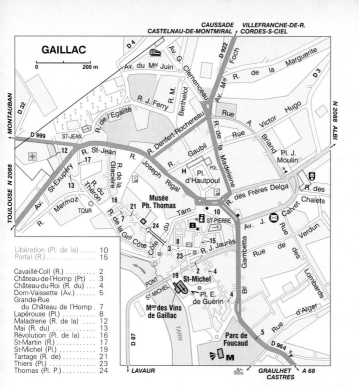

Parc de Foucaud – Ses agréables jardins étagés en terrasses au-dessus du Tarn sont l'œuvre de Le Nôtre.

Dans le château, résidence au 18e s. de la famille du Conseiller de Foucaud d'Alzon, le **musée des Beaux-Arts (M)** ⊘ expose des œuvres d'artistes régionaux (peintres et sculpteurs).

Musée d'Histoire naturelle Philadelphe-Thomas ⊘ – Il comporte d'importantes collections de minéralogie et de paléontologie.

ENVIRONS

Lisle-sur-Tarn – *9 km au Sud-Ouest par la N 88.*

Sur la rive droite du Tarn, cette grosse bourgade de l'Albigeois a conservé de son passé de bastide (1248) une vaste **place à couverts** bordée de cornières et ornée d'une fontaine.

Quelques vieilles maisons en brique et bois des 16e, 17e et 18e s. se découvrent en flânant dans le centre historique. Certaines sont reliées avec leurs dépendances par des « pountets » enjambant les ruelles au niveau de l'étage. L'**église N.-D. de la Jonquière** conserve un portail roman et un clocher de type toulousain.

Dans le **musée Raymond-Lafage** ⊘, qui porte le nom d'un dessinateur du 17e s., né à Lisle, on remarque, outre des gravures et dessins de ce dernier, des collections d'archéologie gallo-romaine et médiévale, des pièces d'art sacré. Des dessins d'Ingres et d'Horace Vernet complètent cet ensemble.

Du pont, vue agréable sur la ville et ses murailles de soutènement.

Château de Mauriac ⊘ – *11 km au Nord, par la D 922. Tourner à droite peu avant Cahuzac.*

Ce château, dont certaines parties datent du 14e s., présente une belle et harmonieuse façade. Deux grosses tours d'angle protègent un corps de logis dont le portail d'entrée, au centre, est lui-même encadré par deux plus petites tours.

Au rez-de-chaussée, on visite diverses salles qui exposent les œuvres de Bernard Bistes.

Au premier étage, la chambre d'hôte dite « Louis XVI » possède un plafond à la française dont les 360 caissons reproduisent un **herbier★** d'une très grande fraîcheur *(pas de visite de l'étage, en cas de location).*

Castelnau-de-Montmiral – *13 km au Nord-Ouest par la D 964.*

Pittoresque village, juché sur un éperon rocheux dominant la vallée de la Vère et la forêt de Grésigne (base de loisirs), Castelnau-de-Montmiral est une ancienne bastide, qui fut fondée au 13e s. par Raymond VII, comte de Toulouse, pour remplacer la place forte ruinée pendant la croisade contre les Albigeois. De son riche passé, elle conserve quelques demeures anciennes, mises en valeur par une restauration réussie.

La **place des Arcades**, ornée de couverts portant des étages en encorbellement et à pans de bois, conserve à l'Ouest et au Sud deux maisons du 17e s.

Dans l'**église** paroissiale (du 15e s., d'origine), remarquer un Christ aux liens, statue en pierre polychrome du 15e s., le retable baroque et surtout, à gauche du chœur, la **croix reliquaire gemmée★** des comtes d'Armagnac, dite Croix de Montmiral, bel exemple d'orfèvrerie religieuse du 13e s.

★★ Gorges de GALAMUS

Cartes Michelin n° 86 Sud-Ouest du pli 8 ou 235 pli 48 ou 240 pli 37 – Schém
p. 74.

La hardiesse de la route taillée dans le rocher, le site de l'ermitage collé à la
paroi donnent au passage un caractère fantastique surtout lorsque flamboie l
soleil catalan.

DE ST-PAUL-DE-FENOUILLET A CUBIÈRES
9,5 km – environ 1 h

St-Paul-de-Fenouillet – *Page 84.*
Au départ de St-Paul-de-Fenouillet, la D7, tracée tout d'abord parmi les vignes
devient bientôt sinueuse. Dans un grand virage, vue à gauche sur le Canigou
  Laisser la voiture au parking de l'Ermitage situé après le tunnel.

Ermitage St-Antoine-de-Galamus – *1/2 h à pied AR.* On y descend depui
le terre-plein de l'Ermitage (vue sur le Canigou). La construction de l'Ermitag
(restaurant champêtre) masque la chapelle aménagée dans la pénombre d'une
grotte naturelle.
Après le terre-plein de l'Ermitage, la route, en corniche, très étroite (2 m), es
accrochée à la verticale de la paroi rocheuse. On n'aperçoit que très rareme
le torrent tellement le trait de scie au fond duquel il coule est étroit et abrup
Admirer la fissure dont les blancs à-pic sont mouchetés de broussailles. L'Agl
s'éloigne ensuite vers l'Ouest. C'est le ruisseau de Cubières que la D10 suit alor
jusqu'au village de même nom.

Cubières – On atteint ici la haute vallée de l'Agly.

GRAULHET   13 523 h. (les Graulhétois)

Cartes Michelin n° 82 pli 10 ou 235 pli 27.

Depuis le Moyen Âge, Graulhet (prononcer Grauillet) est une cité « tannante »
activité dont son nom tirerait origine (« groule » en langue d'Oc signifi
« chaussure »).
On peut découvrir les phases du travail de la peau à la **Maison des Métiers d
Cuir** ⊙, aménagée dans une ancienne usine.

Tannerie et mégisserie – On distingue la tannerie, qui traite les peaux d
bovins et d'équidés, de la mégisserie, spécialisée dans les peaux de moutons
de chèvres et de porcs.

Graulhet, capitale de la mégisserie – Graulhet travaille, par vocation, les « cuirots »
provenant de Mazamet. Sa production, d'abord spécialisée dans les peaux pou
doublure de chaussures, trouve depuis quelques années un nouveau débouch
dans la fabrication de peaux pour vêtements et dans la maroquinerie.
Ses nombreuses entreprises de mégisserie traitent les peaux d'ovins, les peau
de caprins et les peaux de porcins. Les peaux tannées sont réparties ainsi : un
moitié aux fabriques de vêtements de peau, le tiers environ aux manufacture
de chaussures et le reste à la maroquinerie.

Des « cuirs bruts » au « cuir marchand » – Le tanneur commence à travailler su
des peaux à l'état brut, c'est-à-dire simplement traitées par salage pour assure
leur conservation. Ensuite, soigneusement épilées, trempées, écharnées, elle
sont prêtes pour le tannage qui s'effectue suivant divers procédés.
Le tannage à l'alun, déjà utilisé par les Romains, est toujours pratiqué, surtou
pour les pièces destinées à la ganterie.
A la fin du 19ᵉ s., les progrès de la chimie ont contribué au développement d
tannage végétal qui utilise les tanins extraits des végétaux, du tannage aux sel
de chrome et d'un procédé qui combine les deux.
Enfin, le « corroyage » ou le « finissage » sont les opérations finales qu
assouplissent les peaux et en font des « cuirs marchands ». Cette ultime phas
de la fabrication acquiert une importance grandissante depuis que les pay
fournisseurs de peaux à l'état brut (Inde, Pakistan, pays d'Afrique du Nord, etc
assurent souvent eux-mêmes une partie des premiers travaux de tannage e
livrent aux entreprises graulhétoises des peaux semi-finies.

ENVIRONS

Lac de Miquelou – *3 km au Sud par la D 84, direction St-Paul-Cap-de-Joux e
à 2,5 km, le chemin du lac, à gauche.*
Ce lac de 8 ha (réservoir d'eau potable) est recherché par les amateurs de voile

Lautrec – *15 km au Sud-Est par la D 83. Description p. 95.*

GRENADE   5 026 h. (les Grenadains)

Cartes Michelin n° 82 pli 7 ou 235 pli 26.

La bastide, fondée en 1290 par Eustache de Beaumarchais et l'abbaye d
Grandselve, voit prospérer dans ses environs des vergers comptant parmi les plu
imposantes plantations réalisées depuis la dernière guerre en pays toulousain

Église – Ce majestueux édifice de l'école gothique toulousaine est remarquabl
par l'ordonnance régulière de ses trois nefs d'égale hauteur et par son cloche
de brique haut de 47 m inspiré de l'église des Jacobins *(voir p. 150).*

ENVIRONS

Bouillac – *16 km au Nord-Ouest par la D 3, route de Beaumont-de-Lomagne que l'on quitte, à 13 km, pour tourner à gauche dans la D 55.*
L'église du village a recueilli le **trésor**★ de l'abbaye de Grandselve détruite sous la Révolution. La chapelle latérale de droite a été réaménagée pour la présentation des châsses et reliquaires.
Les châsses du 13ᵉ s. sont en forme d'églises surmontées à la croisée d'un clocher octogonal présentant des ressemblances frappantes avec les clochers gothiques toulousains. Des gemmes et des filigranes décorent les arcatures abritant les personnages.
Le reliquaire de la Sainte Épine affecte la forme d'une tour à trois étages, abritée sous un dais, dont les fenêtres de cristal protègent des miniatures sur parchemin. Il aurait été offert à l'abbaye par Alphonse de Poitiers.

Forêt de GRÉSIGNE

Cartes Michelin n° **79** pli 19 ou **235** plis 22, 23.

Elle s'étend sur près de 4 000 ha, dans un site vallonné, aux confins du département du Tarn, sur la rive gauche de l'Aveyron. Propriété des rois de France, aux 17ᵉ et 18ᵉ s., ses hautes futaies alimentèrent le pays en bois de marine ; aussi Colbert fit-il protéger la forêt et ouvrir des routes pour en faciliter l'exploitation.
La D 87 au parcours sinueux et pittoresque traverse ce massif forestier, planté de chênes et de charmes, offrant d'agréables sous-bois.

Puycelci – A l'Ouest de la forêt, une plate-forme rocheuse dominant la vallée de la Vère, verdoyante et boisée, porte le vieux village fortifié de Puycelci, bâti dans un **site** pittoresque.
Cette ancienne place forte a conservé une partie de ses remparts flanqués de tours des 14ᵉ et 15ᵉ. Au hasard des rues, on découvre nombre de demeures et d'édifices intéressants : château du Petit St-Roch, du 15ᵉ s., flanqué de deux tours ; maison Féral, dont la façade des 15ᵉ et 16ᵉ s. est percée de portes en ogive ; église paroissiale avec sa nef gothique et son clocher-porche du 18ᵉ s.

GRUISSAN   2 170 h.

Cartes Michelin n° **83** pli 14 ou **86** pli 10 ou **240** plis 30, 34 – Schéma p. 75.

Le **vieux village** de pêcheurs et de sauniers, aux maisons emboîtées en cercles concentriques, est dominé par les ruines de la tour Barberousse. A l'écart de la côte, entre les eaux dormantes des étangs, il semblait définitivement tourner le dos à la mer. Pourtant ce fut un port d'une certaine importance dont les bateaux partaient pêcher au large de l'Espagne et de l'Algérie. Les pêcheurs fêtent toujours la Saint-Pierre fin juin.
La **station nouvelle** de Gruissan s'est développée à la suite de l'ouverture d'un chenal maritime faisant communiquer l'étang du Grazel avec la mer. De petits immeubles disposés autour du bassin d'honneur du nouveau port de plaisance (voile, pêche) en forment, depuis 1975, le noyau. Leur crépi ocré, leurs toitures à faîtes multiples dessinés en berceaux les caractérisent.

Le vieux village de Gruissan.

IMAGES PHOTOTHÈQUE

Gruissan-Plage garde un curieux lotissement de chalets montés sur pilotis, à l'ab
des inondations toujours possibles en période d'équinoxe.
Les installations de camping se développent surtout au Nord du chenal (le
Aiguades du Pech Rouge), en direction de Narbonne-Plage.
L'attrait de la station nouvelle réside non seulement dans son ouverture ver
le grand large mais aussi dans son site favorable aux promenades dans l
massif de la Clape *(p. 116)*, l'une des beautés mal connues du pay
languedocien.

ENVIRONS

Cimetière marin – *4 km, puis 1/2 h à pied AR. Sortir de Gruissan par la D 3.
vers Narbonne ; au carrefour suivant les tennis, prendre la route signalé
N.-D.-des-Auzils qui pénètre dans le massif de la Clape. Appuyer toujours à gauch
Laisser la voiture au parking (avant la pépinière du Rec d'Argent) et monter
pied jusqu'à la chapelle. Ou bien prendre, en voiture, la piste forestière de
Auzils sur 1,5 km ; laisser la voiture sur un terre-plein, puis continuer à pie
(20 mn AR).*
Le long d'un chemin pierreux, parmi les genêts, les pins parasols, les chêne
verts et les cyprès, d'émouvantes stèles rappellent le souvenir des marin
disparus en mer. De la **chapelle N.-D.des-Auzils**, au sommet de la montée, a
cœur d'un bosquet, vue étendue sur le site de Gruissan et la montagne de l
Clape.

★ Rivière souterraine de LABOUICHE

Cartes Michelin n° 86 pli 14 ou 235 pli 42 – 5 km au Nord-Ouest de Foix.

La rivière souterraine de Labouiche a creusé, dans le calcaire du Plantaurel, un
galerie souterraine ⊙ qui a été explorée sur une longueur de 4 500 m, dont le tier
est bien aménagé pour la visite.
Le voyage sur cette « rivière mystérieuse » enchantera les touristes par le parcour
de 1,5 km en barque – deux transbordements sont nécessaires – à 70 m sou
terre dans des galeries hautes ou surbaissées, éclairées ou obscures à desseir
Stalactites et stalagmites, mises en valeur par la couleur noirâtre du calcaire su
lequel elles se détachent, se transforment, au gré de l'imagination, en bêtes e
fleurs étranges ou en décor fantastique.
Une belle cascade souterraine marque l'extrémité d'une galerie visitable.

LAGRASSE   704 h.

Cartes Michelin n° 86 pli 8 ou 235 pli 44 ou 240 pli 33 – Schéma p. 74.

Dans sa descente finale vers Lagrasse, la D 212, venant de Fabrézan, offre un
vue d'ensemble de l'agglomération, avec ses ponts, ses restes de remparts e
de nombreuses maisons anciennes, son abbaye.
L'abbaye, l'un des avant-postes de la civilisation carolingienne près de la march
d'Espagne, richement dotée en domaines, jusqu'en Roussillon et en Catalogne
s'était développée dans un bassin de la vallée de l'Orbieu irrigué par les soin
des moines de saint Benoît. Elle doit son aspect majestueux aux travaux défensif
exécutés au 14e s. et aux embellissements du 18e s. Elle communique par deu
ponts, dont un pont en dos d'âne du 11e s., avec le bourg, également fortifié
attrayant pour sa place centrale à halle.

L'ABBAYE *visite : 3/4 h*

Bâtiments abbatiaux et donjon ⊙ – Pénétrer dans la cour d'honneu
encadrée de nobles bâtiments du 18e s. construits en un grès ocre flammé d
la région, aux tons de marbre.

Cloître – Il fut construit en 1760, à l'emplacement d'un premier cloître de 128(
dont il subsiste quelques vestiges.

Église – Souvent remaniée au cours des siècles, elle est bâtie sur les fondation
d'une église carolingienne. Son aspect actuel date du 13e s. Dans la nef, à droite
une porte ouvre sur le transept Sud roman, greffé au 11e s. sur l'église pré-romane
Il comporte une abside et deux absidioles voûtées en cul-de-four et décorée
à l'extérieur de bandes à arcatures lombardes.

Clocher – Construit en 1537, de manière à s'intégrer aux fortifications du 14e s
le clocher, haut de 40 m, s'achève par un couronnement octogonal évidé d
baies auquel il manque la flèche terminale. Un escalier à vis (150 marches) mèn
au sommet d'où l'on découvre une jolie vue.

Ancien logis abbatial ⊙ – Il comprend les parties les plus anciennes d
l'abbaye, mais a été remanié depuis l'époque des derniers abbés commenda
taires.

Petit cloître – Il a été réaménagé de façon charmante mais fantaisiste.
Deux galeries plafonnées, reposant sur des colonnes aux chapiteaux roman
remployés, supportent un étage sous charpente.
Par l'imposante salle voûtée, très sombre, de l'ancien réfectoire et l'« escalie
de Charlemagne », monter à l'ancien dortoir, puis, par la porte à gauche, au fon
de celui-ci, à la **chapelle de l'Abbé** qui présente un précieux pavement de céramiqu
du 13e s.

LAUTREC

Cartes Michelin n° 🔲🔲 pli 10 ou 🔲🔲🔲 pli 31.

Dans un site pittoresque, Lautrec est une ancienne place forte dont on a une belle vue de la D 83 au Nord-Ouest. Sa place centrale, ses ruelles aux vieilles maisons (remarquer celle où est installée l'Auberge des chevaliers de Malte) lui confèrent un charme paisible.
Une partie de ses habitants s'adonne à la culture de l'ail rose, ce qui lui vaut une certaine renommée.

Porte de la Caussade – Du 12ᵉ s., elle est un des rares vestiges des fortifications.

Église St-Rémy – Elle renferme un beau lutrin et un retable en marbre (15ᵉ au 18ᵉ s.).

Centre de Recherches archéologiques ⊘ – Installé à la mairie, il abrite des objets trouvés au cours de fouilles archéologiques effectuées dans la région et quelques documents relatifs à l'histoire de Lautrec.

Calvaire de la Salette – *1/4 h à pied AR.*
Site de l'ancien château disparu. Il domine le village et offre une vue étendue à l'Est sur les monts de Lacaune, au Sud sur la Montagne Noire et à l'Ouest sur la plaine que traverse l'Agout.

LAVAUR

8 147 h. (les Vauréens)

Cartes Michelin n° 🔲🔲 pli 9 ou 🔲🔲🔲 pli 31.

Sur la rive gauche de l'Agout, à un carrefour de routes qui la relient à Toulouse, Castres et Montauban, Lavaur conserve dans ses vieux quartiers le charme des petites cités languedociennes.
Lavaur était une place forte défendue par le château du Plo dont subsistent quelques pans de murs soutenant l'esplanade du Plo, au Sud de la ville.
Durant la croisade des Albigeois *(voir p. 34 et 144)*, elle fut assiégée par les troupes de Simon de Montfort et se rendit le 3 mai 1211, après deux mois de résistance organisée par Guiraude, dame de la ville, et 80 chevaliers qui avaient épousé la cause cathare. Ils furent pendus, d'autres hérétiques brûlés et dame Guiraude jetée dans un puits que l'on remplit de pierres.
De 1318 à 1790, Lavaur fut le siège d'un évêché.

CURIOSITÉS

★ **Cathédrale St-Alain** ⊘ – Le premier édifice roman, détruit en 1211, fut reconstruit, en brique, en 1254. Sur la façade Sud s'élève, au sommet d'une tour romane au soubassement de pierre, le fameux jacquemart en bois peint qui frappe les heures et les demies. Le mécanisme et la cloche datent de 1523. Une terrasse permet de faire le tour de l'édifice et d'admirer le chevet qui domine l'Agout.
L'intérieur est de style gothique méridional *(voir p. 31)*, avec son imposante nef unique (13ᵉ s. et 14ᵉ s.) et son abside (fin du 15ᵉ s., début du 16ᵉ s.) à sept pans, plus basse et plus étroite que la nef.
La porte romane par laquelle on accède à la première chapelle de droite est un vestige de l'édifice primitif ; les chapiteaux des colonnettes sont décorés de scènes de l'enfance du Christ. Dans la troisième chapelle, un enfeu flamboyant abrite une Pietà en bois du 18ᵉ s. et un lutrin de la même époque.
Dans le chœur, la table d'autel (école de Moissac) en marbre blanc, du 11ᵉ s., provient de l'église Ste-Foy, la plus ancienne de Lavaur.
Du côté gauche, un tableau représentant le Christ en croix et saint Jérôme est attribué à Ribera.
Les orgues du 16ᵉ s. furent restaurées au 19ᵉ s. par Cavaillé-Coll.
Par le côté Ouest de la nef, pénétrer dans le porche situé sous le clocher octogonal. Un portail flamboyant porte au trumeau la statue de saint Alain et, au linteau, l'Adoration des Mages. Il fut endommagé durant les guerres de Religion et pendant la Révolution.

Jardin de l'évêché – A l'emplacement de l'ancien évêché, il forme une terrasse dominant l'Agout, au Nord de l'église. Ses cèdres séculaires, ses massifs bien taillés en font un lieu de promenade apprécié.
Une statue de Las Cases, né près de Lavaur et compagnon de Napoléon Iᵉʳ à Ste-Hélène, y a été érigée au 19ᵉ s.
Jolie vue sur l'Agout et, à gauche, sur le pont St-Roch (1786).

Église St-François – Dans la rue principale. Elle était, avant la Révolution, la chapelle du couvent des Cordeliers, installés à Lavaur en 1220 par Sicard VI de Lautrec, baron d'Ambres. Construite en 1328, elle ne manque pas d'élégance. A droite de l'entrée, belle maison de brique et de bois.

ENVIRONS

St-Lieux-les-Lavaur – *10 km au Nord-Ouest par la D 87 et la D 631 à gauche.*
Cette charmante localité de la vallée de l'Agout est le point de départ de la ligne de chemin de fer touristique du Tarn ; **promenade en train touristique à vapeur** ⊘.

Route du port de LERS

Cartes Michelin n° ▯▯ pli 4 ou ▯▯▯ pli 46 – Schéma p. 87.

La route du port de Lers révèle un contraste sensible entre des paysages bocag
« atlantiques » et la nature méditerranéenne, plus âpre.

DE MASSAT A TARASCON-SUR-ARIÈGE

42 km – environ 3 h

Massat – *Description dans le guide Vert Michelin Pyrénées Aquitaine C*
Basque.

Quitter Massat par la D 18.

La route s'engage dans des vallons étroits ouverts en terrain schisteux, com
le rappelle le matériau sombre des maisons montagnardes dispersées dans
pentes, parmi les herbages.
Après Mouréou, on entre dans un paysage de montagne, de plus en plus aust
au fur et à mesure de la belle montée, face aux sommets enneigés.

Peyre Auselère – A la sortie des bois, après une montée accentuée, dans
dernier hameau de la vallée aux granges éparses, quitter la voiture pour fa
halte au bord des gracieuses chutes du torrent. Un pont permet de passer
la rive gauche.
La route se déploie dans le cirque de Lers, où pâturent chevaux et mout
voisinant avec les troupeaux de bovins aux sonnailles harmonieuses.

★ **Étang de Lers** – Site solitaire superbe au pied du pic de Montbéas, emb
au début de l'automne par la floraison des ajoncs. Beau paysage de moyer
montagne aux reliefs chahutés par les glaciers.
La route franchit le port de Lers (alt. 1 517 m). Elle redescend, rapidement
en lacet, la gouttière très inclinée de la vallée de Suc. C'est ici qu'apparaiss
le plus nettement les différences entre les végétations atlantique et méditer
néenne. La route, égayée de cascades tout le long, domine le torrent, profo
Avant d'arriver à Vicdessos, belle vue en avant sur la vallée suspendue de Goul

Vicdessos – Village montagnard qui occupe un site de verrou glaciaire
contrebas de la vallée suspendue de Suc.
La route suit la profonde et rude **vallée du Vicdessos** où les vastes étendu
pastorales accueillent de nombreux troupeaux, laissant peu de place a
habitations. A gauche se succèdent les villages balcons d'Orus et d'Illier.
A Laramade s'ouvre, à droite, la vallée de Siguer. Le port de Siguer (alt. 2 396
constituait un passage très fréquenté pour les échanges entre la France, l'Ando
et l'Espagne. Il a été emprunté, au cours de la dernière guerre, par de nombre
Français.
En avant, perchées sur un promontoire rocheux, se dressent les ruines clair
du château de Miglos, du 14e s. – site de légende – auquel fait pendant,
la rive gauche, le village de Lapège.
100 m après la bifurcation de Junac, à gauche, le monument aux Mo
1914-1918 est une œuvre de Bourdelle.

★★ **Grotte de Niaux** – *Page 119.*

Prendre à gauche la direction d'Alliat.

Grotte de la Vache – *Page 141.*

Tarascon-sur-Ariège – *Page 141.*

Les guides Verts Michelin sont périodiquement révisés.
L'édition la plus récente assure la réussite de vos vacances.

LÉZIGNAN-CORBIÈRES   7 881 h

Cartes Michelin n° ▯▯ pli 13 ou ▯▯▯ pli 29.

A mi-chemin entre Carcassonne et la mer, entre la vallée de l'Aude, le car
du Midi et le cours de l'Orbieu, Lézignan-Corbières est une petite ville active viva
de la vigne et du commerce des vins de Corbières. Promenades bordées
platanes, placettes et ruelles entourent l'église St-Félix.

Entre Minervois et Corbières – La vigne est présente à Lézignan depu
l'époque romaine. Au fil des siècles, elle a peu à peu chassé l'olivier et repous
l'élevage ovin pour s'installer partout, sur les collines au sol caillouteux comm
dans la plaine.
Jadis tournés vers la quantité à produire, les efforts des vignerons se sont depu
plus de quinze ans déplacés avec succès vers la recherche de la qualité : meilleu
sélection des cépages et soin plus grand apporté au vieillissement.

Musée de la Vigne et du Vin ⊙ – Il a pour cadre une ancienne exploitatio
Autour de la grande cour, outre la sellerie et l'écurie, on observera un press
et, sous un auvent, les outils du métier, aujourd'hui disparu, de tonnelier.
La cave de vinification expose un grand cuvier à vendange pour le foulage
pied et une échaudeuse à l'attelage.
Au premier étage, les outils nécessaires au travail de la vigne sont rassembl
selon le cycle des saisons. Araires, ciseaux à tailler la vigne, couteaux à greffe
hottes et comportes, entonnoirs, marques à feu retiennent l'attention.
Au centre de la pièce : costumes des confréries de Narbonne, Lézignan
Olonzac.

EXCURSION

Le pays de Lézignan – *49 km. Quitter Lézignan par la D 24 en direction d'Ornaisons où l'on prend à droite la D 123.*

Gasparets – L'espace Octaviana abrite le **musée de la Faune** ⊘. Bel ensemble d'animaux naturalisés représentant tous les continents. Rapaces, oiseaux nocturnes et oiseaux familiers, mais aussi ours brun des Pyrénées et sangliers de la région. De cette importante collection, on retiendra, pour leurs couleurs vives ou leur envergure : le faisan doré, le coq de bruyère « grand tétras » et la harpie.

Les D 61, 161 et 611 par Boutenac et Ferrals, conduisent à Fabrezan.

Sur quelques kilomètres, l'itinéraire quitte la plaine pour traverser des collines recouvertes de garrigue.

Fabrezan – Dominant la vallée caillouteuse de l'Orbieu, ce village typique aux rues étroites et tortueuses abrite, dans la mairie, le petit **musée Charles-Cros** ⊘ dédié à cet enfant du pays, inventeur du phonographe.

Prendre la D 212, puis à gauche la D 111 en direction de Moux. Avant cette localité, tourner à droite en direction de Lézignan. A Conilhac, prendre à gauche la D 165.

La route gravit une colline puis débouche sur le vignoble de **Montbrun-des-Corbières** que l'on domine. Continuer vers Escales en faisant un arrêt près de la charmante chapelle romane de **Notre-Dame-de-Colombier.**

Les D 127 et 611 ramènent à Lézignan.

LIMOUX

9 665 h. (les Limouxins)

Cartes Michelin n° 🎴🎴 pli 7 ou 🎴🎴🎴 pli 43.

Sous-préfecture aux rues étroites et animées, encore en partie enclose à l'intérieur d'une enceinte élevée au 14ᵉ s. suite aux pillages du Prince Noir, fils d'Édouard III, roi d'Angleterre, Limoux est une cité languedocienne réputée facétieuse pour son carnaval, qui s'étend de janvier à mars *(voir le chapitre des Renseignements pratiques en fin de guide),* dont les cortèges de « masques » dansent accompagnés par des musiciens sous les couverts de la place de la République. L'Aude, franchie par un « Pont-Neuf » du 14ᵉ s., donne quelque noblesse aux perspectives urbaines.
Dominant la rivière, le chevet et la flèche gothique de l'église St-Martin caractérisent la silhouette monumentale de la ville.
Avec Carcassonne et Lézignan, Limoux est l'un des hauts lieux du jeu à XIII.

La blanquette ⊘ – Ce vin effervescent AOC, provenant des cépages Mauzac, Chenin et Chardonnay, plantés dans la région de Limoux, doit son nom au fin duvet blanc couvrant le dessous des feuilles du plant Mauzac. Dès le 16ᵉ s., les documents attestent que la blanquette était livrée en « flascons » bouchés. Élaborée selon le procédé de la « méthode champenoise », elle jouit d'une faveur croissante en France et à l'Étranger.

Carnaval de Limoux.

ENVIRONS

N.-D.-de-Marceille ; St-Hilaire – *2 km au Nord. Sortir de Limoux par la D 1(*

N.-D.-de-Marceille – Église de pèlerinage, reconstruite au 14e s. dans le st gothique. Prendre du recul sur l'esplanade, en tournant le dos à Limoux, pr voir, dans la perspective de la fontaine de la Vierge, le côté Sud de l'édif Vignobles et cyprès conservent au site son caractère languedocien.

A l'intérieur, la Vierge Noire apparaît dans l'unique chapelle latérale de gauc protégée par une grille Louis XIV. On verra de nombreux et touchants ex-v dans les absidioles encadrant le chœur. Grands tableaux de peint carcassonnais.

A mi-pente de la « voie sacrée », rampe empruntée par les pèlerins, un édic abrite la fontaine miraculeuse. André Chénier enfant parcourut ce chemin et lais une description élégiaque de cette promenade.

Poursuivre la D 104 jusqu'à St-Hilaire.

St-Hilaire – Siège d'une abbaye bénédictine du 8e s. primitivement dédiée à sa Saturnin *(voir p. 147)*. A partir de 970, elle fut placée sous le vocable de sa Hilaire, premier évêque de Carcassonne. Elle fut dissoute en 1748. La traditi attribue aux moines de St-Hilaire la découverte de la montée en mousse de « blanquette ».

Du pied de l'abside de l'église, prendre une rampe aboutissant au cloître. forme de trapèze rectangle, ce cloître gothique aux colonnettes gémine soudées au niveau des chapiteaux par un motif en forme de tête d'homme lais une impression de gracilité.

Du cloître, on passe dans l'**église** ⊘, romane mais très remaniée, pour y vi surtout, dans la chapelle orientée de droite, l'« ossuaire de saint Sernin ». sarcophage à l'antique, exécuté au 12e s. par le maître de Cabestany Roussillon, illustre sur trois faces la vie et le martyre du fondateur de l'égl de Toulouse vers le milieu du 3e s. C'était le maître-autel de l'église abbatia

Grotte de LOMBRIVES

Cartes Michelin n° 🔢 Sud des plis 4 et 5 ou 🔢 pli 46.

Située au Sud de Tarascon-sur-Ariège, la **grotte de Lombrives** ⊘ est curieuse p l'immensité de ses salles et par les faits, réels ou imaginaires, qui s'y rattache Sa température est constante : 13 °C. On visite 3,6 km de galeries sur de niveaux, séparés par près de 150 marches (escaliers et rampes) assez pénibl Par la galerie basse, on accède à la « cathédrale », cavité d'une centaine de mètr de hauteur sous voûte. Dans les galeries supérieures, remarquer surtout « mammouth », très belle concrétion, haute et vaste, et le « tombeau de Pyrène

L'histoire et la légende – Les parois de la grotte sont couvertes d'inscriptions de graffitis, témoignages de la longue occupation par les hommes à travers l âges. 4 000 ans avant J.-C. elle leur servit d'abri (contre les animaux sauvag et les intempéries) et aussi de sépulture. On dit que ce sont les Romains d ont laissé à Lombrives la légende de Pyrène, belle jeune fille qui se laissa sédu par Hercule, beau jeune homme. Fuyant la colère de son père, Bébryx, elle par cacher son déshonneur dans la montagne. Un ours la terrassa. A ses cris Herc accourut mais arriva trop tard. Avant de l'ensevelir dans sa dernière demeu il fit ainsi son éloge : « Afin que ta mémoire se perpétue à jamais, douce Pyrèr ces montagnes dans lesquelles tu dors s'appelleront désormais les Pyrénées Au Moyen Âge, elle fut le refuge des hommes traqués. On a prétendu que trésor des cathares aurait été caché dans la grotte en 1244. En 1298, tr hommes y furent décapités pour y avoir fabriqué de la fausse monnaie. A Renaissance, on venait y chercher des concrétions pour orner les salons rocaille, alors en vogue.

Lors des guerres de Religion, catholiques et protestants se cachèrent à Lombrive alternativement. Puis des réfugiés politiques, des brigands, des francs-maço y trouvèrent asile. Plus tard, elle fut l'objet d'explorations (par E.-A. Martel) d'études scientifiques. Dans les sols, des savants ont retrouvé, à la fin du 19e et au début du 20e s., en plus des ossements humains (si longs qu'on préter aussi qu'une race de géants aurait séjourné dans la grotte), des grattoirs, flèche haches, bijoux, etc.

Alphonse de Lamartine et Louis Bonaparte comptent parmi les visiteurs célèbr

La formation géologique – La présence de blocs erratiques, que l'on peut voir a cours de la visite, expliquerait l'hypothèse qu'un glacier venu du Vicdessos po rejoindre l'Ariège aurait creusé sur son passage les grottes de Niaux et Lombriv qui ne sont qu'une seule et même cavité. Le spéléologue E.-A. Martel émit u deuxième théorie : c'est l'eau du Vicdessos, entrant à Niaux, qui s'engouffra da les fissures existantes pour ressortir dans les eaux de l'Ariège. Trouvant un verr à Ussat, elle bifurqua vers d'autres anfractuosités qu'elle agrandit, pour reparaît à Sabart. La percée hydrogéologique Niaux-Lombrives-Sabart ainsi forme constitue un même réseau souterrain.

Le guide Vert Michelin France.

Destiné à faciliter la pratique du grand tourisme en France,
il invite à goûter soi-même les chefs-d'œuvre de la nature et des hommes.

Il trouve sa place dans toutes les voitures.

LUZENAC

690 h.

Cartes Michelin n° 🆂🆆 Nord du pli 15 ou 🆁🅴🅷 plis 46, 47 – Schéma p. 50.

Depuis la fin du 19ᵉ s., Luzenac doit son renom à son gisement de talc. De la carrière de Trimouns, s'ouvrant en pleine montagne dans le massif du St-Barthélemy entre 1 700 et 1 850 m d'altitude, le talc brut est descendu par bennes à l'usine de la vallée où ont lieu le séchage, le broyage et le conditionnement.

★ **Montée à Trimouns** – *Circuit de 39 km – environ 3 h.*

> *Quitter Luzenac par le pont sur l'Ariège et la D 2, route de Caussou.*

Unac – Église romane fièrement campée au-dessus de la vallée. A l'intérieur, les deux gros chapiteaux flanquant l'entrée du chœur sont d'un travail vigoureusement fouillé.

Continuer par la D 2, **route des Corniches** (vues plongeantes sur la vallée de l'Ariège), puis tourner à gauche, vers Lordat.

Château de Lordat – *Montée déconseillée par temps de pluie. Gagner la placette de l'église puis, au-delà, par la ruelle en descente, le parking aménagé au pied du château. Prendre le sentier fléché.*

Le château fort, l'un des plus disputés du comté de Foix, ne présente guère que des vestiges ruiniformes, mais sa position bien détachée sur un piton calcaire en fait un **belvédère**★ sur le Sabarthès *(p. 141)*, le sillon de l'Ariège vers Ax et la chaîne frontière, du côté de l'Andorre.

> *Revenir au carrefour de la route des Corniches où prendre, tout droit, la route de Trimouns.*

★ **Carrière de Trimouns** ⊙ – *Quitter la voiture au parking « Visiteurs ».*

Ce gisement est l'un des plus importants exploités dans le monde. **Vues**★ étonnantes sur le large filon blanc de talc. Les hommes sont, pour la plupart, affectés au tri manuel des diverses qualités de talc.

Le **panorama**★★ sur les montagnes de la haute Ariège est saisissant.

> *Redescendre au bourg de Lordat d'où l'on regagne directement Luzenac par Vernaux.*

Vernaux – La route contourne en contrebas du village l'église isolée, édifice roman menu mais très soigneusement construit en tuf.

L'estimation de temps indiquée pour chaque itinéraire correspond au temps global nécessaire pour bien apprécier le paysage et effectuer les visites recommandées.

MAGRIN

106 h.

Cartes Michelin n° 🆂🆃 plis, 9, 10, 19 ou 🆁🅴🅷 pli 31.

Petite ville du Tarn, Magrin fut rendue célèbre par son château (12ᵉ-16ᵉ s.) qui abrite, depuis 1982, le seul musée du pastel en France.

Au sommet d'une butte de 330 m, le château de Magrin offre un splendide **panorama**★ sur la Montagne Noire et la chaîne des Pyrénées.

LE PAYS DU PASTEL

Le pastel

Connu pour ses vertus médicinales depuis la plus haute Antiquité et utilisé en tant que plante fourragère et mellifère encore aujourd'hui, le pastel – de son nom scientifique *Isatis tunctoria* – est la plante traditionnelle des teinturiers, leur permettant d'obtenir toutes les nuances de bleu.

Nuances de bleus.

Le Pays de Cocagne – Principalement cultivé sur le pourtour méditerranéen, le pastel atteint une exceptionnelle densité de production dans une zone que l'on peut délimiter par un triangle ayant pour sommets Albi, Toulouse et Carcassonne. C'est à partir du 14ᵉ s. que sa culture et son commerce vont connaître un essor étonnant aux environs d'Albi et, forte du succès de cette expérience, la production d'Isatis va peu à peu se développer vers le Sud pour atteindre le Lauragais.

Au 15ᵉ s., quelques riches Toulousains intensifient la culture du pastel dans leurs domaines en y ajoutant des moulins pastelliers permettant d'obtenir, à partir des feuilles d'Isatis broyées, une pâte presque homogène qui, distribuée en piles et laissée en fermentation une quinzaine de jours, donnera les si précieuses cocagnes, coques de pastel. Celles-ci subissent un traitement complémentaire de quatre mois au terme duquel on obtient l'agranat de pastel, prêt pour l'exportation.

Toulouse, capitale financière, prend alors conscience de l'importance de sa situation géographique entre les zones pastellières et les ports de l'océan. Les premiers marchands s'assurent le contrôle des productions teinturières locales tout d'abord, puis du commerce régional et européen. Au pays de Cocagne, c'est l'âge d'or du pastel qui, en dépit d'une profusion d'initiatives culturelles et économiques, ne durera guère plus de soixante ans. Le déclin sera rapide, du fait des guerres de Religion et de l'apparition de l'indigo (ou teinture « des Indes »).

Le renouveau du pastel – Le pastel connaît aujourd'hui un regain d'intérê
qui s'appuie sur diverses initiatives, d'ordre scientifique, tout d'abord, grâce au
recherches de l'École nationale de chimie de Toulouse, et agricoles, avec 60 h
de pastel à nouveau cultivés dans le Lauragais.

Des débouchés sont par ailleurs envisagés dans l'industrie de la cosmétologie
en même temps que l'on étudie la possibilité de réutiliser le bleu tiré du paste
pour la teinture des fils destinés au tissage de tapisseries.

Visite du pays du Pastel *73 km – compter 1 journée*

Gagner le château de Magrin au Nord par la D 12.

★ **Château-musée du Pastel** ⊙ – Installé dans le château de Magrin, il perme
de découvrir un moulin pastellier, le séchoir à cocagnes, et une présentatio
des divers stades de fabrication du bleu : histoire de la plante tinctoriale, objet
et documents anciens, véritables cocagnes, agranat de pastel. Un montag
audio-visuel complète la visite.

Moulin pastellier – Provenant d'une vieille ferme du village d'Algans e
intégralement reconstitué, il se compose d'une énorme meule de gran
(1,40 m × 0,40 m) d'un poids de deux tonnes, d'une poutre transversale e
chêne massif reposant sur des axes de fer et de deux timons d'entraînemer
en bois.

Séchoir à pastel – Des huit grilles originelles, sur lesquelles on empilait le
coques de pastel séparées par des clayonnages, ne subsistent plus aujourd'hu
que quatre exemplaires. Chacune d'elles permettait de stocker près d
14 000 cocagnes
d'un poids total de
deux tonnes.

*Quitter le châ-
teau de Magrin
par la D 12 et
prendre à gauche
la D 40.*

**Château de Roque-
vidal** ⊙ – Le corps de
logis est flanqué de
quatre grosses tours
d'angle, abaissées
d'un étage dans les
années qui suivirent
la révocation de l'édit
de Nantes. La façade
principale porte l'em-
preinte de la Renais-
sance.
A l'intérieur, inso-
lite dans ce cadre
historique, inté-
ressante **collection**
de machines à écrire dont une Edelmann et une Lambert de la fin du 19e s

En quittant le château, tourner deux fois à droite.

En Olivier – Ce hameau abrite le **musée Nostra Terra Occitana** ⊙, consacré à l'out
et aux machines agricoles. Divers objets et souvenirs familiaux contribuent à la
reconstitution d'un intérieur paysan du début du siècle.

Rejoindre la N 126 que l'on prend en direction de Toulouse.

Loubens-Lauragais – Charmant village fleuri adossé à un **château** ⊙. La visite
de celui-ci permet de pénétrer dans l'histoire de la famille de Loubens, qui donna
de grands serviteurs à l'État. Hugues de Loubens fut, au 16e s., cardinal, prince
souverain de l'Ordre de Malte. C'est son frère Jacques qui rebâtit le château
à la fin du 16e s.

La façade, avec ses deux grosses tours en avancée, donne sur un parc paisible
A l'intérieur, on s'attardera dans la belle bibliothèque gothique et devant une
suite de neuf tapisseries des Flandres (16e s.).

Se diriger vers Caraman. Là, prendre la D 1 en direction de Revel.

St-Julia – *Page 134.*

*Prendre au Nord la direction d'Aguts. Tourner à droite peu après Puéchours
pour gagner le château de Montgey.*

Château de Montgey – *Page 135.*

Par Aguts et Puylaurens, on revient à Magrin.

Participez à notre effort permanent de mise à jour.

Adressez-nous vos remarques et vos suggestions :

Cartes et Guides Michelin
46, avenue de Breteuil
75324 PARIS CEDEX 07

MARTRES-TOLOSANE

Cartes Michelin n° 82 pli 16 ou 235 pli 37 – 4 km au Nord-Est de Boussens.

La cité s'ordonne autour d'un anneau de boulevards cernant le quartier d'où pointe le clocher gothique de l'église. Elle s'élève sur le territoire de l'ancien domaine gallo-romain de **Chiragan** dont la villa, fouillée au 19ᵉ s., avait livré près de 300 statues et bustes, déposés au musée St-Raymond de Toulouse.

Quelques ateliers maintiennent encore à Martres la tradition de la faïence d'art. Le « dimanche tolosan » *(voir le tableau des manifestations en fin de volume)* voit chaque année se dérouler une reconstitution historique avec simulacre de combat entre Sarrasins et chrétiens. Ce jour-là, Martres célèbre son héros et patron martyr, saint Vidian. Il semble que les musulmans n'aient passé que trois ans en Aquitaine au début du 8ᵉ s. et le preux Vidian pourrait bien n'être qu'une réincarnation de Vivien, neveu de Charlemagne, célèbre par la chanson de geste de Guillaume d'Orange que diffusaient les troubadours et les pèlerins.

Église St-Vidian – Élevé à l'emplacement d'une basilique funéraire elle-même fondée sur une nécropole paléochrétienne, l'édifice actuel remonte au 14ᵉ s. Outre les sarcophages – les deux plus beaux sont à l'intérieur – on

Musée Pyrénéen, Lourdes/GIRAUDON

Martres-Tolosane – Aiguière (18ᵉ s.).

remarque dans la nef, à gauche, la chapelle St-Vidian qui s'ouvre sous l'ancien portail de l'église romane. Les reliques du martyr sont disposées dans un monument de pierre de style flamboyant.

ENVIRONS

Alan – *8,5 km au Nord-Ouest – environ 3/4 h. Prendre la D 10 au Nord.*
On y visite l'**ancien palais des Évêques** ⊘ (entrée à gauche de la Grand-Place, par un portail en fer forgé surmonté d'une mitre).
La bastide d'Alan, fondée en 1270, devint une des résidences préférées des évêques de St-Bertrand-de-Comminges. Les vestiges de leur château sont entrés depuis 1912 dans la chronique par les déboires de la **« vache d'Alan »★**, grand motif sculpté en haut-relief au tympan d'une porte de style gothique flamboyant ouvrant sur une tourelle d'escalier. La vache, mutilée, porte au cou les armes de l'évêque Jean-Baptiste de Foix-Grailly (1466-1501), auteur de ces embellissements. Elle manqua d'être exilée par deux fois et ne dut sa sauvegarde qu'à l'opposition farouche de la population puis au sauvetage du palais en ruine, à partir de 1969.

Hôpital Notre-Dame-de-Lorette – *1 km au Sud-Ouest.* Fondé en 1734 par l'évêque de Lubière du Bouchet, l'édifice est en cours de restauration après un long abandon. La visite comprend diverses salles, dont la chapelle et le cloître.

Menhirs de Mancioux – *5 km au Sud-Ouest par la N 117.*
Ils sont situés au bord de la route, dans la cluse de Boussens, cette coupure de la Garonne à travers les « Petites Pyrénées » calcaires, chaînons habités dès la préhistoire, qui fut aussi une grande voie de passage et d'invasion. Les menhirs furent conservés par les Romains comme balises, à une bifurcation de la voie romaine de Toulouse à St-Bertrand.

★★ Grotte du MAS-D'AZIL

Cartes Michelin n° 86 pli 4 ou 235 pli 42.

C'est une des curiosités naturelles les plus intéressantes de l'Ariège. C'est aussi une station préhistorique célèbre dans le monde scientifique car c'est là que l'azilien a été étudié et défini.
En effet, grâce à des fouilles méthodiques, Édouard Piette allait découvrir, en 1887, une couche originale d'habitat humain, entre le magdalénien (30 000 ans avant J.-C.) finissant et le début du néolithique : l'azilien (9500 avant J.-C.). Après lui, l'abbé Breuil et Joseph Mandement continuèrent les recherches, mais aussi Boule, Cartailhac... Le produit des fouilles, représentant des millénaires de préhistoire (la grotte fut habitée avant la période magdalénienne), est exposé dans la grotte et au bourg du Mas-d'Azil.

Grotte ⊘ – Creusée par l'Arize sous un chaînon du Plantaurel, cette grotte est un tunnel long de 420 m et d'une largeur moyenne de 50 m. En amont, l'arche d'entrée est magnifique (65 m de haut) ; en aval, l'ouverture, surbaissée (7 à 8 m), est forée dans un rocher à pic d'une hauteur de 140 m. La route utilise ce passage, côtoyant le torrent dont les eaux sapent les parois calcaires, elle s'enfonce sous une voûte majestueuse, étayée au centre par un énorme pilier rocheux.

Primitivement, avant de percer la montagne, l'Arize la contournait : l'origine de cette vallée sèche, coudée en méandre vers l'Est, est bien reconnaissable à hauteur du village de Rieubach.

Collections préhistoriques – Les 4 étages de galeries fouillées se développent sur 2 km dans un calcaire dont l'homogénéité empêche les infiltrations et la propagation de l'humidité. On visite entre autres la salle du Temple, lieu de refuge protestant dont Richelieu fit sauter le plancher intermédiaire à la suite du siège infructueux de 1625. Des vitrines présentent des pièces remontant aux époques magdalénienne (grattoirs, burins, aiguilles, moulage de la célèbre tête de cheval hennissant) et azilienne (harpons en bois de cerf – les rennes avaient fui vers le Nord à cause du réchauffement du climat –, pointes, galets coloriés, outillage miniaturisé).

Dans la salle Mandement apparaissent, enrobés dans les déblais, des vestiges de faune (mammouth et surtout ours) amoncelés en ossuaire sans doute par des crues souterraines (l'Arize, dix fois plus considérable qu'aujourd'hui, faisait monter l'eau jusqu'à la voûte).

Musée de la Préhistoire ⊙ – Collections d'époque magdalénienne et surtout le célèbre « Faon aux oiseaux ».

Le Faon aux oiseaux du Mas d'Azil.

En saison, le nombre de chambres vacantes dans les hôtels est souvent limité.
Nous vous conseillons de retenir par avance.

MIREPOIX   2 993 h. (les Mirapiciens)

Cartes Michelin n° 🟦🟦 pli 5 ou 🟦🟦🟦 pli 43.

Le nom de cette ancienne bastide, créée en 1279, est lié à celui de la famille de Lévis, depuis la croisade des Albigeois. La branche de Lévis-Mirepoix remonte en effet à Guy Iᵉʳ de Lévis, lieutenant de Simon de Montfort, promu « maréchal de la Foi ».

★★ **Place principale (place Général-Leclerc)** – Entourée de maisons (fin 13ᵉ s.-15ᵉ s.) dont le premier étage s'avance sur des **« couverts »** en charpente, elle offre avec son jardin public, ses magasins vieillots et ses cafés un lieu de détente plaisant surtout le soir.

Aux angles Nord-Ouest et Nord-Est, observer la disposition caractéristique des « cornières » : les couverts se rejoignent et ne laissent aux voies de desserte qu'un interstice.

Cathédrale – L'ordonnance de l'édifice ne laisse pas soupçonner la longue histoire de ses chantiers : commencée en 1343, l'église ne reçut ses voûtes d'ogives qu'en 1865. L'élégante flèche gothique fut commencée en 1506, l'année même de la consécration.

Entrer par le portail Nord.

Le vaisseau (début du 16ᵉ s.), flanqué de chapelles engagées entre les contreforts intérieurs suivant la tradition du gothique du Midi, est le plus large (31,60 m) de ceux jamais construits pour une église gothique française.

ENVIRONS

Camon – *8 km au Sud-Est, par la D 625, puis la D 7.*
On laisse sur la gauche les ruines imposantes du château de Lagarde, pour s'engager dans la vallée de l'Hers. Le petit village de Camon, ramassé autour de sa puissante abbaye, apparaît dans un site dominé par les collines ariégeoises.

Couverts – Tête sculptée.

★ MOISSAC
11 971 h. (les Moissagais)

Cartes Michelin n° **79** plis 16, 17 ou **235** plis 17, 21.

Dans un cadre d'eau et de verdure, entourée de coteaux couverts de vergers et de vignobles produisant un chasselas (raisin blanc) réputé, Moissac s'élève autour de son ancienne abbaye, sur la rive droite du Tarn et de part et d'autre du canal latéral à la Garonne.

Le chasselas doré – Les coteaux du Bas-Quercy qui bordent la rive droite du Tarn et de la Garonne, entre Montauban et Moissac, produisent chaque année plus de 18 000 t d'un chasselas doré de tout premier choix. Le « Moissac » véritable se présente sous la forme de belles grappes longues, à grains ronds, bien détachés, d'une couleur nacrée, légèrement dorée ; très sucré et parfumé, il est réputé pour son goût particulièrement fin.

UN PEU D'HISTOIRE

L'âge d'or de l'abbaye – C'est aux 11e s. et 12e s. que l'abbaye connaît son plus grand rayonnement. Fondée vraisemblablement au 7e s. par un moine bénédictin de l'abbaye normande de St-Wandrille, la jeune abbaye de Moissac n'échappe pas aux pillages et dévastations de la part des Arabes, des Normands et des Hongrois.
Elle ne s'en relève que difficilement, lorsque, en 1047, un événement change sa destinée. De passage en Quercy, saint Odilon, le prestigieux abbé de Cluny, qui venait d'établir les règlements du monastère de Carennac, unit l'abbaye de Moissac à celle de Cluny. Alors commence une ère de prospérité. Grâce à l'appui de Cluny, l'abbaye de Moissac établit partout des prieurés et étend son influence jusqu'en Catalogne.

Une succession de malheurs – La guerre de Cent Ans, au cours de laquelle Moissac est deux fois occupée par les Anglais, puis les guerres de Religion portent de rudes coups à l'abbaye. Sécularisée en 1628, elle est supprimée sous la Révolution.
En 1793, au moment de la Terreur, les archives sont dispersées, les trésors d'art pillés, de nombreuses sculptures mutilées. Au milieu du siècle dernier, elle échappe de justesse à une destruction plus complète, puisqu'il fut alors question d'abattre les bâtiments conventuels et le cloître pour y faire passer la voie ferrée de Bordeaux à Sète. L'intervention des Beaux-Arts la sauva de la ruine.

L'ABBAYE *visite : 1 h*

★ **Église St-Pierre** – C'est l'ancienne abbatiale. De l'édifice du 11e s. ne subsiste que le clocher-porche, sorte de donjon avec chemin de ronde, construit dans un but défensif mais dont le dernier étage ne date que de la fin de l'époque gothique.
Extérieurement apparaissent les deux périodes très différentes auxquelles appartient la nef : une partie, en pierre, est romane, l'autre, en brique, est gothique. On retrouve la partie romane dans le soubassement des murs de la nef et dans les fenêtres en plein cintre des parties basses. Le reste fut exécuté au 15e s. en gothique méridional.

★ **Portail méridional** – Le tympan de ce portail, exécuté entre 1100 et 1130, compte parmi les chefs-d'œuvre de la sculpture romane. La majesté de sa composition, l'ampleur des scènes traitées, l'harmonie des proportions entre les divers personnages sont d'une puissance et d'une beauté auxquelles la maladresse de certains gestes et la rigidité de quelques attitudes n'enlèvent rien.
Le thème est celui de la Vision de l'Apocalypse d'après saint Jean l'Évangéliste.
Trônant au centre de la composition, le Christ (1) domine les autres personnages : couronné et nimbé, serrant dans la main gauche le Livre de la Vie, il lève la main droite dans un geste de bénédiction. Ses traits fortement marqués, ses yeux brillants, sa barbe et ses cheveux divisés en mèches symétriques ajoutent à la sévérité du regard et accusent l'impression de puissance et de majesté se dégageant de sa personne.

Portail de Moissac – Le prophète Jérémie.

Moissac – Portail méridional.

Les quatre Évangélistes l'entourent sous la forme de leurs symboles: saint Matthieu représenté par un jeune homme ailé (2), saint Marc par un lion (3), saint Luc par un taureau (4), saint Jean par un aigle (5); deux séraphins (6) aux longues silhouettes encadrent cette scène magnifique. Le reste du tympan est occupé par les vingt-quatre vieillards de l'Apocalypse, étagés sur trois registres superposés mais représentés dans des attitudes très personnelles. Leur visage, tourné vers le Christ, exprime l'étonnement devant une telle apparition. Ce tableau atteint une rare intensité, la composition étant axée sur le personnage principal, vers lequel convergent tous les regards. La beauté et l'élégance des formes, la perfection du modelé et des draperies, la précision des détails, l'expression des visages sont admirables.

Cet ensemble repose sur un remarquable linteau (8), décoré de huit rosaces encadrées par un câble sortant de la gueule de deux monstres placés à chaque extrémité.

Le trumeau (9), de style vigoureux, est un magnifique bloc monolithe orné de trois couples de lions dressés, leurs corps, croisés en X, se superposant.

Complétant la décoration de ce trumeau, les deux saisissantes figures longilignes et ascétiques de saint Paul, à gauche, et de Jérémie, à droite (10), sont sculptées sur les faces latérales du trumeau, tandis que sur les piédroits apparaissent saint Pierre (11), patron de l'abbaye, et le prophète Isaïe (12). Les piédroits polylobés et certains éléments décoratifs révèlent une influence hispano-mauresque explicable par la position de Moissac sur un itinéraire de pèlerinage vers St-Jacques-de-Compostelle.

Le tympan est encadré de trois voussures (13) ornées de feuillages stylisés. De chaque côté des piédroits sont sculptées des scènes historiées dans des éléments de sarcophages, en marbre des Pyrénées; à droite (14), de bas en haut, l'Annonciation, la Visitation, l'Adoration des Mages, la Présentation de Jésus au Temple et la Fuite en Égypte; à gauche (15), scènes de la Damnation: avare et femme adultère torturés par des démons, des crapauds et des serpents, histoire du mauvais riche festoyant sans se soucier du pauvre Lazare mourant de faim et dont un ange recueille l'âme pour la porter dans le sein d'Abraham. L'archivolte du porche et les pilastres sont finement décorés: sur les colonnes flanquant le portail, apparaissent les statues de l'abbé Roger, qui mena à bien l'édification de ce portail, et d'un moine bénédictin.

Intérieur – On pénètre dans le narthex dont la voûte repose sur des ogives massives; il est décoré de chapiteaux très stylisés, datant des 11e et 12e. La nef a conservé une partie de son mobilier. On remarque, dans la deuxième chapelle, à droite en entrant, une Vierge de Pitié de 1476 (a) dans la chapelle suivante, une charmante Fuite en Égypte de la fin du 15e s. (b), dans la dernière chapelle à droite, une Mise au tombeau (c) de 1485. Le chœur est entouré d'une clôture en pierre sculptée, du 16e s., derrière laquelle on a dégagé récemment une abside carolingienne. Stalles du 17e s. (d). Dans une niche placée sous l'orgue, sarcophage mérovingien (e) en marbre blanc des Pyrénées, mais surtout, adossé au mur gauche, à droite de l'orgue, admirable **Christ★** roman du 12e s. (f).

★★ Cloître (D) ⊙ – Accès en contournant le clocher-porche.

Ce cloître (fin 11e s.) est remarquable par la légèreté de ses arcades et de ses colonnes, alternativement simples ou géminées, l'harmonie des tons de ses marbres – blanc, rosé, vert, gris – et la richesse de sa décoration sculptée.

Quatre galeries voûtées en appentis avec charpente apparente reposent sur 76 arcades renforcées de piliers aux angles et au milieu des côtés. Ces piliers, revêtus de blocs de marbre provenant d'anciens sarcophages, sont décorés

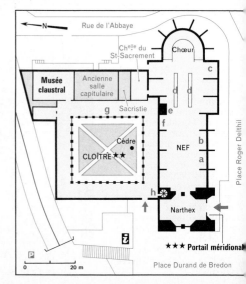

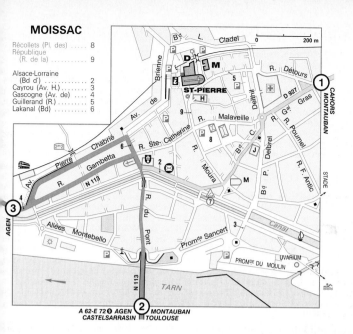

MOISSAC

de bas-reliefs : on y trouve neuf effigies d'apôtres et, sur le pilier placé au milieu de la galerie située du côté opposé à l'entrée, celle de l'abbé Durant de Bredon (g), évêque de Toulouse et abbé de Moissac qui joua un rôle prépondérant dans le développement de l'abbaye ; son effigie, exécutée quinze ans seulement après sa mort, passe pour un véritable portrait par le réalisme de son exécution.
Les chapiteaux présentent une grande variété : animaux, feuillages, motifs géométriques, scènes historiées, sont traités avec art. Les sujets sont empruntés à l'Ancien et au Nouveau Testament : épisodes de la Vie du Christ, ses miracles et ses paraboles, des scènes de l'Apocalypse et de la Vie des saints honorés dans l'abbaye.
Un très beau cèdre se dresse dans la cour. A droite de l'entrée du cloître, un escalier (h) mène au 1er étage du narthex : vue sur le cloître.
Le **musée claustral**, aménagé dans les quatre chapelles de l'angle Nord-Est du cloître, présente une section lapidaire (11e-13e s.), une section photographique évoquant le rayonnement de la sculpture moissagaise en Quercy et une section d'art religieux local : orfèvrerie, mobilier liturgique, ornements du 17e au 19e s.

AUTRE CURIOSITÉ

Musée moissagais (M) ⊘ – Il est installé dans l'ancien logis des abbés, importante construction flanquée d'une tour crénelée de briques, du 13e s., qui fut démantelée pendant la Révolution.
Dès l'entrée, deux cartes montrent l'importance de l'abbaye au Moyen Âge et son rayonnement à travers tout le Sud-Ouest. La vaste cage d'escalier du 17e s. sert de cadre à la présentation d'objets historiques religieux.
Les salles sont consacrées aux collections folkloriques : céramiques régionales (surtout d'Auvillar), mobilier, coiffes moissagaises, reconstitution d'une cuisine du Bas-Quercy au 19e s., diverses manifestations d'artisanat, costumes, monnaies.
Du sommet de la tour, on découvre une vue étendue sur la ville dont les vieux quartiers se pressent autour de l'abbaye et, au-delà, sur la vallée du Tarn et les coteaux du Moissagais.

ENVIRONS

Boudou – 7 km à l'Ouest. Quitter Moissac par ③ du plan, N 113, et prendre à droite, après le pont suspendu de St-Nicolas, une petite route signalée menant au village.
D'un promontoire, au Sud de l'église (table d'orientation), se développe un **panorama**★ étendu sur la vallée de la Garonne, dont la rive droite passe au pied de collines en partie couvertes de vignes, tandis que la rive gauche, très plate, est tapissée de cultures coupées de peupleraies ; à gauche, apparaît le confluent de la Garonne et du Tarn et le lac de barrage de St-Nicolas-de-la-Grave.

Afin de donner à nos lecteurs l'information la plus récente possible, les conditions de visite des curiosités décrites dans ce guide ont été groupées en fin de volume.

Dans la partie descriptive du guide, le signe ⊘ placé à la suite du nom des curiosités soumises à des conditions de visite les signale au visiteur.

Cartes Michelin n° **79** plis 17, 18 ou **235** pli 22.
Plan d'agglomération dans le guide Rouge Michelin France.

A la limite des collines du Bas-Quercy et des riches plaines alluviales de la Garor
et du Tarn, Montauban, ancienne bastide construite sur plan régulier, est
important carrefour de routes, le point de départ d'excursions dans les gor;
de l'Aveyron et une active ville-marché, assurant la vente de la product
maraîchère et fruitière de toute la région.
L'emploi presque exclusif de la brique rose donne aux monuments un caract
très particulier qui se retrouve dans la plupart des villes et bourgades
Bas-Quercy ainsi qu'à Toulouse.

UN PEU D'HISTOIRE

Une puissante bastide – Dès le 8e s., plusieurs collectivités étaient d
installées à l'emplacement de l'actuel faubourg du Moustier, sur un cote
dominant le Tescou ; plus tard s'y établit un couvent de bénédictins près duc
se développa une localité qui prit le nom de Montauriol, mais ce n'est qu
12e s. que fut fondée la ville actuelle. Victimes des abus dont se rendaie
coupables à leur égard l'abbé de Montauriol et les seigneurs du voisinage,
habitants demandèrent aide et protection à leur suzerain, le comte de Toulou
Ce dernier, en 1144, fonda une abside sur un plateau dominant la rive dro
du Tarn et la dota d'une charte très libérale : attirés par les avantages qui l
étaient consentis, les habitants de Montauriol accoururent, contribuant à l'es:
de la nouvelle localité ; son nom, *Mons albanus,* donna naissance à celui
Montauban.

Une citadelle du protestantisme – Dès 1561, la ville est en grande par
acquise à la Réforme ; les deux consuls sont calvinistes et poussent la populati
à piller églises et couvents. Une réaction catholique, sous l'impulsion
Charles IX, ne parvient pas à endiguer un mouvement général en faveur c
idées nouvelles. Lors de la paix de St-Germain en 1570, Montauban est reconn
comme place de sûreté protestante. Henri de Navarre renforce ses fortificatic
et c'est là qu'à trois reprises se tiennent les assises de toutes les églises réform&
de France.
Mais avec Louis XIII, l'heure de la « reconquête catholique » a sonné : en 162
Montauban est assiégée par une armée de 20 000 hommes, commandée ;
le roi en personne et son favori, de Luynes. La résistance est magnifique, tr
assauts sont repoussés ; au bout de trois mois, sur l'ordre du roi d'abandon
la place, l'armée catholique lève le siège.
Mais ce succès est éphémère et, dès la prise de La Rochelle en 1628, Montaub;
dernier bastion du protestantisme, voit de nouveau marcher sur elle l'armée
Louis XIII. La ville, cette fois, ouvre ses portes sans combat et acclame le
et le cardinal de Richelieu. Les fortifications sont détruites. Les huguenc
bénéficient de la clémence royale.

Un maître du dessin – Né à Montauban en 1780, d'un père artisan-déc
rateur qui lui donne jusqu'à l'âge de 17 ans de solides bases en musique
en peinture, **Ingres** fréquente à Toulouse l'atelier du peintre Roques, puis, att
par Paris, devient l'élève de David. Grand Prix de Rome à 21 ans, il se fi
près de vingt ans en Italie avant de s'établir à Paris où il ouvre un atelier
fonde une école. C'est surtout par le dessin que s'est manifesté son talent
la pureté et à la précision du trait atteignant à la perfection, s'ajoute u
personnalité extraordinaire dans la composition des innombrables portraits
études exécutés en général à la mine de plomb. Ingres connut, bien avant
fin de sa vie, à 85 ans, les honneurs et la gloire. Très attaché à sa ville nata
il lui légua une part importante de son œuvre, dont le musée est aujourd'h
le dépositaire.

Un grand sculpteur – Né lui aussi à Montauban, **Bourdelle** (1861-1929) d
beaucoup à son maître Rodin. Il a su, dans ses compositions – bustes ou group
sculptés –, allier la virilité des attitudes, la simplicité des lignes et la nobles
des sentiments. Son *Héraklès archer,* au musée Bourdelle de Paris, constitue l'
des sommets de son art.

★★ MUSÉE INGRES ⊙

Il est installé dans l'ancien palais épiscopal, construit en 1664 sur l'emplaceme
de deux châteaux. Un premier château, dit « château-bas », fut bâti au 12e
par le comte de Toulouse afin de surveiller le passage du Tarn ; démantelé
1229, il fut remplacé un siècle plus tard par une autre forteresse, élevée s
l'ordre du Prince Noir au cours de la guerre de Cent Ans ; de cette constructic
subsistent encore quelques salles.
Le palais actuel fut racheté par la municipalité lors de la suppression du dioc&
à la Révolution et aménagé en musée à partir de 1843. C'est un imposant
sobre édifice de brique rose dont le corps de bâtiment principal est flanqué
deux pavillons.

1er étage – Il est le pôle d'attraction du musée, puisqu'il est destiné à mettre
valeur les œuvres d'Ingres. Plafonds à la française et planchers à marquete
constituent un décor choisi à leur exposition.
Après une salle consacrée à la tradition classique chez Ingres, où ressort s
admirable composition de *Jésus parmi les docteurs*, achevée à l'âge de 82 ar
une grande salle renferme de nombreuses esquisses, des études d'académie
des **portraits** – portraits de Gilbert, de Madame Gonse, de Belvèze – et le *Son;
d'Ossian,* vaste toile exécutée en 1812 et destinée à la chambre à coucher c

Napoléon à Rome, ainsi que *Roger délivrant Angélique*, réplique ovale de l'original du Louvre. Des œuvres de David, Chassériau, Géricault, Delacroix complètent cette présentation. Poursuivant dans les anciens salons de l'évêché, on remarque la vitrine des souvenirs personnels du maître – sa boîte à peinture et le proverbial violon ! – pour admirer enfin un choix de ses 4 000 **dessins**, la plus grande richesse du musée, exposés par roulement.

2ᵉ étage – On y a rassemblé d'excellents primitifs et des peintures du 14ᵉ au 18ᵉ s., légués par Ingres pour la plupart. On remarque, dans une vitrine, des œuvres italiennes du 15ᵉ s. (1ʳᵉ salle) ; la 3ᵉ salle est particulièrement riche de belles toiles des écoles flamande, hollandaise et espagnole du 17ᵉ s. Un mobilier de

Roger délivrant Angélique, par Ingres.

style Louis XV et Louis XVI accompagne cette présentation. Les fenêtres offrent une vue plongeante sur le Tarn et le Pont-Vieux.

Rez-de-chaussée – Une salle très vaste est consacrée à **Bourdelle** et permet de suivre l'évolution de l'art du grand sculpteur. Là se trouve, en plâtre patiné, son *Héraklès archer* ; on remarque les bustes de Beethoven, de Rodin, de Léon Cladel, d'Ingres et d'autres bronzes comme *La Nuit* et *Rembrandt vieux.*
La salle **Desnoyer** (1894-1972) rassemble les principales œuvres de ce peintre né à Montauban et des toiles d'autres artistes locaux.

Sous-sol – Dans la partie qui subsiste du château du 14ᵉ s., et sur deux niveaux, sept salles remarquablement voûtées sont consacrées à l'archéologie régionale, à l'histoire locale, aux arts appliqués et à des expositions temporaires.
L'ancienne salle des Gardes, dite salle du Prince-Noir, renferme des collections lapidaires médiévales et possède deux belles cheminées du 15ᵉ s. aux armes de Cahors. La salle Jean-Chandos abrite des bronzes, des terres cuites antiques et une **mosaïque** gallo-romaine trouvée à Labastide-du-Temple, au Nord-Ouest de Montauban.
D'importantes donations ont permis de constituer une belle collection de **faïences régionales** (Montauban, Auvillar).
Face au musée Ingres, en bordure du square du Général-Picquart, il faut voir l'admirable bronze du **Dernier centaure mourant★** (B), œuvre puissante et ramassée de Bourdelle (1914) et près du Pont-Vieux, sur le quai de Montmurat, le monument aux Combattants de 1870 (D), où se manifeste l'esprit architectural de l'artiste.

★ PLACE NATIONALE

C'est pour remplacer des « couverts » en bois, détruits par deux incendies en 1614 et 1649, que les arcades furent, au cours du 17ᵉ s., reconstruites en brique. Voûtées en arcs brisés ou en plein cintre, elles offrent une double galerie de circulation.
Cette fantaisie dans le détail, les tons chauds de la brique atténuent l'impression de rigueur qui pourrait se dégager de l'ensemble, sans pour autant nuire à son homogénéité. Les maisons de brique rose, aux hautes façades compartimentées de pilastres, qui entourent cette belle place, fâcheusement transformée en parking, se raccordent à chacun des angles par un portique placé en pan coupé. Tous les matins, un marché y ajoute une animation colorée.

AUTRES CURIOSITÉS

Pont-Vieux – En abordant le Pont-Vieux, par la rive gauche du Tarn, on voit se profiler l'ancien palais épiscopal et, par-delà de nombreux hôtels du 17ᵉ s., l'élégante tour de l'église St-Jacques.
Édifié en brique au début du 14ᵉ s., par les architectes Étienne de Ferrières et Mathieu de Verdun, sur l'ordre de Philippe le Bel, il mesure 205 m de longueur et franchit le Tarn en sept arches qui reposent sur des piles protégées par des avant-becs ; ses arches sont séparées par de petites arcades permettant un meilleur écoulement de l'eau en temps de crue. Contemporain du pont Valentré à Cahors, il était lui aussi fortifié.

Église St-Jacques – Dominant la ville, cette église fortifiée, dédiée à saint Jacques, porte sur la façade de la tour la trace des boulets du siège de 1621. Après la reconquête catholique *(voir p. 106)*, l'église où Louis XIII devait être reçu solennellement en 1632 fut élevée au rang de cathédrale dès 1629, prérogative qu'elle garda jusqu'en 1739. Reposant sur une tour carrée à mâchicoulis, le **clocher** date de la fin du 13ᵉ s. Il est bâti en brique sur plan octogonal et offre trois rangées de fenêtres. La nef, flanquée de chapelles latérales, a été refaite au 15ᵉ s. et voûtée d'ogives au 18ᵉ s.

MONTAUBAN

*Les plans de ville
sont toujours orientés
le Nord en haut.*

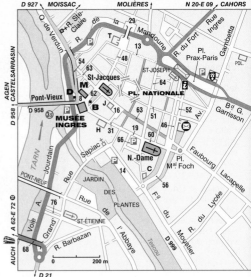

Cathédrale Notre-Dame – C'est un édifice classique de vastes proportions
La façade, encadrée de deux tours carrées, s'ouvre par un imposant péristyle
qui supporte les statues colossales des quatre Évangélistes, copies de celles qu
se trouvent à l'intérieur de la cathédrale.
Le chœur est très profond et la croisée du transept surmontée d'une coupole aux
pendentifs ornés des Vertus théologales. Dans le bras gauche du transept est
conservé un célèbre tableau d'Ingres, le **« Vœu de Louis XIII »** : le roi, au premier plan
vêtu d'un riche manteau fleurdelisé, se tourne vers la Vierge tenant l'Enfant Jésus
dans ses bras et lui offre son royaume sous la forme de son sceptre et de sa couronne

Ancienne Cour des Aides (M) – Ce bel immeuble construit au 17ᵉ s. abrite
deux musées.

Musée du Terroir ⊙ – Au rez-de-chaussée, l'Escolo Carsinolo – société félibréenne –
présente la vie quotidienne dans le Bas-Quercy. La plupart des anciens métiers
y sont évoqués par des outils, des instruments, des mannequins. Une salle
reconstitue un intérieur paysan du siècle dernier, avec ses habitants.

Musée d'Histoire naturelle et de Préhistoire ⊙ – Au 2ᵉ étage, plusieurs salles abriten
une collection de zoologie variée et, en particulier, un fonds très important
d'ornithologie : 4 000 pièces dont une partie est exposée, notamment des oiseaux
exotiques comme le perroquet, l'oiseau-mouche, l'oiseau de paradis. S'y ajoute
une section de paléontologie riche en vertébrés du tertiaire.

ENVIRONS

Lafrançaise – *17 km au Nord-Ouest. Quitter Montauban par la D 927.*
La route longe la rive droite du Tarn et franchit l'Aveyron à son confluent.
De la terrasse proche de l'église du village, on découvre une vue étendue sur
la rivière bordée de saules et de peupliers, et sur la vaste plaine. Au Sud-Est,
un plan d'eau est aménagé pour la baignade.

Villemur-sur-Tarn – *23 km au Sud-Est. – Quitter Montauban par la D 21 au Sud.*
Après Villebrumier, ancienne bastide, la D 87 s'élève à flanc de coteau avan
d'atteindre Villemur. Le bourg, ancienne place forte, est dominé par la tour
sarrasine du Vieux-Moulin, seul vestige des fortifications.

★ Pente d'eau de MONTECH

Cartes Michelin n° **79** Sud du pli 17 ou **235** pli 22.

Le procédé de la « pente d'eau », appliqué pour la première fois dans le monde
en 1974 sur le canal latéral à la Garonne, permet d'éviter les éclusages le long
de biefs en escalier. Elle n'est ouverte qu'aux bateaux de plus de 30 m –
340 unités ont emprunté la pente d'eau de Montech en 1992.

La pente d'eau – *Accès signalé au départ de la D 928, route de Montauban
à Auch, dans la traversée de Montech.*
L'innovation du procédé Jean Aubert réside dans le déplacement du bateau dans
un bief mobile, suivant la pente régulière (3 % sur 443 m de longueur) d'une
rigole. L'impulsion est donnée par deux automotrices sur pneus, enjambant la
fosse de cette rigole et y refoulant une tranche d'eau navigable, sous la poussée
d'un « masque » étanche.
À l'entrée, le bateau passe sous le masque en position relevée et s'engage jusqu'à
l'extrémité de la cuvette navigable, à l'amorce de la rigole.
Le masque s'abaisse : le bateau est isolé dans un « coin d'eau ». L'engin démarre
alors et pousse le masque, le bateau flottant dans un bief qui s'élève le long
de la rigole. Le coin d'eau se rapproche de la porte maintenant le niveau du
bief en amont. Lorsque les niveaux coïncident, la porte se rabat d'elle-même et
le bateau reprend sa navigation. L'opération dure 6 minutes. La descente
s'effectue en inversant les différentes manœuvres.

MONTGEARD

Cartes Michelin n° 82 plis 18, 19 ou 235 pli 34 – 2,5 km au Sud de Nailloux.

Le village rose, petite bastide soignée et fleurie, se distingue des bourgs installés sur les coteaux du Lauragais du Sud par maints témoignages de la piété populaire (oratoires, statues) et, surtout, par son église évoquant un ouvrage fortifié.

Église ⊙ – Elle fut achevée en 1561 par la construction d'une énorme tour carrée de façade à gargouilles et faux mâchicoulis, que couronne depuis le siècle dernier un clocher-mur.
Le porche extérieur Renaissance montre une voûte de brique compartimentée, aux clés ornées de médaillons de pierre à personnages. En passant dans la travée sous la tour, remarquer le pavement de galets de rivière aux motifs décoratifs, revêtement de sol souvent employé dans l'avant-pays pyrénéen.
Le vaisseau est couvert de voûtes d'ogives à liernes et tiercerons. On y verra surtout quatre albâtres du 16e s. : l'Assomption, sainte Catherine, le Couronnement de la Vierge et le Trône mystique.

★ MONT-LOUIS

Cartes Michelin n° 86 pli 16 ou 235 plis 51, 55 – Schéma p. 67.

Bâtie à 1 600 m d'altitude sur un tertre commandant le seuil de la Perche et les vallées de la Cerdagne à l'Ouest, du Capcir au Nord et du Conflent à l'Est, Mont-Louis est une ancienne place forte créée en 1679 par Vauban – qui avait parfaitement observé et compris l'importance de cette position – pour défendre la nouvelle frontière du **traité des Pyrénées.** Celui-ci, signé vingt ans plus tôt, en novembre 1659, dans l'île des Faisans, sur la Bidassoa *(voir le guide Vert Michelin Pyrénées Aquitaine Côte Basque)* mit fin aux hostilités entre la France et l'Espagne. Entre autres territoires, l'Espagne abandonnait le Roussillon à la France.
Ainsi, Mont-Louis, de par sa valeur géographique, ajoutée à sa valeur stratégique, devint-elle un excellent verrou de frontière... qui n'a jamais eu à servir ! Dans la citadelle (1681), si bien adaptée à la guerre d'embuscade, est installé un centre d'entraînement de défense mobile et d'instruction de commando.
L'austère cité honore la mémoire du général Dagobert (terrasse de l'église), maître dans l'art de la guerre en montagne, qui, en 1793, aux heures sombres de l'invasion du Roussillon, chassa les Espagnols de Cerdagne, et celle du général Gilles (1904-1961), natif du pays.

La place forte – Elle se compose d'une citadelle et d'une ville en contrebas, entièrement close de remparts.
La citadelle adopte un plan carré dont les angles coupés sont prolongés par des bastions. Trois demi-lunes protègent les courtines.
La cité – qui prit le nom de Mont-Louis en l'honneur de Louis XIV, souverain régnant lors de sa construction – n'ayant jamais subi de siège a conservé ses remparts intacts, de même que la Porte de France par laquelle on y accède, les bastions et les échauguettes.
Le long des glacis Sud s'offrent des points de vue sur le seuil de la Perche et le Cambras d'Aze.

Four solaire ⊙ – Il fut installé en 1953. Le concentrateur, modifié en 1980, comporte 860 miroirs concaves, l'héliostat, 546 miroirs plans. Cette structure concentre le rayonnement solaire en son foyer où peuvent être obtenues des températures de 3 000 à 3 500°. Le four solaire est passé, depuis juillet 1993, au stade de la mise en production.

ENVIRONS

Planès – *6,5 km au Sud par la route de la Cabanasse et St-Pierre-dels-Forçats. Laisser la voiture devant la mairie-école de Planès et prendre, à droite, le chemin de l'église.*
Des abords de l'église, qu'entoure un petit cimetière, belle **vue** sur le massif du Carlit. L'**église★** ⊙ est curieuse par son plan en polygone étoilé aux branches alternativement anguleuses et émoussées en absidioles semi-circulaires. La coupole centrale repose sur trois demi-coupoles.
On a beaucoup épilogué sur l'origine de ce monument, d'une structure très rare dans l'Occident médiéval, que la tradition locale a attribué aux Sarrasins : dans le pays, on aurait appelé l'église « la mesquita » (la mosquée). Il s'agit, sans doute, d'un édifice roman inspiré par le symbole de la Trinité.

★ **Lac des Bouillouses** – *14 km au Nord-Ouest – environ 1 h. Quitter Mont-Louis par la route de Quillan (D 118) ; 300 m après un pont sur la Têt, tourner à gauche dans la D 60.*
Au bout de 8 km le chemin quitte le fond du sillon boisé de la Têt pour s'élever sur le verrou marquant le gradin inférieur du plateau des Bouillouses. Un barrage a transformé le lac (alt. 2 070 m) en un réservoir de 17,5 millions de m³. Cette réserve d'eau permet d'alimenter les canaux d'irrigation et les usines hydro-électriques de la vallée de la Têt.
Le plateau très raboté des Bouillouses, au paysage nu, est parsemé, outre le lac principal, d'une vingtaine de petits lacs et étangs, d'origine glaciaire, d'altitude supérieure à 2 000 m, compris dans l'amphithéâtre délimité par le pic Carlit, le pic Péric et les pics d'Aude.

★ MONTSÉGUR

Cartes Michelin n° 86 pli 5 ou 235 pli 47 – 12 km au Sud de Lavelanet.

Le « pog » (rocher) de Montségur, qui rappelle l'holocauste de l'Église cathar
dernier épisode marquant de la croisade des Albigeois, et l'effacement politiq
du Midi languedocien devant la puissance capétienne, culmine à 1 216
d'altitude. Il est couronné par les ruines d'un château.

UN PEU D'HISTOIRE

Reconstruit en 1204, à l'emplacement d'une forteresse dont on ignore l'époqu
d'édification, le deuxième château de Montségur abrite une centaine d'homm
sous le commandement de Pierre-Roger de Mirepoix, et, hors ses murs, u
communauté de réfugiés cathares avec son évêque, ses diacres, ses parfaits
ses parfaites. Le prestige du lieu, les pèlerinages qu'il attire portent ombra
à l'Église et à la royauté.
Lorsque, en 1242, Blanche de Castille et le clergé apprennent le massacre d
membres du tribunal de l'Inquisition, à Avignonet *(p. 50)*, par une trou
descendue de Montségur, le destin de la citadelle est scellé.
L'investissement est confié au sénéchal de Carcassonne et à l'archevêque
Narbonne. Le siège commence en juillet 1243. On pense que les forc
catholiques approchaient 10 000 hommes !
Profitant des longues nuits d'hiver, des patrouilles d'authentiques montagnar
escaladent (plus aisément que des chevaliers) la falaise abrupte et, tournant
forteresse par l'Est, prennent pied sur le plateau supérieur. Un gros trébuch
(p. 29), monté par pièces détachées, crible le château de boulets taillés da
une carrière ouverte sur la montagne même.
Pierre de Mirepoix offre alors de rendre la place et obtient la vie sauve po
la garnison. Une trêve est conclue pour la période du 1er au 15 mars 1244. L
cathares, restés en dehors de la convention, ne mettent pas à profit ce ré
pour tenter d'échapper au bourreau par le reniement ou la fuite. Le matin
16 mars, au nombre de 207, ils descendent de la montagne et montent s
le gigantesque bûcher. L'assurance des martyrs, le mystère entourant la mi
en lieu sûr de leur « trésor » passionnent encore les érudits, les tenants de
tradition occitanienne et de sectes se reconnaissant dans la philosophie
catharisme.
En 1245, le nouveau seigneur de Mirepoix, Guy de Lévis II, s'installe dans
place et promet fidélité au roi. Un troisième château fut alors édifié, au mili
ou dans la deuxième moitié du 13e s., car il ne reste rien de celui qui s'éleva
encore en 1244.
Bien placé, face à la Cerdagne, entre la France et l'Aragon, il constituait
excellent poste de surveillance et de défense. Ce sont ses ruines que l'on vis
aujourd'hui.

LE CHÂTEAU ⊘

Laisser la voiture au parking le long de la D 9. 1 h 1/2 AR par un sent.
escarpé et rocailleux.

Avant de s'élancer à l'assaut du « pog », le sentier passe à proximité de la stè
élevée en 1960 « aux martyrs du pur amour chrétien ».
Le château occupe un **site★★** dominant des à-pic de plusieurs centaines de mètr
et offre un panorama remarquable sur les rides du Plantaurel, la coupure de
vallée de l'Aude et le massif du St-Barthélemy.

Le « pog » de Montségur.

La forteresse, de plan pentagonal, épouse le contour de la plate-forme du sommet. On y accède par une porte au Sud. Autour de la cour intérieure divers bâtiments (logis, annexes) étaient adossés au rempart.

Autrefois une porte au 1er étage du donjon permettait d'y accéder à partir du rempart. Un escalier intérieur menait à la salle basse, réservée à la défense et à l'entrepôt de vivres. Aujourd'hui on atteint la salle basse en contournant l'enceinte par la porte Nord et par une brèche qui donne sur l'ancienne citerne. Deux meurtrières de la salle reçoivent le soleil du solstice d'été de telle sorte que la lumière ressorte par les deux meurtrières qui leur font face.

Au pied du donjon, côté Nord-Ouest, les vestiges du « village cathare » sont en cours de fouilles.

LE VILLAGE

Il s'étend au pied du rocher, dans la vallée du Lasset. Le bâtiment de la mairie abrite un **musée archéologique** ⊙. Il expose le produit des campagnes de fouilles effectuées depuis 1956 : important mobilier du 13e s. et de l'outillage qui permet de faire remonter au néolithique l'occupation du « pog ». Informations sur le catharisme.

MURET   18 134 h. (les Muretains)

Cartes Michelin n° 🎞 pli 17 ou 🎞 pli 34.

Commingeoise du 12e s. jusqu'à la Révolution, Muret accueillait les « États » de la province, jouant ainsi le rôle d'une capitale administrative. Elle nargua quelque peu les capitouls de Toulouse, jusqu'à la destruction, en 1623, de son château élevé au confluent de la Louge et de la Garonne. A la vieille ville, comprimée entre les quais des deux rivières, s'adjoignent maintenant des quartiers neufs construits sur la plaine.

12 septembre 1213 – On a peine à imaginer aujourd'hui Muret comme la place forte investie d'où sortirent ce jour-là les trois corps de bataille des croisés de Simon de Montfort, à la rencontre des milices urbaines et de la chevalerie languedocienne, commandées par Raymond VI de Toulouse et coalisées avec les troupes de Pierre II d'Aragon. La bataille de Muret *(illustration p. 21)* a ruiné en quelques heures les espérances du Languedoc fidèle. Follement aventuré, le roi d'Aragon fut tué dès le premier choc et les troupes de Raymond VI, soudain privées de la couverture de la cavalerie, furent balayées de la plaine, « comme le vent fait de la poussière à la surface du sol ». Deux monuments commémoratifs de la bataille (inscriptions en langue d'Oc) ont été élevés au bord de la route de Seysses (D 12), à 1 km du passage à niveau de sortie, au Nord.

CURIOSITÉS

Église St-Jacques – *Entrer par le côté droit (passage s'ouvrant rue St-Jacques).* La chapelle du Rosaire (12e s.), s'ouvrant sur le bas-côté gauche présente des voûtes de brique enrichies de belles clés. Saint Dominique se serait retiré là en prières, le matin de la bataille.

Jardin Clément-Ader – A cheval sur la Louge, il forme lien entre les deux cités. Il est consacré aux pionniers de l'aviation et, en premier lieu, au souvenir du célèbre ingénieur **Ader** (1841-1925). Une grande statue d'*Icare s'essayant au vol*, par Landowski, commémore le premier envol d'un « plus lourd que l'air », l'*Éole*, le 9 octobre 1890.

GUIDES MICHELIN

Les guides Rouges (hôtels et restaurants) :

Benelux - Deutschland - Espana   Portugal - main   cities   Europe - France - Great Britain and Ireland - Italia - Suisse.

Les guides Verts (paysages, monuments, routes touristiques) :

Allemagne - Autriche - Belgique Grand-Duché de Luxembourg - Canada - Espagne - France - Grande-Bretagne - Grèce - Hollande - Irlande - Italie - Londres - Maroc - New York - Nouvelle-Angleterre - Paris - Portugal - Le Québec - Rome - Suisse

... et la collection des guides régionaux sur la France.

★ **NARBONNE** 45 849 h. (les Narbonnais

Cartes Michelin n° 83 pli 14 ou 240 plis 29, 30 – Schéma p. 75.

Narbonne, capitale antique de la Gaule Narbonnaise, résidence des rois wisigoth
ancienne cité archiépiscopale, offre de nos jours le visage d'une vi
méditerranéenne animée par son rôle de centre viticole actif et de carrefo
routier et ferroviaire.
Un ensemble architectural, à la fois civil, militaire et religieux, les richess
conservées dans ses musées, les agréments des berges de la Robine et de s
boulevards ombragés font son attrait touristique.

UN PEU D'HISTOIRE

Un port de mer – Narbonne occuperait l'emplacement du marché maritin
d'un oppidum gaulois établi sept siècles avant J.-C. au Nord de la ville actuel
sur la colline de Montlaurès. La ville, « Colonia Narbo Martius », fondée
118 avant J.-C. par un décret du Sénat romain, devient un port florissant. P
là s'exportent l'huile, le lin, le bois, le chanvre, les plantes tinctoriales
aromatiques, les fromages, la viande et le beurre des Cévennes dont les Romai
sont friands. Le fret de retour se compose de marbre et de poteries. La vi
s'orne de bâtiments magnifiques.

Une capitale – En 27 avant J.-C., Narbonne donne son nom à la province q
constitue Auguste. C'est « la plus belle », écrit Martial et, avec Lyon, la ville
plus peuplée de la Gaule. Cicéron proclame que « la Narbonnaise constitue
boulevard de la latinité ». Le flot des invasions barbares vient battre l'Empi
romain. Après la mise à sac de Rome en 410 par les Wisigoths, Narbonne devie
leur capitale. Plus tard, elle tombe aux mains des Sarrasins ; en 759 Pépin
Bref la leur reprend après un long siège.
Charlemagne crée le duché de Gothie dont Narbonne reste la capitale. Elle e
divisée en plusieurs seigneuries : la Cité, avec la cathédrale et l'archevêch
appartient à l'archevêque ; le bourg, avec l'église St-Paul-Serge, relève
Vicomte ; la Ville neuve, enfin, est laissée aux juifs. L'administration municipa
est aux mains des consuls.
Au 12e s., un troubadour, Bertrand de Bar, dans une chanson de geste : « Aim
de Narbonne » décrit la ville et « les grands navires cloutés de fer, les galèr
pleines de richesses qui font l'opulence des habitants de la bonne ville ».
A partir du 14e s., le changement du cours de l'Aude, les ravages de la guer
de Cent Ans, la peste, le départ des juifs font péricliter Narbonne.

L'arrestation de Cinq-Mars et de Thou (1642) – Le jeune Cinq-Mars, gra
écuyer de France, a su conquérir l'amitié de Louis XIII. Grisé par sa réussite,
entreprend de renverser Richelieu. Son ami de Thou, conseiller d'État, est
courant de ses projets. Comme toute la noblesse de France, Cinq-Mars partici
au siège de Perpignan, alors tenue par les Espagnols ; mais il a entamé d
négociations avec l'Espagne.
Le cardinal, alité à Narbonne – il y rédigera son fameux testament –, se procu
le texte de l'accord conclu avec l'ennemi et fait arrêter Cinq-Mars ; de Thou e
pris aussi. Jugés à Lyon, les deux amis sont décapités le 12 septembre 164

Ensablement, déclin et renouveau – Jusqu'au 14e s., Narbonne était rest
une cité maritime ; mais progressivement les alluvions des cours d'eau et
sable comblèrent sa baie. L'étang de Bages et de Sigean, reste de l'antiq
golfe marin, présente sur ses rives de nombreux marais salants. A la Révolutio
Narbonne ne compte plus que quelques milliers d'habitants et perd so
archevêché.
De nos jours, la richesse viticole de la région a rendu à la ville une importan
activité et un dynamisme économique manifeste ; des quartiers nouveaux
développent.

Palais des Archevêques et cathédrale St-Just.

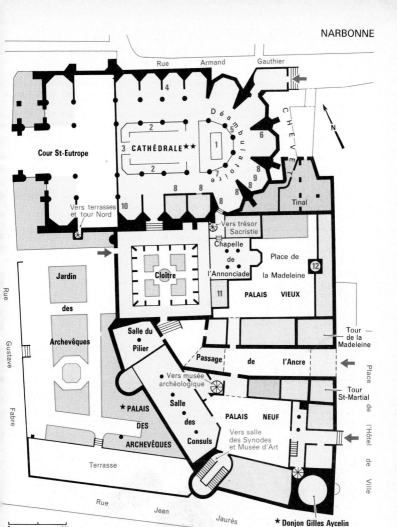

1 — Maître-autel (1694), à baldaquin et colonnes corinthiennes, dessiné par J. Hardouin-Mansart.
De part et d'autre de l'autel, les premiers piliers du chœur portent des peintures murales anciennes.

2 — Stalles du 18e s.

3 — Buffet d'orgues à deux corps (18e s.).

4 — Statue funéraire en marbre, du chevalier de La Borde (17e s.).

5 — Tombeau du cardinal Briçonnet ; œuvre Renaissance en marbre blanc.

6 — On a découvert dans cette chapelle, en 1981, un haut-relief représentant la Rédemption.

7 — Tombeau flamboyant du cardinal Pierre de Jugie.

8 — Tapisseries d'Aubusson et des Gobelins des 17e et 19e s.

9 — Dans cette chapelle est exposée une très belle Vierge à l'Enfant, en albâtre (14e s.), qui, habituellement, se trouve dans la chapelle 6.

10 — Mise au tombeau en pierre polychrome de la fin du 15e s., provenant de Bavière.

★ CATHÉDRALE ST-JUST (BX) ⊘ visite : 1/2 h

La cathédrale actuelle est la 4e église élevée à cet emplacement depuis l'époque de Constantin. La première pierre en fut posée le 3 avril 1272, elle avait été envoyée de Rome par le pape Clément IV, ancien archevêque de la cité. En 1354 le chœur rayonnant était terminé dans le style des grandes cathédrales du Nord mais la construction du transept et de la nef qui aurait entraîné la démolition partielle du rempart ancien, encore utile aux périodes médiévales troublées, fut remise à plus tard... et tout juste ébauchée au 18e s.

Extérieur – On admirera le chevet aux lancettes flamboyantes, les grands arcs surmontés de merlons à meurtrières qui surmontent les terrasses du déambulatoire, les arcs-boutants à double volée, les tourelles et les puissants contreforts défensifs. Parvenu devant le mur qui clôt le chœur on est frappé par la puissance des piliers du 18e s. sur lesquels devaient prendre appui le transept et les 2 premières travées de la nef, et qui composent la **cour St-Eutrope**. De cette cour, on peut accéder aux **terrasses** ⊘ et à la **tour Nord** ⊘, d'où l'on jouit d'une **vue**★ intéressante sur les arcs-boutants de la cathédrale, le palais des Archevêques et la ville.
Du **jardin des Archevêques** (18e s.), belle vue sur les arcs-boutants, la tour Sud de la cathédrale et le bâtiment du Synode, cantonné de 2 tours rondes.

Cloître – 14e s. Au pied de la face Sud de la cathédrale ; observer les hautes voûtes gothiques de ses galeries et, dans la cour, des gargouilles sculptées disposées dans ses contreforts.

Intérieur – Le chœur, seul achevé, frappe par ses belles proportions. La hauteu
de ses voûtes (41 m) n'est dépassée que par celles d'Amiens (42 m) et d
Beauvais (48 m).
Son élévation est d'une grande pureté architecturale : grandes arcades dominée
par un triforium dont les colonnettes prolongent les lancettes des grande
verrières.
Long de 4 travées, entouré d'un déambulatoire et de chapelles rayonnantes, i
abrite de nombreuses œuvres d'art. Les cinq chapelles et les fenêtres haute
de l'abside, de même que la 2e fenêtre haute sur le côté droit conservent d
beaux vitraux du 14e s.
La chapelle de l'Annonciade, hors œuvre, datant du 15e s., est l'ancienne sal
capitulaire ; elle contient, face à l'entrée, un beau tableau de Nicolas Tournie
(17e s.), *Tobie et l'Ange*.

Trésor ⊘ – Il est installé dans une salle, au-dessus de la chapelle de l'Annonciade
dont la voûte possède une curieuse propriété acoustique.
Il possède des manuscrits enluminés, des pièces d'orfèvrerie religieuse dont un
beau calice en vermeil de 1561. Et surtout l'admirable tapisserie flamande de
la fin du 15e s. représentant la **Création★★** ; tissée d'or et de soie. La douceu
des coloris, la finesse du dessin, la physionomie des trois personnes de la Sain
Trinité, créant les éléments et l'homme, la beauté de la composition son
exceptionnelles.
C'est la seule qui subsiste d'un lot de 9 pièces offertes au chapitre pa
l'archevêque François Fouquet.
Admirer aussi la finesse d'une plaque d'évangéliaire en ivoire sculpté de la fi
du 10e s. et un coffret de mariage en cristal de roche, orné d'intailles antique
qui servit de reliquaire.

Cathédrale St-Just – Tapisserie du 15e s.

★ **PALAIS DES ARCHEVÊQUES** (BX) ⊘ *visite : 2 h*

*Pour information, la visite de la cathédrale et du cloître peuvent aus.
s'effectuer en suivant la signalétique mise en place dans l'ensemb
monumental « Palais des Archevêques – Cathédrale », au départ de la plac
de l'Hôtel-de-Ville.*

Sa façade domine la **place de l'Hôtel-de-Ville,** cœur animé de la cité. Elle compor
trois tours carrées : encadrant le passage de l'Ancre, la tour de la Madelein
(la plus ancienne) et la tour St-Martial ; plus à gauche, le donjon Gilles-Aycelir
Entre ces deux derniers, Viollet-le-Duc a construit l'actuel hôtel de ville dans u
style néo-gothique.
A l'origine modeste résidence ecclésiastique, le palais des Archevêque
compose un ensemble architectural religieux, militaire et civil où les siècles o
laissé leur empreinte : 12e s. au Palais Vieux, 13e s. aux donjons de la Madelei
et Aycelin, 14e s. à la tour St-Martial et au Palais Neuf, 17e s. à la résidenc
des archevêques et 19e s. à la façade de l'hôtel de ville. Le Palais Vieux, au No
du passage de l'Ancre, et le Palais Neuf, au Sud, enserrent de belles cou
intérieures.

Passage de l'Ancre – Cette sorte de rue fortifiée aux murs impressionnan
s'ouvre sur la place de l'Hôtel-de-Ville entre la tour St-Martial et la tour de
Madeleine.
Elle sépare le Palais Vieux à gauche du Palais Neuf à droite.

Salle au pilier ⊘ – Cette belle salle du 14e s., dont la voûte est portée pa
un énorme pilier central, est consacrée à la sculpture médiévale : statue
bas-reliefs, inscriptions...

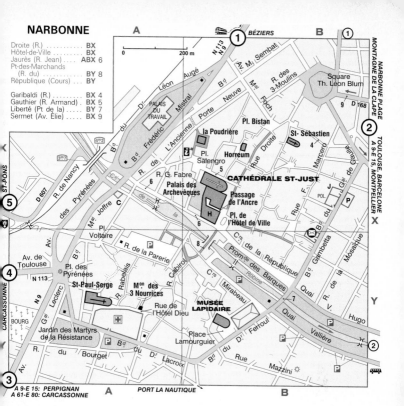

Palais Vieux – Il est formé des bâtiments qui entourent la place de la Madeleine : le clocher carré carolingien de St-Théodard (**11**), l'abside de la chapelle de l'Annonciade que domine au Nord le chevet de la cathédrale, le Tinal (ancien cellier des chanoines – *on ne visite pas*), bâtiment du 14e s., une tourelle d'escalier carrée cantonnant une façade romane ajourée d'arcatures (**12**), la tour de la Madeleine portant à l'étage une porte romane et, au Sud, d'une façade percée d'ouvertures romanes, gothiques et Renaissance.

Palais Neuf – Il forme un ensemble composé par la façade sur cour de l'Hôtel de Ville mais aussi par le bâtiment des Synodes, la tour St-Martial et le donjon Gilles-Aycelin.

Salle des Consuls – Belle rangée centrale de piliers.

★ **Musée archéologique** ⊙ – Les premières salles intéressent les antiquités préhistoriques et l'outillage à l'âge du bronze.
Dans la chapelle haute de la Madeleine sont réunis les objets découverts dans les fouilles de l'oppidum de Montlaurès. On y observe ainsi des fresques du 14e s. (Annonciation), des vases grecs et une belle amphore.
Les salles suivantes évoquent la Narbonne romaine à travers ses institutions, sa vie quotidienne, sa vie religieuse, ses cultes : remarquer en particulier une très ancienne borne milliaire, un Silène ivre du 1er s., le sarcophage des Amours vendangeurs (3e s.), des stèles et, dans la salle basse de la Madeleine, une superbe mosaïque païenne, des sarcophages historiés ou à strigiles, un curieux reliquaire du 5e s. monolithe en marbre et surtout un linteau dédicatoire du 5e s.

Salle des Synodes – *Cour du Palais Neuf.* On y accède par un grand escalier à balustres construit en 1628 par l'archevêque Louis de Vervins. La salle du Synode, où se tinrent les États Généraux du Languedoc, abrite quatre belles tapisseries d'Aubusson.

★ **Musée d'Art et d'Histoire** ⊙ – *Dans le même bâtiment que la salle des Synodes, au 2e étage.* Il est aménagé dans les anciens appartements des archevêques où séjourna Louis XIII, lors du siège de Perpignan au printemps 1642.
Faisant suite à la **salle des audiences** où sont accrochés plusieurs portraits d'archevêques, la **chambre du Roi** est ornée d'un beau plafond à caissons représentant les neuf Muses et, au sol, d'une mosaïque romaine à motifs géométriques aux couleurs admirablement conservées ; aux murs, peintures du 17e s. (portraits par Rigaud et Mignard).
Dans la **grande galerie,** bel ensemble de pots de pharmacie en faïence de Montpellier ; plusieurs toiles flamandes et italiennes des 16e et 17e s. y sont exposées.
La **salle des faïences** présente une importante collection de pièces sorties des plus grandes fabriques françaises.
Dans le **grand salon,** on remarquera les tapisseries de Beauvais d'après les *Fables* de La Fontaine et plusieurs tableaux intéressants, dont l'*Adoration des bergers* par Ph. de Champaigne. L'hémicycle qui prolonge le grand salon abrite le buste en marbre blanc de Louis XIV par Coysevox.
La visite se termine par une salle consacrée aux artistes des 19e s. et 20e s., dont Pradier, Louis Garneray, Falguière, D. de Monfreid et Maurice Marinot.

115

★ **Donjon Gilles-Aycelin** ⊙ – Ce donjon aux murs en bossages est établi sur les res
du rempart gallo-romain qui défendait jadis le cœur de la ville antique. Il affirm
la puissance épiscopale face à celle des vicomtes.
C'est un bel exemple de donjon de la fin du 13ᵉ s. au dispositif intérieur
soigné.
Voir au passage la « salle du Trésor » hexagonale et couverte d'une voûte
éventail. De la plate-forme (179 marches), le **panorama**★ se développe
Narbonne et sa cathédrale, la plaine alentour, la Clape, les Corbières et
Pyrénées à l'horizon.

AUTRES CURIOSITÉS

Basilique St-Paul-Serge (AY) – Elle a été édifiée à l'emplacement d'une nécrop
constituée aux 4ᵉ et 5ᵉ s. autour du tombeau du premier évêque de la ville.
A l'intérieur, près de la porte Sud, se trouve le célèbre et curieux bénitier
la grenouille ». Le **chœur**★, construit en 1229, est remarquable par son élévat
(grandes arcades, double triforium, fenêtres hautes), ses voûtes champenoi
et son élégance. La perspective de la nef est coupée par 3 arcs massifs en a
de panier. Sous les grandes orgues, deux sarcophages chrétiens primitifs s
encastrés dans le mur, un troisième sert de linteau.

Crypte paléo-chrétienne ⊙ – *Accès par le portail Nord de l'église.* C'est une pa
de l'importante nécropole constituée au début du 4ᵉ s. sous Constantin. Les res
d'un édifice composé d'une chambre carrée et d'une abside constituent
crypte dans laquelle sont conservés six sarcophages. L'un avec acrotères,
autre à rinceaux de l'école d'Aquitaine, et un troisième en marbre blanc
évoque les sarcophages païens sont les plus intéressants.

Maison des Trois-Nourrices (AY) – Du 16ᵉ s. Une légende la donne com
le lieu de l'arrestation de Cinq-Mars. Elle doit sa dénomination imagée aux form
généreuses des cariatides qui supportent le linteau d'une magnifique fenê
Renaissance.

★ **Musée lapidaire** (BY) ⊙ – Il est installé dans l'église désaffectée de N.-D.
la Mourguié, du 13ᵉ s., ancienne église d'un prieuré rattaché en 1086 à l'abb
bénédictine de St-Victor de Marseille. L'extérieur a fière allure avec ses contref
saillants et son chevet crénelé. A l'intérieur, la vaste nef est couverte d'une toit
apparente supportée par des arcs doubleaux brisés.
Près de 1 300 inscriptions antiques, des stèles, des linteaux, des bustes,
sarcophages, d'énormes blocs sculptés sont réunis là, entassés sur qua
rangées, provenant pour la plupart des remparts de la cité et témoignant
passé prestigieux de l'ancienne capitale de la Gaule narbonnaise.

Berges de la Robine (BY) – Le canal de la Robine est une dérivation de l'Au
Ses cours plantés de platanes, le Pont Vieux et la pittoresque rue piétonne
Pont des Marchands qui le franchit, la passerelle et la promenade des Barq
composent un quartier propre à la flânerie.

La Poudrière (BX) – Ancienne poudrière du 17ᵉ s. aux puissants contref
bas, elle abrite des expositions temporaires.

Horreum (Entrepôt romain) (BX) ⊙ – Cet entrepôt public comprend deux gale
actuellement prospectées et ouvertes à la visite sur lesquelles s'ouvrent
petites cellules facilitant le classement des marchandises.
Situé près du forum, sous le marché auquel il était relié par des monte-char
il présentait une destination exclusivement utilitaire. Quelques sculptures et
bas-reliefs y évoquent la civilisation antique.

Place Bistan (BX) – Elle occupe l'emplacement du forum et du capitole antiqu
Devant un mur peint, des fûts de colonnes, des bases de pilastres, des fragme
de chapiteaux évoquent, par leurs dimensions, le temple du 1ᵉʳ s.

Église St-Sébastien (BX) ⊙ – Selon la légende, elle occuperait l'empla
ment de la maison natale du saint. Édifiée au 15ᵉ s., elle fut agrandie au 17
Dans la chapelle de sainte Thérèse, à droite en entrant, tableau de Mignar
l'*Extase de sainte Thérèse*.

EXCURSIONS

★★ **Abbaye de Fontfroide** – *14 km au Sud-Ouest par ④ du plan, N 113, pui
gauche la D 613. Description p. 88.*

★ **Réserve africaine de Sigean** – *17 km par ③ du plan, N 9. Description p. 1*

Étang de Bages et de Sigean – *29 km au Sud. Description p. 51.*

Sallèles d'Aude – *11 km. Quitter Narbonne au Nord par la D 13. A Cux
d'Aude, prendre sur la gauche la D 1118 jusqu'à Sallèles d'Aude, où suivre
balisage « musée des Potiers » par la D 1626, qui suit le canal de jonction. Franc
le pont et gagner le parking. Description p. 137.*

Montagne de la Clape – *Circuit de 53 km – environ 3 h. Sortir par ② du pl
puis prendre à gauche la D 168 vers Narbonne-Plage.*
Le massif calcaire de la Clape domine de ses 214 m la mer, les étangs littora
autour de Gruissan et la plaine de la basse vallée de l'Aude couverte de vign
La route, sinueuse et accidentée, offre de belles vues sur les falaises et
versants de la Clape.

Narbonne-Plage – La station s'étire en bordure du littoral ; elle est caractéristiq
des stations traditionnelles du littoral languedocien. On y pratique la voile
ski nautique.

De Narbonne-Plage, poursuivre jusqu'à St-Pierre-sur-Mer.

St-Pierre-sur-Mer – Station familiale. Au Nord, le gouffre de l'Œil-Doux est un curieux phénomène naturel. Large de 100 m, il abrite un lac salé à 70 m de profondeur où s'engouffre l'eau de mer.

Gruissan – *Page 93.*

A la sortie de Gruissan, prendre à droite et aussitôt à gauche une petite route signalée vers N.-D. des Auzils.

Cimetière marin – *Page 94.*

Poursuivre la petite route tracée sur les dernières pentes de la Clape. En débouchant sur la D 32, prendre à droite vers Narbonne. A Ricardelle, prendre, à droite, une petite route étroite et en forte montée.

Coffre de Pech Redon – Point culminant de la montagne de la Clape, il apparaît au sommet de la montée. Vue pittoresque sur les étangs et Narbonne d'où émergent la cathédrale St-Just et le palais des Archevêques.

Faire demi-tour ; regagner Narbonne par la D 32.

Ginestas – *17 km au Nord-Ouest. Sortir par ⑤ du plan, D 607 ; après avoir traversé le canal du Midi, prendre à gauche.*
Entouré de vignes, ce village possède une **église** ⊙ faiblement éclairée, qui renferme quelques belles pièces dont un retable en bois doré du 17e s., la statue de N.-D.-des-Vals, une Vierge à l'Enfant d'une facture simple et une Sainte Anne, naïve statue polychrome du 15e s.

Le Somail – *2 km à l'Est de Ginestas.* Ce paisible hameau traversé par le Canal du Midi abrite un **musée de la Chapellerie** ⊙ : chapeaux, coiffes de tous les continents de 1885 à nos jours.

De nombreux terrains de camping offrent
des commodités (magasins, bars, restaurants, laveries),
et des distractions (salle de jeux, tennis, golf miniature, jeux pour enfants, piscine...)
*Consultez le **guide Michelin Camping Caravaning France** de l'année.*

Seuil de NAUROUZE

Cartes Michelin n° 🎱🎱 pli 19 ou 🎱🎱🎱 pli 35 – 12 km à l'Ouest de Castelnaudary.

L'automobiliste imagine avec peine que ce « col » (alt. 194 m) fut longtemps un obstacle majeur pour les prédécesseurs de Riquet.

LE CANAL DU MIDI

L'idée de faire communiquer l'Océan et la Méditerranée remonte aux Romains. François Ier, Henri IV, Richelieu font procéder à des études qui n'aboutissent pas. C'est finalement à **Pierre-Paul Riquet,** baron de Bonrepos (1604-1680), fermier de la gabelle de Languedoc, que revient le mérite d'avoir mené à bien, et à ses frais, cette entreprise. La construction du port de

Canal du Midi.

B. Henry/MARINA CEDRI

Sète, du vivant de Riquet, l'ouverture, au 19e s., du canal du Rhône à Sète et du canal latéral à la Garonne ont parachevé son œuvre.

L'œuvre d'un seul homme – Dans les projets de construction d'un canal « des Deux Mers », le franchissement du seuil de Nauroze était un obstacle insurmontable. En explorant le site dans tous ses détails, Riquet, l'homme de réflexion, trouva la solution : au seuil de Nauroze sourdait la fontaine de la Grave (disparue après les travaux) dont les eaux se séparaient immédiatement en deux ruisseaux coulant l'un vers l'Ouest, l'autre vers l'Est. Il suffisait donc d'accroître ce flot pour constituer un bief de partage suffisamment alimenté, permettant l'aménagement d'écluses sur l'un et l'autre versant. Pour ce faire, Riquet eut l'idée d'utiliser le réseau hydrographique de la Montagne Noire. Avec l'aide du fils d'un fontainier de Revel, il capta et amena les eaux de l'Alzeau, de la Vernassonne, du Lampy et du Sor par la Rigole de la Montagne jusqu'au barrage de St-Ferréol, puis à Nauronze par la Rigole de la Plaine.
En 1662, il réussit à intéresser Colbert à son projet. L'autorisation est accordée en 1666. Durant quatorze ans, 10 000 à 12 000 ouvriers sont au travail. Riquet engloutit dans cette œuvre gigantesque le tiers des dépenses des travaux, soit plus de 5 millions de livres, contractant les emprunts les plus onéreux, sacrifiant les dots destinées à ses filles. Épuisé, il meurt en 1680, six mois avant l'inauguration du canal. C'est seulement en 1724 que ses descendants, enfin libérés du passif de l'entreprise, commenceront à en tirer quelque profit. Rétablis dans leurs droits sous la Restauration, à l'exception des droits féodaux abolis, les représentants de la famille consentent en 1897 au rachat, par l'État, du canal, désormais administré sous le régime du service public.

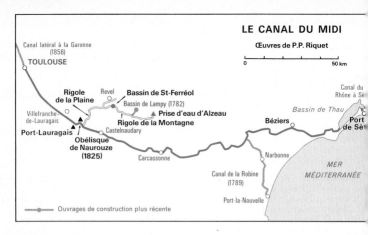

LE CANAL DU MIDI

Œuvres de P.P. Riquet

0   50 km

Canal latéral à la Garonne (1856)
TOULOUSE

Rigole de la Plaine
Revel
Bassin de St-Ferréol
Bassin de Lampy (1782)
Prise d'eau d'Alzeau
Villefranche-de-Lauragais
Rigole de la Montagne
Port-Lauragais
Castelnaudary
Obélisque de Naurouze (1825)
Carcassonne

Canal du Rhône à Sè

Bassin de Thau
Béziers
Port de Sè

Narbonne
Canal de la Robine (1789)

MER MÉDITERRANÉE

Port-la-Nouvelle

━━●━━ Ouvrages de construction plus récente

L'héritage et l'avenir – Long de 240 km, le canal de Riquet prend son origi
à Toulouse au port de l'Embouchure, terminus du canal latéral à la Garonn
il débouche dans l'étang de Thau, au port des Onglous. 91 écluses so
nécessaires, mais il existe un bief de 54 km (une journée de navigation) ent
Argens-Minervois et Béziers.

Le trafic commercial a déserté le canal : ses écluses, calculées à l'époque po
les navires de mer les plus courants en Méditerranée, n'admettent pas les batea
de plus de 30 m de long (enfoncement : 1,60 m, 160 tonnes).

La modernisation du canal a commencé par la section Toulouse-Villefranche-d
Lauragais (43 km), sur laquelle peuvent circuler les péniches du canal latér
à la Garonne : enfoncement : 2,20 m, longueur maximale : 40,50 m, charge
250 t. Ce canal historique a une physionomie attrayante avec ses nombreuse
courbes serrées, ses écluses aux bassins ovales ou ronds, son cours rétréci p
de gracieux ponts de brique, ses allées d'eau longuement accompagnées, su
le versant méditerranéen – loin des grandes routes et du chemin de fer – c
platanes, cyprès et pins parasols.

Après un siècle d'éclipse, le trafic des passagers, assuré avant l'ère du chem
de fer par de légers « bateaux de poste » circulant à 11 km/h, ressuscite, sou
le signe du tourisme fluvial : de nombreuses sociétés de location de batea
habitables et de croisières se sont créées.

CURIOSITÉS

Obélisque de Riquet – *Accès par la D 218, au Sud, que l'on prend à Labastic
d'Anjou, sur la N 113.*

L'obélisque, élevé en 1825 par les descendants de Riquet, se dresse dans u
enclos sur le socle naturel des « pierres de Naurouze », entre le col de Naurouz
(N 113) et le canal. Il est entouré d'une double couronne de cèdres fort beau
Selon la légende, quand les fissures qui strient les pierres viendront à se ferme
la société sombrera dans la débauche et la fin du monde surviendra.

Montferrand – *1 km au Nord-Ouest. Laisser la voiture au Sud du villag
près de la N 113, sur le côté d'une chapelle jouxtant un cimetière planté c
cyprès.*

Une salle contiguë à la chapelle abrite des croix discoïdales et des chrisme
Le chrisme, monogramme du Christ dessiné par un X et un P entrelacé
s'accompagne souvent des lettres alpha et oméga, la première et la derniè
de l'alphabet grec. Le chrisme apparaît fréquemment dans le Sud-Ouest a
tympan des chapelles romanes. Ce motif fait partie, depuis le Moyen Âge, d
répertoire symbolique du compagnonnage, il est connu sous le nom de « pendu
de Salomon ».

Au Nord de la chapelle une ancienne nécropole révèle la pérennité de ce si
choisi comme champ de repos et donc l'ancienneté de l'occupation humain
en ces lieux. Dans un enclos *(entrée à gauche au-delà du cimetière)*, un abri se
de dépôt de fouilles aux Monuments historiques. On y voit d'anciens sarcophage
généralement dépourvus de motifs sculptés.

Port Lauragais – Centre Pierre-Paul Riquet ⊙ – *A Avignonet-Lauragai
prendre la D 80 en direction de Baraigne. Par l'autoroute A 61 : aire de repo
à mi-chemin entre Villefranche-de-Lauragais et Castelnaudary (accessible quel
que soit la direction).*

Situé à la pointe d'une presqu'île qui pénètre dans le port Lauragais,
Centre Pierre-Paul Riquet s'est inspiré de l'architecture des anciens bassins d
radoub du canal. Installée sous le prolongement de son toit, une capitainer
accueille les bateaux de passage. A l'intérieur, un espace est consacré
l'évocation de la construction du canal du Midi et à des expositions temporaire
ayant trait au sujet. A l'entrée, une sculpture fontaine, œuvre de Sylvain Brin
illustre le système d'alimentation en eau du canal et le fonctionnement de
écluses.

**A l'usage des plaisanciers, une documentation sur le canal donn
tous renseignements et conseils** *(voir « Renseignements pratiques » en fin c
guide).*

★ Grotte de NIAUX

Cartes Michelin n° 86 Sud-Est du pli 4 ou 235 pli 46 – Schéma p. 87.

Cette grotte de la vallée de Vicdessos *(p. 96)* est célèbre pour ses dessins préhistoriques remarquablement conservés.

Accès par une route qui s'élève au départ du village de Niaux.

Le porche – C'est depuis le vaste porche d'entrée de la grotte, à 678 m d'altitude, que l'on comprend parfaitement le travail de l'érosion glaciaire qui se produisit il y a des millénaires dans ce massif du Cap de la Lesse où est située la grotte.

En effet, les glaciers successifs ont parfois comblé la vallée et couvert complètement le massif. L'énorme masse d'eau pouvait alors s'engouffrer dans les anfractuosités et, taraudant la roche, donna à la grotte et au porche leur immensité.

Avec le temps, le niveau de fond de vallée s'abaissa ; la rivière coule maintenant le long de la D 8, une centaine de mètres en contrebas. Ainsi apparaît le profil caractéristique des vallées glaciaires, à fond plat, terrasses et versants abrupts. Le porche abrite actuellement une œuvre originale de l'architecte italien Fuksas, postée comme un signal dans la vallée.

Grotte de Niaux – Dessins rupestres.

La grotte ⊙ – *Réservation obligatoire.* Elle se compose de salles très vastes et hautes et de longs couloirs qui conduisent, à 900 m de l'entrée, à une sorte de rotonde naturelle appelée le « Salon noir » dont les parois sont décorées de dessins de bisons, d'un cerf, de bouquetins et de chevaux vus de profil.

La pureté d'exécution que l'on voit ici marque l'apogée de l'art magdalénien (environ 12 000 avant J.-C. – *voir p. 18*). Les dessins, exécutés avec des oxydes de fer, traduisent la vision du monde des peuples chasseurs d'Europe occidentale à la fin du paléolithique.

PAMIERS

12 961 h. (les Appaméens)

Cartes Michelin n° 86 pli 5 ou 235 plis 38, 42.

Située en lisière d'une plaine fertile, à l'abri des inondations, Pamiers est la ville la plus importante de l'Ariège, sur la rive droite de la rivière du même nom. La ville tire son nom d'Apamée, en Asie mineure, en souvenir de la participation à la première Croisade du comte de Foix, Roger II, qui avait conclu, en 1111, un accord sous forme de pariage avec l'abbé Isarn, alors administrateur du « pays ». Elle devint évêché en 1295 et abrite depuis quatre communautés d'ordres monastiques.

Pamiers est un bon point de départ vers les routes de l'Ariège et des Pyrénées.

CURIOSITÉS

Cathédrale St-Antonin – *Place du Mercadal.*
De l'église du 12ᵉ s., il ne subsiste que le portail. Le beau clocher, de style toulousain, repose sur une assise fortifiée.

Église N.-D.-du-Camp – *Rue du Camp.*
Elle présente une façade monumentale, crénelée, en brique, surmontée de deux tours. La nef unique date du 17ᵉ s.

Vieilles tours – Le touriste devra voir le clocher des Cordeliers (dans la rue du même nom), qui reproduit celui des Cordeliers de Toulouse, la tour de la Monnaie (près du CES Rambaud), la tour carrée du Carmel (place Eugène-Soula), à l'origine donjon construit par le comte de Foix Roger-Bernard III, en 1285, la tour de l'ancien couvent des Augustins (près de l'hôpital), la Porte de Nerviau (près de la mairie), en pierre et brique.

Promenade du Castella – Elle est dessinée sur l'emplacement de l'ancien château dont on voit encore les soubassements en sortant par la porte de Nerviau et en se dirigeant vers le Pont-Neuf. Sur la butte s'élève le buste du compositeur Gabriel Fauré, né à Pamiers en 1845.

Actualisée en permanence,
la carte Michelin au 1/200 000 permet de choisir
d'un seul coup d'œil :

– une route principale pour un grand itinéraire,
– une route de liaison régionale ou de dégagement,
– une petite route où il fait bon flâner.

Équipez votre voiture de cartes Michelin à jour.

Cartes Michelin n° 86 pli 19 ou 235 pli 52 ou 240 pli 41.

Ancienne capitale des comtes de Roussillon et des rois de Majorque, Perpign
poste avancé de la civilisation catalane au Nord des Pyrénées, ville très viva
et commerçante, doit son expansion à l'exportation des fruits, primeurs et v
de la plaine ou des coteaux.

Débordant des remparts de Vauban, dont la démolition commença en 19
la cité s'est développée à distance prudente de la Têt. L'administration, le négo
le développement universitaire garantissent la rapide croissance de la ville,
ne comptait encore que 39 000 habitants avant 1914.

Au 13ᵉ s., la ville tire bénéfice du grand courant d'affaires que les croisades
engendré entre le Midi de la France, les côtes d'Afrique du Nord et l'Orient. E
devient, en 1276, la capitale du Roussillon dans la mouvance du Royaume
Majorque. Sa grande activité est alors l'apprêt et la teinture des étoffes qu'e
reçoit des grandes villes drapières d'Europe.

La seconde ville de Catalogne – Après la disparition du royaume de Majorq
en 1344, le Roussillon et la Cerdagne sont intégrés au principat de Catalog
qui, aux 14ᵉ et 15ᵉ s., constitue, au sein de l'État aragonais, une sorte de fédérat
autonome. Les « Corts » catalanes siègent à Barcelone, tête de la fédérati
mais délèguent une « Députation » à Perpignan. Entre les deux versants pyrénée
se crée une communauté commerciale, linguistique et culturelle.

En 1463, Louis XI met 700 lances à la disposition du roi Jean d'Aragon p
l'aider à réduire les Catalans ; avec son grand sens pratique, il se paie en mett
la main sur Perpignan et le Roussillon. Mais les habitants gardent la nostal
de leur autonomie catalane, la révolte couve. 10 ans plus tard, Jean d'Arag
rentre dans la ville où, après un régime de neutralité, les hostilités reprenn
avec la France, dont les armées mettent le siège devant la ville. Malgré la fami
les Perpignanais résistent désespérément (longtemps, ils ont gardé le surno
de « mangeurs de rats »). Ils ne capitulent que sur l'ordre du roi d'Aragon
décerne à la ville le titre de « Fidelissima » (très fidèle).

En 1493, Charles VIII, désireux d'avoir les mains libres en Italie, recherche l'am
espagnole ; il restitue donc la province aux rois catholiques Ferdinand et Isabel
ces derniers, considérant Perpignan comme la clé de l'Espagne, en font l'une d
places les plus fortes d'Europe. Mais, au 17ᵉ s., Richelieu mène méthodiqueme
sa politique des frontières naturelles, il saisit l'occasion que lui offre une révo
des Catalans contre le gouvernement de Madrid, en 1640, pour signer avec e
un traité d'alliance : Louis XIII devient, l'année suivante, comte de Barcelone.

Le dernier siège de Perpignan – Mais une garnison espagnole tena
Perpignan, le siège est décidé. Louis XIII, en personne, vient sous les murs de
ville avec l'élite de l'armée française (le cardinal, malade, s'est arrêté à Narbonn
Siège peu glorieux au demeurant, la population en état d'hostilité latente avec s
défenseurs meurt de faim : « Perpignan, étroitement bloquée, se prit, pour ai
dire, en jouant au maillet et aux boules. » La garnison espagnole, elle aussi en piè
état, capitule le 9 septembre 1642, avec les honneurs de la guerre.

Richelieu, près de mourir, éprouve « une indicible joye ». Cinq-Mars et de Th
venant d'être exécutés, il écrit au roi : « Sire, vos armes sont dans Perpign
et vos ennemis sont morts. »

Le traité des Pyrénées *(voir p. 109)* ratifiera la réunion du Roussillon à la couronn
Perpignan est définitivement française.

DU PALAIS DES ROIS DE MAJORQUE AU CASTILLET
visite : 3 h

★ **Palais des rois de Majorque** (BZ) ⊙ – A l'avènement des rois de Majorq
en 1276, Perpignan ne disposait pas de demeure seigneuriale digne de ce nor
On éleva donc un palais, au Sud de la ville, sur
la colline du Puig del Rey.

Résidence continentale de l'éphémère maison
de Majorque (1276-1344), le palais est enclavé
dans la citadelle de Perpignan depuis l'occupation française, sous Louis XI, et surtout depuis
les travaux de fortification entrepris par Charles
Quint et Philippe II. Il retrouve peu à peu son
caractère.

Par une rampe voûtée, qui traverse les remparts
de briques rouges, on accède à un agréable
jardin méditerranéen. Passant sous la **tour de
l'Hommage** édifiée à l'Ouest, on débouche sur la
cour d'honneur carrée *(en été, elle sert de cadre
au festival de théâtre « Estivales »),* ajourée de
deux étages de galeries à l'Ouest et à l'Est, dont

Sceau des rois de Majorque.

les éléments de décoration mêlant archaïsmes
romans et nouveautés gothiques forment un
style méridional de transition. Remarquer l'appareillage des murs avec se
alternances de galets roulés et de chaînages de briques pleines (cayrous).

Au 1ᵉʳ étage de l'aile Sud, la **grande salle de Majorque** abrite une cheminée
trois foyers. Dans son prolongement, les appartements de la reine ont conserv
un superbe plafond peint aux couleurs catalanes (vert et rouge).

La partie la plus admirable de l'édifice est constituée par le **donjon-chapelle** Ste-Croi
dominant l'aile Est. Comportant deux sanctuaires superposés construits au déb
du 14ᵉ s. par Jacques II de Majorque, ils ont une architecture extérieur
caractérisée par leur style gothique flamboyant d'influence française alors qu
la décoration intérieure situe bien l'édifice au bord de la Méditerranée.

La chapelle basse, « de la reine », au pavement de céramique verte, montre des traces de polychromie gothique – fausses fenêtres, décoration des trompes d'angle – et une belle Vierge à l'Enfant du 15ᵉ s.

La chapelle haute, plus élancée, s'ouvre par un **beau portail roman**★ aux voussures alternées de marbre bleu et rose.

Elle abrite un beau Christ catalan sur l'autel et présente le même jeu architectural des trompes d'angles.

Musée Hyacinthe-Rigaud (BZ M¹) ⊙ – Installé dans l'hôtel de Lazerme, hôtel particulier du 17ᵉ s., il porte le nom du célèbre artiste perpignanais, Hyacinthe Rigaud (1659-1743), dont les portraits – d'apparat pour la plupart – lui valurent une célébrité telle que pour satisfaire sa clientèle, Louis XIV et la haute société, il dut créer un atelier. Sa réputation s'étendit bien au-delà des frontières. Le joyau du musée, le *Portrait du cardinal de Bouillon,* a été défini ainsi par Voltaire : « Un chef-d'œuvre égal aux plus beaux chefs-d'œuvre de Rubens. » A côté d'autres tableaux du portraitiste, sont exposées les peintures gothiques catalanes, dont le fameux retable dit de la Trinité, du 15ᵉ s.

L'art contemporain est représenté de façon prestigieuse, entre autres, par Maillol, Dufy, Picasso, Alechinsky, Appell.

Une place importante est réservée à l'art hispanique et à l'art d'Amérique du Sud.

Place Arago (BZ 3) – Ornée de palmiers et de magnolias, elle est plaisante et très vivante grâce aux cafés qui la bordent, attirant une foule nombreuse. Au centre s'élève la statue du célèbre physicien et astronome François Arago (1786-1853) : personnalité hors du commun, animée par le goût de la recherche et de la vulgarisation scientifique – il fut admis à l'Académie des sciences à l'âge de 23 ans – ainsi que par la passion politique. Il fit partie du gouvernement provisoire de 1848.

Palais de la Députation (BY B) – Du 15ᵉ s., il abritait au temps des rois d'Aragon la commission permanente ou « députation » représentant les « corts » catalanes. Remarquer les énormes claveaux du portail, typiquement aragonais, le bel appareil de la façade toute en pierre de taille et les baies reposant sur des colonnettes de pierre très fluettes.

Face au palais de la Députation, faire une incursion dans la petite rue des Fabriques d'En Nabot (BY 24), jadis en plein quartier des **« parayres »** (apprêteurs d'étoffes qui formaient aux 13ᵉ et 14ᵉ s. la première corporation de Perpignan). Au n° 2 se trouve la **maison Julia**★ (BY D), l'un des rares hôtels particuliers bien conservés de Perpignan qui présente un patio à galeries gothiques du 14ᵉ s.

★ **Hôtel de Ville** (BY H) ⊙ – Les grilles sont du 18ᵉ s. Dans la cour à arcades, bronze de Maillol : *la Méditerranée.* Sur la façade du bâtiment, trois bras de bronze qui passent pour symboliser les « mains » ou catégories de la population appelées à élire les cinq consuls, seraient, en fait, d'anciennes torchères.

A l'intérieur, la salle des Mariages présente un beau plafond à caissons du 15ᵉ s.

Place de la Loge (BY 33) ⊙ – La place (avec une statue de Maillol : *Vénus*) et la rue de la Loge, pavée de marbre rose et réservée aux piétons, constituent le centre d'animation de la ville. L'été, on y danse la sardane plusieurs fois par semaine.

★ **Loge de Mer** (BY E) – Ce bel édifice, construit en 1397, remanié et agrandi au 16ᵉ s., était le siège d'un véritable tribunal de commerce. Cette juridiction arbitrait les contestations relatives au négoce maritime.

La girouette, en forme de navire, à l'angle du bâtiment, est le symbole de l'activité maritime que déployaient les commerçants du Roussillon.

★ **Cathédrale St-Jean** (BCY) – L'église principale commencée en 1324 par Sanche, deuxième roi de Majorque, a été consacrée seulement en 1509.

Par le passage à gauche, on peut s'approcher de l'ancien sanctuaire de St-Jean-le-Vieux. Un portail roman en marbre, dont le pendentif central est orné d'un Christ à l'expression mâle et sévère, subsiste.

La façade rectangulaire de la basilique est faite d'assises alternées de galets et de briques. Elle est flanquée, à droite, d'une tour carrée dont le beau campanile de fer forgé (18ᵉ s.) abrite un bourdon du 15ᵉ s.

La nef unique est imposante ; elle repose sur de robustes contreforts intérieurs séparant les chapelles. Ce qui caractérise St-Jean, ce sont ses riches retables des 16ᵉ et 17ᵉ s. parmi lesquels il faut distinguer celui du maître-autel et ceux des chapelles de gauche (Ste-Eulalie, Ste-Julie, St-Pierre). Dans l'absidiole Sud, le retable peint de la Vierge de la Mangrane.

Dans la niche centrale du maître-autel en marbre blanc, statue de saint Jean-Baptiste, patron de la cité : l'effigie du saint et la draperie « d'or à quatre pals (bandes) de gueules » (armes de l'Aragon et de la Catalogne royale) illustrent les armes de Perpignan.

A l'entrée du croisillon gauche, tombeau (17ᵉ s.) de l'évêque Louis de Montmort. L'orgue monumental du 16ᵉ s. a été restauré ; ses volets peints sont disposés de part et d'autre du portail latéral droit. Datés de 1504, ils représentent le Baptême du Christ et le Festin d'Hérode.

Sous le buffet d'orgue, un passage donne accès à la chapelle romane N.-D.-dels-Correchs. Là, a été déposé un gisant du roi Sanche, offert par la ville de Palma en 1971 et, dans le fond, une collection de reliquaires anciens protégée par des grilles de fer forgé.

En sortant de la cathédrale par le portail latéral droit, on verra dans la chapelle hors œuvre (BY L) le **dévot Christ**★, œuvre poignante, en bois sculpté, vraisemblablement rhénane, du début du 14ᵉ s.

PERPIGNAN

B	Palais de la Députation
D	Maison Julia
E	Loge de Mer
H	Hôtel de ville
L	Chapelle du Dévot Christ
M¹	Musée Hyacinthe-Rigaud
N	Campo Santo

Le tableau de la page 2 donne la signification des signes conventionnels figurant dans ce guide.

Campo Santo (BCY N) ⊘ – Au Sud de la cathédrale, le Campo Santo est u vaste cimetière du début du 14ᵉ s., de plan carré, qui vient de retrouver so aspect d'origine grâce à des travaux de restauration soigneusement menés. offre un ensemble architectural homogène avec ses niches funéraires en ogiv et ses enfeus en marbre, enchâssés dans des murs ornés de galets et chaînages de brique. C'est l'un des plus anciens cimetières du Moyen Â subsistant en France.

★ **Le Castillet** (BY) – Ce monument, emblème de Perpignan, sauvé de destruction lors de la démolition de l'enceinte, domine la place de la Victoi Ses deux tours sont couronnées de créneaux et de mâchicoulis exceptionnel ment hauts ; remarquer leurs fenêtres à grilles de fer forgé.
A l'ouvrage de brique, commencé en 1368, fut accolée en 1483 une porte ville dédiée à Notre-Dame. Le Castillet, au temps de Louis XI, protégeait cont l'ennemi du dehors et tenait en respect une ville souvent frondeuse.

Casa Pairal ⊘ – Musée catalan des Arts et Traditions populaires : meuble outillage, art religieux, costumes, belle croix aux Outrages.
Du haut de la tourelle (142 marches), jolie **vue** sur les monuments de la vil le Canigou, les Albères au Sud et les Corbières au Nord.

AUTRES CURIOSITÉS

Promenade des Platanes (BCY) – Rafraîchie par des fontaines. Les allé latérales sont agrémentées de mimosas et de palmiers.

La Miranda (CZ) – Petit jardin public aménagé sur les anciens bastions, derriè l'église St-Jacques, en favorisant dans la mesure du possible les plantes de garrigue, les arbres et arbustes indigènes ou acclimatés dans la régio (grenadiers, oliviers, aloès, etc.).

Église St-Jacques (CZ) ⊘ – Sanctuaire élevé au 14ᵉ s. dans un ancien quarti de jardiniers et de tisserands, au sommet des remparts. Sous le porche Su grande croix aux Outrages.
Dans l'absidiole de droite trouvent place plusieurs œuvres d'art : Christ du 14ᵉ statue de saint Jacques du 15ᵉ s. placée au-dessus d'une cuve baptismale toujou alimentée en eau vive, grand retable des Tisserands (fin 15ᵉ s.) consacré a scènes de la vie de la Vierge.

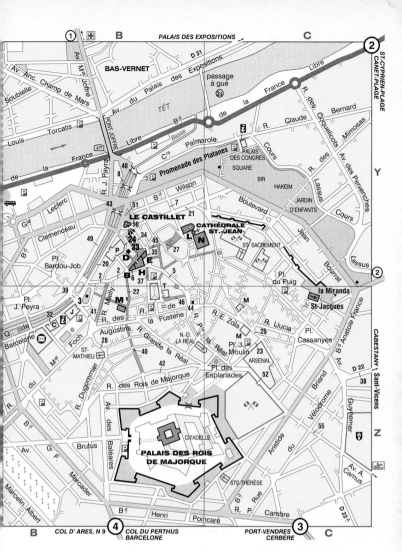

Prolongeant la nef, à l'Ouest, une vaste chapelle ajoutée au 18ᵉ s. était réservée à la confrérie de la Sanch (du précieux « Sang »). Depuis 1416, cette confrérie de pénitents, qui assistaient les condamnés à mort, se formait en procession solennelle le Jeudi saint en transportant ses « misteris » *(voir p. 47 à Arles-sur-Tech)* au chant des cantiques. La procession se déroule maintenant le jour du Vendredi saint.

★ **Musée numismatique Joseph-Puig** (AY) ⊘ – La villa « Les Tilleuls » (1907) a été transformée partiellement en musée pour abriter, selon son souhait, le fonds numismatique légué à sa ville natale par le Perpignanais Joseph Puig. 1 500 pièces sont présentées en permanence sur les 35 000 qui constituent le fonds. Une salle est réservée aux expositions temporaires.

A l'aide de loupes Fresnel, on découvre des monnaies principalement catalanes frappées à Valence, Barcelone, Perpignan ou Majorque, mais aussi roussillonnaises (postérieures au traité des Pyrénées) ou venues de pays plus méditerranéens (Rome, la Grèce, l'Égypte). Parmi les médailles, observer celles d'Arago mère et fils, réalisées par David d'Angers. Des pièces exceptionnelles comme le double ducat d'or représentant Ferdinand II d'Aragon, ou des statères d'or gaulois imités de la Grèce antique parachèvent cet ensemble représentatif de l'histoire de la numismatique et remarquablement présenté.

Centre d'artisanat d'art Sant Vicens ⊘ – *Accès par le boulevard Kennedy ou l'avenue Jean-Mermoz (Est du plan – D 22).*
Fabrication de céramiques d'après des dessins de Jean Lurçat, Jean Picart le Doux... ; exposition-vente des céramistes roussillonnais. Beaux jardins.

ENVIRONS

Cabestany – *5 km au Sud-Est par la D 22.* A l'intérieur de l'**église N.-D.-des-Anges**, sur le mur de la chapelle de droite, est déposé le célèbre **tympan★** roman, œuvre d'un sculpteur ambulant du 12ᵉ s., le maître de Cabestany, représentant la résurrection de la Vierge, son Assomption et sa Gloire entre le Christ et saint Thomas à qui elle avait envoyé sa ceinture.

Mas Palégry ⊘ – *7 km au Sud par la N 114, puis une petite route à droite en direction de Villeneuve-de-la-Raho.* Au milieu des vignobles, il sert de cadre à un **musée d'Aviation** (avions et maquettes). Parmi les modèles exposés : le Republic RF84F « Thunderflash » et un De Havilland « Vampire ».

LA PLAINE DU ROUSSILLON

Circuit de 93 km. Environ une journée.

Quitter Perpignan par ⑤ D 612 A.

Toulouges – Au flanc Sud et au chevet de l'église deux plaques et une stèle rappellent le souvenir du synode de 1027 et du concile de 1064-1066 instituant et développant l'une des plus fameuses « trêves de Dieu » de l'Occident. A l'extérieur de l'abside, est dressée une croix des Impropères ou des Outrages, croix de mission (1782) présentant les instruments de la Passion.

Thuir – Connue surtout pour ses **caves « Byrrh »** ⊘.
Le « Cellier des Aspres » offre, d'autre part, une documentation sur les vins locaux et sur le développement de l'artisanat dans les villages voisins.

Croix des outrages.

Prendre la D 48, à l'Ouest.

La route s'élève sur les coteaux de l'Aspre. Soudain, à la sortie d'un vallon, la **vue★** embrasse le village médiéval de Castelnou, le mont Canigou s'éleva au dernier plan.

Castelnou – Siège de l'administration militaire des comtes de Besalù *(voir p. 12* au Nord des Pyrénées, le village fortifié aux ruelles pavées se masse au pie du **château** ⊘ féodal, remanié au 19ᵉ s. Quelques artistes et artisans concoure à son animation.
Les pentes de garrigue s'éraillent et la vue devient imposante, au Sud, sur Roussillon, les Albères et la mer.

Église de Fontcouverte – Église isolée dans un cimetière ombragé d'un gr chêne vert. Beau **site★** solitaire dominant la plaine. Aussitôt après l'église, a bord de la route d'Ille, on peut faire halte sous les châtaigniers.

Ille-sur-Têt – Petite ville de plaine située entre la Têt et le Boulès, son affluer L'ancien hospice St-Jacques (corps de logis des 16ᵉ et 18ᵉ s.) abrite le **cent d'Art sacré** ⊘ qui présente au rez-de-chaussée une exposition permanen rassemblant tableaux, sculptures et pièces d'orfèvrerie (croix processionnelle reliquaires, ciboires, etc.). L'ambition du Centre est aussi de faire découvrir le trésors souvant totalement méconnus des églises de la région. Dans ce but, e privilégiant une présentation moderne, il met en place, chaque saison d'été, ur exposition différente.
A l'entrée Est de la localité, sur la route de Perpignan, le **musée départemental c Sapeur-Pompier** ⊘ est installé dans la caserne des pompiers. Il présente un rétrospective de matériel antifeu de l'Empire à nos jours.
Ille-sur-Têt est le point de départ de la route du Conflent *(p. 72)*, vers Prade aussi bien que celui de la route des Aspres *(p. 48)*, vers Amélie-les-Bain Remarquer l'imposante silhouette de son église.
La route (D 21), après avoir passé la rivière, se replie dans un vallon domin par **« les Orgues »**, étonnante formation géologique constituée de cheminées de fées, colonnes de roches tendres couronnées de conglomérat dur.
Les orgues se groupent sur deux sites, dont l'un, à l'Est, est accessible au public ⊘ C'est un admirable cirque aux parois blanches ravinées, déchiquetées, au centr duquel s'élève une imposante cheminée de fée appelée « la Sibylle

Plus loin, à l'Ouest, en allant vers Montalba, on peut remarquer à gauche de la route d'autres formations, d'une couleur plus ocre. 1 km plus haut, après une série de virages, un **belvédère** aménagé (table d'orientation) permet d'embrasser le site des orgues ; à l'horizon, Ille-sur-Têt.

Revenir sur ses pas pour gagner Bélesta par la D 21.

On suit une gorge taillée dans le granit.

Bélesta – *Page 52.*

Prendre la direction du col de la Bataille.

Le château de Caladroi apparaît bientôt au milieu d'un parc planté d'essences exotiques.

Ille-sur-Têt – Les Orgues.

Par un agréable tracé de crête entre les vallées de la Têt et de l'Agly on atteint le col puis, de là, l'ermitage de Força Réal.

Ermitage de Força Réal – Le sommet culminant à 507 m et formant bastion avancé au-dessus du Roussillon est occupé par une chapelle du 17ᵉ s., et une station de télécommunications.

Panorama★★ grandiose sur la plaine, la côte du cap Leucate au cap Béar, les Albères, le Canigou. Au Nord-Ouest, les deux crocs du Bugarach et le rocher de Quéribus pointent parmi les crêtes des Corbières méridionales.

Remarquer le contraste entre la vallée de la Têt, au damier de cultures maraîchères souligné par des rideaux d'arbres, et la vallée de l'Agly où le vignoble a gagné uniformément les versants.

Redescendre au col et, de là, à **Estagel**, patrie de François Arago dont le buste, par David d'Angers, est à la mairie.

Le long de la D 117, à la sortie d'un grand virage à droite, remarquer, peu avant l'entrée de Cases-de-Pène, l'ermitage perché de **N.-D.-de-Pène** : le petit pignon blanc de la chapelle se distingue difficilement de son socle de falaises grisâtres entamées par une grande carrière.

Rivesaltes – L'une des capitales viticoles du Roussillon, sur la rive droite de l'Agly.

Ville natale du **maréchal Joffre**, dont la statue équestre est érigée sur l'allée-promenade, bordée de platanes, dédiée au grand soldat (1852-1931) : homme des situations critiques, au sang-froid inébranlable, secondé par un équilibre nerveux à toute épreuve. La maison où Joffre vit le jour (11, rue du Maréchal-Joffre) abrite depuis 1987 un **musée** ⊘ évoquant sa vie et sa carrière.

Regagner Perpignan par la D 117 qui longe l'aéroport.

★ Château de PEYREPERTUSE

Cartes Michelin nº 86 pli 8 ou 235 pli 48 ou 240 pli 37 – Schéma p. 74.

Ce château de crête des Corbières, l'un des « cinq fils de Carcassonne », découpe, sur son éperon, une silhouette dont la hardiesse n'apparaît bien que des abords de Rouffiac, au Nord.

Peyrepertuse représente l'un des plus beaux exemples de pièces fortifiées des Corbières au Moyen Âge.

De récentes découvertes feraient remonter l'occupation de la montagne de Peyrepertuse dès l'époque romaine (des fragments d'amphores, des morceaux de briques ont été trouvés en grand nombre).

VISITE ⊘ environ 2 h

Accès de Duilhac : 3,5 km par route étroite.

La route, signalée à l'entrée Sud du village de Duilhac, se rapproche de la muraille Sud de l'éperon. Sur cette face, la forteresse ne présente guère que des débris déchiquetés ou perforés, se confondant avec la roche.

De l'aire de stationnement, suivre, en passant sur la face Nord, un sentier aboutissant à la porte d'entrée.

Nous ne saurions trop recommander la plus grande prudence lors de la visite de cette « citadelle du vertige ».

Peyrepertuse comprend deux ouvrages voisins mais distincts, ancrés à l'Est (Peyrepertuse proprement dit) et à l'Ouest (St-Georges) de l'éperon, mesurant 300 m dans sa plus grande longueur.

Le château St-Georges ne fut jamais accessible aux chevaux, ni même aux mulets.

Château bas – C'est le château féodal à proprement parler.

Il fut rendu semble-t-il sans combat en 1240 entre les mains du sénéchal de Carcassonne, représentant Louis IX, après l'échec du deuxième siège de Carcassonne *(voir p. 59)*. Le château bas occupe le promontoire effilé en proue. Saint Louis y fit construire un escalier.

Peyrepertuse.

J. Sierpinski/SCOPE

Donjon – *Entrer par la porte haute.* Le donjon vieux, noyau du château, forme un quadrilatère dont on ne voit, de la cour, que la face flanquée d'une tour ronde (citerne).

L'ouvrage fut complété aux 12ᵉ et 13ᵉ s. par une chapelle fortifiée (mur de gauche) soudée au premier réduit par des courtines fermant les petits côtés de la cour.

Cour basse – L'enceinte épouse l'éperon triangulaire. Elle n'est complète que du côté Nord, montrant sur cette face une forte courtine, à deux tours ouvertes à la gorge c'est-à-dire sans mur vers l'intérieur de la place : la tour Ouest et la tour Est.

Les défenses Sud se réduisaient à un simple parapet, reconstitué.

En revenant sur ses pas, admirer le front Est du donjon complètement remodelé au 13ᵉ s., avec ses tours demi-rondes, reliées par une courtine crénelée.

Château St-Georges – *Traverser l'esplanade Ouest vers le roc St-Georges.*

Au nord du précipice, un poste de guet isolé offre, par un trou béant, une vue sur Quéribus. Un impressionnant escalier taillé dans le roc, dangereux par vent violent *(chaînes de fer servant de main courante)* donne accès aux ruines.

A 796 m d'altitude, cette forteresse royale domine d'une soixantaine de mètres le château bas. Elle fut construite en une seule campagne au point culminant de la montagne après la réunion du Languedoc au domaine royal. Elle conserve de hautes murailles en grand appareil, moins intéressantes toutefois que leur site aérien.

Gagner, à gauche, en revenant vers l'Est, le promontoire le plus avancé, site de l'ancienne chapelle, dominant le château bas. **Vues** sur l'ouvrage, dans son site panoramique : bassin du Verdouble, château de Quéribus, Méditerranée à l'horizon.

Carte

Roc St-Georges

CHÂTEAU ST-GEORGES

Escalier St-Louis

Chapelle · Donjon

Magasin

Esplanade Ouest

Poste de guet

Citerne

Donjon

Chapelle

Cour basse

Logement

Tour Ouest · **CHÂTEAU BAS**

Tour Est

0 — 40 m

N →

P

Cartes Michelin n° ▦▦ plis 3, 4 et 5 ou ▦▦▦ plis 38, 42, 43.

Le Plantaurel est le nom donné aux crêtes qui s'allongent d'Est en Ouest sur la bordure septentrionale des Pyrénées. Ce sont les avant-monts pyrénéens, culminant à 830 m. Les rivières qui le traversent (Touyre, Douctouyre, Ariège, Arize) ont formé des cluses, parties les plus animées du massif avec celles situées sur les contreforts des chaînons, en avant et en arrière.

DE MONTBRUN-BOCAGE A ROQUEFIXADE

69 km – environ une journée.

Montbrun-Bocage – *Page 159.*

> *Quitter Montbrun au Nord-Est et prendre à droite à Daumazan-sur-Arize. A Sabarat, prendre de nouveau à droite.*

La route pittoresque longe l'Arize qui coule dans un étroit défilé.

★★ **Grotte du Mas d'Azil** – *Page 101.*

Retrouvant le jour au porche Sud de la grotte, l'Arize coule dans une vallée passagèrement plus ample où l'on remarque, accrochées à la pente comme des nids dans la broussaille, les chapelles du chemin de croix de Raynaude.
Le dernier défilé, le long de la D 15, aux ombrages agréables, décrit un angle droit et débouche après Durban dans la dépression du Sérou, zone particulièrement riche en percées hydrogéologiques *(voir p. 17)*.

> *Prendre la D 117 à gauche.*

La Bastide-de-Sérou – Dans le noyau ancien du bourg, l'église abrite un Christ rhénan pathétique du 15ᵉ s. – à gauche en entrant – et une Pietà de la fin du 15ᵉ s., dans une chapelle à gauche du chœur.
Sur la place de la halle (mesures à grain, en pierre) et dans les petites rues du quartier au Sud de l'église, remarquer plusieurs maisons aux portails datés du 18ᵉ s.

> *A 7 km, tourner à gauche dans la D 11 puis à droite dans la D 1.*

★ **Rivière souterraine de Labouiche** – *Page 94.*

La route pénètre à Foix par le pont sur l'Arget, offrant une vue privilégiée sur le château et ses trois tours.

★ **Foix** – *Page 85.*

> *Quitter Foix au Sud-Est par ② N 20, puis prendre la D 9 à gauche.*

La route s'élève à flanc de montagne en laissant à droite le Pain de Sucre de Montgaillard : virant à l'Ouest, elle vient dominer la dépression évidée entre la dernière ride du Plantaurel et le massif cristallin du St-Barthélemy aux formes puissantes. Dès Caraybat le regard se fixe, au loin, sur le piton de Montségur. En avant se rapproche la muraille rocheuse de Roquefixade couronnée de ruines.

Roquefixade – Le château du village, lieu de refuge cathare, ne fut pas pris par les croisés mais saisi en 1272 par Philippe le Hardi en même temps que celui de Foix. Faire halte à l'entrée du village devant une croix. De cet endroit, la **vue**★ s'étend, au-delà de la vallée coupée de rideaux de frênes et semée de villages aux toits roses, sur le massif du St-Barthélemy et, vers l'aval, à droite au dernier plan, sur le massif des Trois-Seigneurs. Vers l'amont, au Sud-Est, on reconnaît le rocher de Montségur, avec lequel le château pouvait communiquer par feux.

PRADES

6 009 h. (les Pradéens)

Cartes Michelin n° ▦▦ plis 17, 18 ou ▦▦▦ pli 52 – Schéma p. 56.

Prades, bâtie au pied du Canigou, au milieu des vergers, fut, depuis 1950, la ville d'élection du violoncelliste Pablo Casals (1876-1973). Les grands concerts du festival ont lieu à St-Michel-de-Cuxa.
Dans le quartier ancien avoisinant l'église, les bordures de trottoirs, les caniveaux et les pierres de seuil sont fréquemment taillés dans le marbre rose du Conflent.

Église St-Pierre – Elle est flanquée d'un clocher roman. Le retable du maître-autel, œuvre du sculpteur catalan Sunyer (1699), est dédié à saint Pierre. Dans le croisillon gauche, un Christ « noir » du 16ᵉ s. est plus proche de la sensibilité moderne.

EXCURSIONS

Marcevol – *Circuit de 35 km – environ 2 h.*

> *Suivre la D 619, route de Molitg, jusqu'à Catllar où l'on bifurque à droite dans la D 24.*

★ **Eus** – Très beau village étagé dont les maisons dévalent la soulane parmi les blocs de granit et les genêts, entre la grande église supérieure bâtie au 18ᵉ s. et la chapelle romane St-Vincent gardant le cimetière au fond de la vallée.
On fera quelques pas dans les ruines de la cité fortifiée, autour de l'église. Par les brèches des murailles, belles échappées sur le Canigou et la plaine du Conflent.

> *Poursuivre le parcours le long de la D 35 en laissant à droite le pont de Marquixanes enjambant la Têt.*

Marcevol – Minuscule village de bergers et de viticulteurs. En contrebas, un ancien prieuré des chanoines du St-Sépulcre isolé sur un tertre gazonné dominant le Conflent, face au Canigou, montre un portail et une fenêtre romane en marbre rose et blanc. Les vantaux ont conservé leurs pentures à décor de volutes, motif typique de la ferronnerie romane en Conflent et en Vallespir.

Le prieuré abrite **l'association du Monastir** ⊙ de Marcevol. Fondée en 1972, elle organise tout au long de l'année des stages et des rencontres.

5 km au-delà de Marcevol, prendre à droite la D 13 qui, par une gorge granitique fleurie de cistes au début de l'été, ramène à la vallée de la Têt.

Rentrer de Vinça à Prades par la N 116.

Mosset – *24 km au Nord, par la D 619 et la D 14 – environ 1 h.*

Molitg-les-Bains – L'établissement thermal est installé dans le ravin boisé de la Castellane, site encaissé agrémenté de plantations, aménagé de sentiers et d'un plan d'eau. On y soigne surtout les affections de la peau et des voies respiratoires.

Mosset – L'ancien village fortifié allongé sur une croupe semble barrer la vallée.

★ # PRATS-DE-MOLLO   1 102 h. (les Pratéens)

Cartes Michelin n° 86 plis 17, 18 ou 235 pli 56 ou 240 pli 45.

Prats-de-Mollo est bâtie dans la vallée épanouie du haut Tech dominée par les pentes rases du massif du Costabonne et du Canigou. Elle allie le cachet d'une ville close renforcée par Vauban au charme d'une cité catalane de montagne particulièrement enjouée.

CURIOSITÉS

PRATS-DE-MOLLO

Entrer dans la ville par la Porte de France et suivre la rue commerçante du même nom.

Face à la Place d'Armes, monter les degrés de la rue de la Croix-de-Mission, dominée par une croix des Outrages.

Église – Une église romane, dont il subsiste le clocher crénelé, précéda le bâtiment actuel, de structure gothique, qui date du 17e s. Portail à pentures enroulées du 13e s. Un curieux ex-voto est fiché dans le mur à droite : c'est une côte de baleine mesurant plus de 2 m. Dans la chapelle qui fait face à la porte est placée la statue de N.-D.-du-Coral, copie de celle du 13e s. vénérée dans l'ancien sanctuaire de bergers du même nom situé près du Col d'Ares *(p. 156)*. Le retable baroque du maître-autel, qui mesure près de 10 m de haut et qui a été recouvert de feuilles d'or en 1745, représente la vie et le martyre des saintes Juste et Rufine, patronnes de la ville.

Longer le côté Sud de l'église et contourner le chevet par un chemin de ronde fortifié. Sortir de l'enceinte et s'élever d'une centaine de mètres en direction du fort Lagarde.

En se retournant, joli coup d'œil sur les parties hautes de l'église.

Fort Lagarde – Bâti à partir de 1692 sur un éperon rocheux qui domine la ville, il conserve en son centre les restes d'un ancien château. Une redoute, à mi-chemin entre le fort et la ville, assurait la protection du sentier de liaison. Un escalier, à flanc de courtine, permet l'accès final au fort.

Revenir au portail de l'église et prendre à droite.

En vue de l'hospice descendre les marches à gauche et suivre la rue longeant, en contrebas, le jardin de l'hospice. La vue sur la ville haute et la chaîne frontière est jolie ; on remarque la tour de Mir et le pic de Costabonne, au fond de la vallée. Traverser le torrent sur un pont fortifié immédiatement en aval du vieux pont en dos d'âne de la Guilhème. On pénètre dans la ville haute.

★ **Ville haute (Ville d'amour)** – Place del Rey, où se dresse une ancienne maison du Génie militaire, s'élevait l'une des résidences des comtes de Besalù, ayant régné, au 12e s., sur l'une des pièces de la mosaïque des comtés catalans. Au départ de la rue des Marchands, monter à droite un escalier sculpté. Du sommet, vue sur l'église dominant la ville basse.

Longer le mur d'enceinte et sortir de la ville par une porte moderne pour y rentrer par la suivante (bretèche) « du Verger ».

On arrive à un carrefour dominé par une maison formant proue ; selon certains il s'agirait d'un ancien palais des rois d'Aragon, selon d'autres elle aurait abrité la centrale syndicale de la corporation des tisserands. On produisait autrefois des draps et des toiles de grande qualité dans la région du Haut-Vallespir. Une ruelle en descente mène enfin à la porte de sortie. Passer la porte d'Espagne ; de la passerelle sur le Tech, vue sur le front Sud de la ville.

LA PRESTE

A la sortie Nord-Ouest de Prats-de-Mollo, la D 115^A mène, en 8 km, à la station hydrominérale de la Preste (alt. 1 130 m). Ses cinq sources, jaillissant à 44°, traitent la colibacillose. C'est Napoléon III qui fit construire cette route d'accès. Souffrant, il avait l'intention de faire une cure à la station ; la guerre de 1870 l'obligea à y renoncer.

Château de PUILAURENS

Cartes Michelin n° 86 Sud du pli 7 ou 235 pli 47 – Schéma p. 74.

On y accède de Lapradelle, sur la D 117, route de Perpignan à Quillan, par une petite route au Sud du village (D 22) et le chemin à droite en montée 800 m après Puilaurens. Puis 3/4 h à pied AR.

Ce **château** ⊘, dominant à 697 m d'altitude la vallée de la Boulzane, a conservé sa silhouette à peu près intacte. On remarque de loin son enceinte crénelée à quatre tours et merlons à redans défendant les approches du donjon. Position la plus avancée du roi de France face au royaume d'Aragon, depuis le traité de Corbeil en 1258, Puilaurens était encore en état de défense au 17e s. Les Espagnols le prirent finalement d'assaut en 1636.
On atteint la porte principale par une rampe en zigzag coupée de chicanes. Débouchant dans la basse cour, ressortir par une poterne au pied de la tour Est pour gagner un bec rocheux d'où l'on apprécie la force de la position, du côté Nord, inaccessible, et la taille soignée des moellons à bossages. Au Nord-Est, se dresse le pic de Bugarach ; au Sud, par la vallée de la Boulzane, apparaît le Canigou.

PUIVERT   467 h. (les Puivertains)

Cartes Michelin n° 86 pli 6 ou 235 plis 43, 47.

Le bassin de Puivert, dont le fond de prairies surprend dans le paysage très mouvementé et boisé des confins du Plateau de Sault, était encore immergé au Moyen Âge. Le lac se vida subitement en 1279, dévastant les villes de Chalabre et de Mirepoix. Un petit lac artificiel s'étend au Sud de la localité.
Il est conseillé d'effectuer la visite du musée avant celle du château.

Château ⊘ – *Du hameau de Camp-Ferrier, sur la route de Quillan, 500 m par une route étroite en forte montée.*
Pris d'assaut par les Croisés en 1210, il fut donné par Simon de Montfort à Lambert de Thury puis revint au seigneur de Bruyères-le-Châtel (près d'Arpajon), dont les descendants firent dès lors souche dans la région et agrandirent le château.
Du château antérieur au siège de 1210, il ne reste que quelques pans de murs à l'Ouest. Le Château Neuf du 14e s., dont une partie a été détruite *(fouilles en cours)*, conserve sa tour-porte carrée ornée d'un blason portant le lion des Bruyères et son donjon de 32 m de haut. Celui-ci comprend quatre salles superposées. On peut visiter l'une des salles inférieures, couverte d'une voûte en berceau, la chapelle à voûte d'ogives et « piscine » (cuve à ablutions), encastrée dans le mur, enfin la salle dite des « Musiciens », dont la voûte d'ogives retombe sur des culs-de-lampe représentant des artistes jouant de leurs instruments (cornemuse, tambourin, vielle, luth, psaltérion, rebec, etc.) et évoquant ainsi l'éclat de la vie seigneuriale à Puivert au temps des troubadours.

Musée du Quercorb ⊘ – Évocation attrayante de l'histoire, des traditions et des métiers traditionnels de la région du Quercorb, à l'aide de panneaux, de maquettes et de reconstitutions (cuisine, forge, sans oublier la fabrication des sonnailles et le travail du jais). Ne pas manquer, au 2e étage, l'intéressante restitution des instruments de musique médiévaux, représentés sur les culs-de-lampe du donjon du château de Puivert.

★ Château de QUÉRIBUS

Cartes Michelin n° 86 pli 8 ou 235 pli 48 et 240 pli 37 – Schéma p. 74.

On y accède par la D 123, prise au Sud du village de Cucugnan, et, à partir du Grau de Maury (p. 70), par une route en forte montée.

Le **château** ⊘ donnait encore asile, en 1241, à des diacres cathares. Son siège, en 1255, dernière opération militaire de la croisade des Albigeois, 11 ans après la chute de Montségur, ne semble pas s'être terminé par un assaut en force. Quéribus est alors érigé en forteresse royale. Il occupe une position de frontière entre la France et l'Aragon, destinée à observer et à défendre la plaine du Roussillon.

★★ **Site** – Le site de ce « dé posé sur un doigt », à 729 m d'altitude, stupéfie. Des terrasses, intenables par vent violent, **vue**★★ splendide sur la plaine du Roussillon, la Méditerranée, les Albères et le Canigou, les massifs du Puigmal et du Carlit.

Quéribus – Un « dé posé sur un doigt ».

Intérieur – On s'attarde dans une haute salle gothique à pilier central. Le singularités de son plan et de son éclairage ont donné lieu, comme à Montségu à des interprétations liées à un symbolisme solaire. Cependant, il ne reste presqu rien de la première époque de construction du château qui fut transform totalement pour répondre aux progrès de l'artillerie.

QUILLAN   3 818 h. (les Quillanais)

Cartes Michelin n° 86 pli 7 ou 235 pli 47 – Schéma p. 74.

Capitale touristique de la haute vallée de l'Aude à l'entrée du défilé de Pierre-Lys Quillan constitue un des meilleurs centres d'excursions pour toute la régio forestière des avant-monts pyrénéens. *(Voir p. 139 le circuit en forêt de Comu et de la Plaine.)* La passion du rugby, qui remonte à la dernière période fast de la chapellerie, entre les deux guerres, sous le mécénat de Jean Bourre imprègne toujours la population.
La ville tire son animation de son activité industrielle dans les secteurs de panneaux lamifiés (« Formica »), des meubles de luxe et de jardin, des pantalon et des chaussures.
Sur l'esplanade de la gare, original petit monument à l'abbé Armand *(p. 50)* Sur la rive droite de l'Aude, s'élèvent les ruines – malheureusement à l'abandon – d'une forteresse médiévale de plan carré, rare exemple de ce type d'architecture militaire dans la région.

RABASTENS   3 825 h. (les Rabastinois)

Cartes Michelin n° 82 pli 9 ou 235 pli 26.

Sur la rive droite du Tarn, couverte de céréales, de vignes, de primeurs e d'arbres fruitiers, Rabastens est une ville active. De nouvelles industries (mécanique de précision pour l'aviation, fabrication de cellules et charpentes métalliques) s'ajoutent à celles des compteurs électriques et du meuble qu perpétue la tradition des ateliers d'ébénisterie et de sculpture sur bois du 17ᵉ s.
Du pont, on a de jolies vues sur les maisons anciennes qui dominent la rivière.

Église N.-D.-du-Bourg – Fondée au 12ᵉ s., par les bénédictins de Moissac dans la ville basse (le bourg), l'église de Rabastens se présente comme une forteresse dont la puissante façade est percée d'un portail aux beaux **chapiteaux**★ romans ; richement décorés de rinceaux, de feuilles d'acanthe et de personnages, ils représentent des scènes de la vie du Christ et de la Vierge : de gauche à droite, l'Annonciation, la Visitation, la Naissance du Christ, les Rois mages, la Présentation au Temple, le Massacre des Innocents, la Fuite en Égypte, la Tentation.
A l'intérieur, les peintures de la nef, découvertes et restaurées au 19ᵉ s., sont du 13ᵉ s., comme celles du chœur, remarquable pour son élégant triforium.

ENVIRONS

Château de St-Géry – *4,5 km. Quitter Rabastens au Nord-Est en direction d'Albi, puis tourner à droite au panneau « Château de St-Géry ».*
Trois corps de bâtiment encadrent une cour d'honneur, gardée par deux sphinx. La façade sur la cour date de la fin du 18ᵉ s. ; la partie la plus ancienne est l'aile Est (14ᵉ s.). *Le château ne se visite pas.*

RENNES-LE-CHÂTEAU   88 h.

Cartes Michelin n° 🔲🔲 pli 7 ou n° 🔲🔲🔲 sud-Est du pli 43 – Schéma p. 74.

C'est l'ancienne Rhedae, qui a donné son nom au comté du Razès.
Le plateau où est située Rennes-le-Château domine du plus de 25 m la vallée de l'Aude. Du parking aménagé près du château d'eau s'offre un vaste panorama vers l'Ouest, sur la haute vallée de l'Aude aux petites cités à toits rouges, dont Espéraza et Campagne-sur-Aude.
Un étrange bâtiment à demi fortifié (dit tour Magdala) s'élève sur l'esplanade : il s'agit de la bibliothèque que s'était fait construire le curé de la paroisse, l'abbé Saunière.

Un trésor mystérieux – La vie insolite de Béranger Saunière, curé de Rennes-le-Château de 1885 à sa mort en 1917, a fait couler beaucoup d'encre.
Où l'abbé trouva-t-il, à partir de 1891, les moyens de restaurer de fond en comble son église en ruine, de se construire un logis luxueux (villa Béthanie), une tour-bibliothèque, une serre exotique, et de mener pendant plus de 20 ans un train de vie digne d'un prince ?
Quelle était la teneur des parchemins qu'il aurait découverts à la faveur des travaux effectués dans son église ? Qu'est-ce qui le poussa à marteler certaines dalles funéraires ?
S'il est fort probable qu'un trésor soit à l'origine de la fortune de l'abbé Saunière, toutes les hypothèses ont pu être avancées : on a parlé aussi bien d'un trésor des Templiers (qui au demeurant ne se sont jamais implantés dans la région) que de celui des Cathares, des Wisigoths, voire du trésor de Jérusalem rapporté de Rome par ces derniers.

Église – Ce n'est pas le château de Rennes, dont les murs délabrés se dissimulent au cœur du village, qui attire la foule des curieux, mais la modeste église Ste-Marie-Madeleine : la décoration, peu orthodoxe et d'une esthétique douteuse, dont celle-ci a été dotée à la fin du 19ᵉ s. ne manque pas d'intriguer le visiteur.

Musée ⊘ – Installé dans le presbytère, il est consacré à l'histoire de Rennes-le-Château et surtout à la vie de l'abbé Saunière : documents, objets personnels du prêtre, balustre en bois creux et support d'autel carolingien, qui pourraient avoir recélé les fameux parchemins, dalles funéraires, énigmatique dalle dite « des Chevaliers », etc.

RIEUX   1 721 h. (les Rivois)

Cartes Michelin n° 🔲🔲 pli 17 ou 🔲🔲🔲 pli 38.

La ville a gardé intact le charme de son site, à l'intérieur d'une boucle de l'Arize, et de son vieux quartier de clercs dominé par l'une des plus jolies tours de brique toulousaines. Elle dut son rang de cité épiscopale aux attaches aquitaines du pape Jean XXII, originaire de Cahors, qui en 1317 démembra le vaste diocèse de Toulouse et celui de Pamiers en créant les évêchés de Rieux, Montauban, Lombez, St-Papoul, Mirepoix, Alet et Lavaur.

★ **Cathédrale** ⊘ – Prendre d'abord du recul en traversant le pont sur l'Arize, vers le calvaire du monument aux morts, pour avoir une **vue**★ de l'édifice dans son ensemble. On a devant soi le chevet plat, fortifié, de la première église du 13ᵉ s., assise sur les maçonneries de l'ancien château fort, baignant dans la rivière. A droite se projette le vaisseau transversal du chœur des Évêques. La tour-clocher octogonale, avec ses trois étages ajourés, du 17ᵉ s., dans le style toulousain, se dresse à l'arrière-plan.
Par le grand portail gothique, mutilé, pénétrer dans la nef principale (14ᵉ s.).

Chœur des Évêques – Construite au 17ᵉ s. pour le chapitre, cette chapelle est meublée de stalles de noyer inspirées de la cathédrale de Toulouse. Le maître-autel aux marbres polychromes – admirer le marbre jaune – lui donne son cachet « grand siècle ».

Sacristie des Chanoines ⊘ – La salle conserve le **trésor**★ de Rieux. La grande armoire, du 14ᵉ s., avec ferrures d'époque, renferme des bustes reliquaires et la châsse en bois de saint Cizi (1672), patron de l'ancien diocèse. La petite armoire abrite l'impressionnant buste reliquaire de saint Cizi, en argent repoussé sur âme de bois, travail d'un orfèvre toulousain. Le soldat-martyr, mort sous les coups des Sarrasins lors des incursions arabes du 8ᵉ s., est présenté sous les traits d'un guerrier antique.

Ancien palais épiscopal ⊘ – Établissement médical. On peut pénétrer dans la cour d'honneur pour admirer la légèreté de la tour de la cathédrale.

Autres dépendances – Devant la cathédrale subsistent des maisons à colombage (15ᵉ et 16ᵉ s.) et, plus austère, l'ancien séminaire, devenu hôtel de ville.

Plages du ROUSSILLON

Cartes Michelin n° 86 plis 10, 20 ou 240 plis 34, 38, 42, 46 – Schéma p. 8

La côte méditerranéenne décrite dans cet ouvrage offre au visiteur le calme visag
de ses immenses étendues de vignobles.

Tout au long de la côte, de nombreux étangs se succèdent, isolés de la m
par de minces cordons littoraux (les « lidos » des géographes), ne communiqua
avec elle que par des chenaux, les « graus ». En raison de son équipeme
insuffisant, cette partie du littoral restait à l'écart des grands mouvemen
touristiques malgré l'immensité de ses plages de sable fin, son ensoleilleme
exceptionnel et la présence de la mer.

Un plan d'État, établi en 1963 et en grande partie réalisé, a « lancé
l'aménagement touristique de la côte du Languedoc et du Roussillon. A par
de 1968, ce plan s'est traduit sur le terrain par le remodelage du cordon littor
de l'étang de Leucate. Cette frange côtière déserte, affouillée et remblayée,
donné naissance à deux stations nouvelles : Port-Leucate et Port-Barcarès. Le
travaux ont été précédés par la construction d'une voie littorale rapide qui n
pas été raccordée aux autres voies en un nouvel itinéraire côtier, qui contrariai
les mesures de protection de la zone littorale. Une campagne de « démoustic
tion » et de plantations, un réseau d'adduction d'eau ont ensuite ouvert la vo
aux constructeurs, promoteurs et animateurs. L'arrivant peut rechercher le lon
de cette côte un nouveau style de vacances associant la vie bigarrée, dans de
stations différant chacune par l'originalité de l'urbanisme et de l'architecture, l
nautisme, le cadre naturel sur les plages conservées intactes et la découvert
d'un arrière-pays empreint de traditions.

Les stations traditionnelles sont aussi comprises dans ce plan. Leurs progrès s
manifestent surtout dans leur meilleure ouverture sur la mer : à Collioure,
Banyuls, à Port-Vendres... des ports de plaisance ont été aménagés.

Les stations, anciennes ou nouvelles, bénéficient toutes de la proximité de
étangs côtiers. Les espaces verts qui ont été créés sont patiemme
préservés des embruns salins et continuellement arrosés (à Port-Barcarè
principalement).

DU CAP LEUCATE A ARGELÈS-PLAGE

L'aménagement de nouvelles « unités touristiques » sur les plages de cette parti
du Golfe du Lion accentue le contraste entre la côte basse, sableuse, et la cô
rocheuse, découpée, décrite p. 80 *(voir la Côte Vermeille)*.

★ **Cap Leucate** – Ses falaises barrent, au Nord, l'étang de Leucate ou de Salse
Elles offrent de belles vues sur tout le Golfe du Lion.

Sémaphore du cap – Du belvédère, **vue★** sur la côte, du Languedoc aux Albère

La Franqui – Petite station balnéaire. On peut y accéder à pied *(1 h 1/2 AR)* pa
le sentier de corniche qui part du sémaphore du cap Leucate. C'est ic
que l'écrivain Henry de Monfreid (1879-1974), né à Leucate, aimait à s
retirer.

⌂ **Port-Leucate et Port-Barcarès** – Les urbanistes disposaient ici de 750 h
Ils ont cherché à répondre à la recherche contemporaine de bains de natur
et de loisirs actifs, ainsi qu'aux développements du tourisme social, concurrem
ment avec l'équipement hôtelier conventionnel. La structure urbaine fait une larg
place aux habitations groupées en essaims. Elle traduit l'abandon du « front d
mer » : les accès à la plage se font par des voies en impasse.

Les couchers de soleil ont quelque chose d'hellénique, lorsque, derrière les eau
plombées de l'étang de Leucate, les Corbières se teintent de mauve.

Le nouvel ensemble portuaire de Port-Leucate et de Port-Barcarès constitue l
plus vaste base de navigation de plaisance de la côte française de la Méditerranée
On y pratique la voile et le ski nautique. Un boulevard nautique d'une dizain
de kilomètres, indépendant de la mer et de l'étang de Leucate, forme un pla
d'eau sans clapotis d'où se détachent les canaux secondaires « résidentiels »
desservant les marinas.

Port-Barcarès – Le « **Lydia** » ⊘, paquebot volontairement ensablé en 1967, constitu
la grande attraction de la nouvelle façade maritime du Roussillon. Le par
de la station offre de belles promenades. Un institut moderne de thalasso
thérapie propose ses méthodes de traitement aux surmenés, dépressifs
rhumatisants...

Les trois stations suivantes, animées de longue date par les « baigneurs » de
la région, ont été comprises dans le schéma d'aménagement du littoral. Les
innovations y ont porté sur une meilleure ouverture à la navigation.

⌂ **Canet-Plage** – La station classique des Perpignanais doit son animation intense
à un port de plaisance actif (voile), de nombreux clubs sportifs et aux programme
de son casino. Au nombre des attractions muséographiques compten
l'**Aquarium** ⊘ avec ses espèces locales et tropicales, le **musée de l'Auto** ⊘ e
ses véhicules restaurés couvrant la période de 1907 à 1989, le **musée du
Bateau** ⊘ proposant plus d'une centaine de maquettes et surtout l'intéressan
musée du Jouet★ ⊘ présentant dans une perspective historique des jouets du
monde entier (les pièces les plus anciennes sont des poupées de l'ancienne
Égypte).

St-Cyprien – Station remodelée. L'animation est passée surtout dans le quartier
du nouveau port, où l'urbaniste a trouvé un terrain vierge pour élever se
immeubles de 5 à 10 étages. L'extension raisonnable de ce port de plaisance
(voile, ski nautique) et de pêche rend encore possible sa « visite », à pied, le
long des quais.

Thomas/IMAGES PHOTOTHÈQUE

St-Cyprien.

Argelès-Plage – Une soixantaine de terrains aménagés et de villages de toile, dans un rayon de 5 km, en font la capitale européenne du camping. Argelès-Plage marque le joint entre la côte basse du Roussillon (plage Nord, plage des Pins) et les premières criques rocheuses de la Côte Vermeille (le Racou). L'immédiat arrière-pays a gardé ses jardins irrigués, ses vergers où prospèrent les arbres fruitiers les plus délicats, les micocouliers, les eucalyptus, etc. En été, 90 000 séjournants donnent à la station une animation inoubliable.

Casa de les Albères ⊘ – Situé au centre de la vieille ville d'**Argelès-sur-Mer**, ce musée catalan d'Art et traditions populaires expose les outils liés à la pratique de métiers autrefois en honneur dans les Albères : fabrication des bouchons, tonnellerie, viticulture, mais aussi confection des semelles d'espadrilles et de jouets en bois de micocoulier.

ST-ANDRÉ

2 123 h. (les Andréens)

Cartes Michelin n° 86 plis 19, 20 ou 240 pli 41.

Ce petit village de plaine, situé à 5 km de la mer et dominé par les Albères, au Sud, possède une église romane intéressante.

Laisser la voiture sur la placette ombragée à droite de la rue de traversée. Par une voûte, accéder à l'église.

Église ⊘ – L'édifice, du 12ᵉ s., présente extérieurement d'importants fragments d'appareil préroman en « arête de poisson ».
Le portail est surmonté d'un linteau de marbre, de technique similaire à celui de St-Génis-des-Fontaines *(voir p. 134)*. La fenêtre présente un décor de palmettes et de galons de perles avec, aux angles, les médaillons des Évangélistes.
Intérieurement la nef principale offre un curieux dispositif de piles à colonnettes engagées reposant sur de hauts socles ne laissant entre les supports et le mur qu'un étroit passage.
Les fenêtres ont été dotées, en 1973, de châssis vitrés rappelant les dalles ajourées des « claustras » antiques.
La table d'autel à lobes fait apparaître des motifs décoratifs analogues à ceux du linteau.

ENVIRONS

St-Génis-des-Fontaines – *4,5 km à l'Ouest par la D 618 vers le Boulou.*

Dès la sortie de St-André, à droite, le tertre de la cathédrale d'Elne surgit de la plaine.

Du rayonnement de l'ancienne abbaye bénédictine, fondée vers l'an 800 à St-Genis-des-Fontaines, ne témoignent plus aujourd'hui que l'église paroissiale et le cloître, qui la flanque au Nord.

Le linteau, en marbre blanc, qui surmonte la

St-Génis-des-Fontaines – Le linteau.

porte de l'**église,** est l'une des plus anciennes manifestations datées de l'art roma en France (1020). Deux groupes de trois apôtres entourent le Christ qui trôn au centre d'une gloire portée par deux anges agenouillés.

Le **cloître** ⊘, du 13ᵉ s., restitué à son emplacement d'origine après avoir ét démantelé, comporte des galeries s'ouvrant par des arcs en plein cintre reposan sur des chapiteaux sculptés. Le décor de marbre frappe par sa variété : marbr rose de Villefranche-de-Conflent, blanc et gris de Céret.

En fin de volume figurent d'indispensables renseignements pratiques :

- *Organismes habilités à fournir toutes informations ;*
- *Manifestations touristiques ;*
- *Conditions de visite des sites et des monuments...*

ST-FÉLIX-LAURAGAIS
1 177 h.

Cartes Michelin nᵒ ▓▓ pli 19 ou ▓▓▓ pli 35.

Dans un **site★** dominant la plaine du Lauragais, St-Félix est entré dans l'histoir (dans la légende disent certains) en 1167, quand les cathares y tinrent concil pour organiser leur Église.

Déodat de Séverac – St-Félix est fier d'avoir vu naître ce compositeu (1873-1921) à qui l'on doit surtout des mélodies qui évoquent la beauté de l terre et de la nature. De sa musique, Debussy disait « qu'elle sentait bon » Élève de Vincent d'Indy et de Magnard à la Schola cantorum de Paris, Déoda de Séverac fut également profondément influencé par l'œuvre de Debussy. n'est guère de compositeur qui ait su mieux que lui puiser dans le sol natal l substance même de son œuvre : ses recueils *Le Chant de la Terre, En Languedo* ou *En vacances* figurent parmi les chefs-d'œuvre de la musique pour piano d ce siècle.

CURIOSITÉS

Château – 14ᵉ-15ᵉ s. Il est entouré d'une agréable promenade qui procure de vues étendues à l'Est sur la Montagne Noire au pied de laquelle s'étend Reve *(voir le guide Vert Michelin Gorges du Tarn, Cévennes, Languedoc) ;* au Nor on distingue le clocher de St-Julia et le château perché de Montgey. Non san raison, les Révolutionnaires avaient rebaptisé St-Félix « Bellevue ».

Église – Cette collégiale date du 14ᵉ s. et fut reconstruite au début du 17ᵉ s On reconnaît à sa droite la sobre façade de la maison capitulaire.
A gauche du portail d'entrée un puits est creusé dans le mur. La légende le di aussi profond que le clocher (de style toulousain : octogonal, avec deux étage de baies inscrites dans des arcs en mitre) est haut (42 m).
L'intérieur vaut surtout par l'élégance de l'abside à sept pans éclairée de fenêtre à remplage trilobé. La nef principale est surmontée d'une voûte en bois peinte du 18ᵉ s. Dans la troisième chapelle à droite, belle Vierge à l'Enfant en boi polychrome, du 14ᵉ s. Les orgues sont du 18ᵉ s.

Promenade – Non loin de l'église, un passage voûté y conduit : vue à l'Oues sur un paisible paysage de collines et de cyprès.

LE LAURAGAIS

Ce petit pays du Languedoc s'est enrichi, au 16ᵉ s., grâce au pastel *(voir p. 99* C'est aujourd'hui une plaine de culture : blé, orge, colza, et élevage : bovins ovins et volailles. Cette dernière activité a permis l'installation de manufacture de plumes et de duvets.

St-Julia – *5 km au Nord. Quitter St-Félix-Lauragais par la D 67.*
Ancienne ville « libre » fortifiée qui conserve des remparts et une église au curieu clocher-mur.

Montgey – *11 km au Nord-Est de St-Félix-Lauragais par les D 43 et D 51. A Auvezines, prendre à gauche la D 45.*
Construit sur une butte, ce village possède un vaste **château** ⊘, ancienne forteresse médiévale prise par Simon de Montfort en 1211, puis remaniée au 15ᵉ s. et au 17ᵉ s. On y entre par une porte Renaissance. Dans la grande salle remarquer la cheminée de l'école de Fontainebleau.

Château de Montmaur – *13 km au Sud de St-Félix. Traverser la D 622 et prendre la direction de Castelnaudary, puis celle de Cassès. A la sortie de ce village, suivre la direction de Montmaur.*
C'est une massive bâtisse datant du 16ᵉ s., remaniée au 17ᵉ s. et flanquée de tours d'angle.
Une statue en pierre de la Vierge surmonte la porte.

★ ST-MARTIN-DU-CANIGOU

Cartes Michelin n° 86 pli 17 ou 235 pli 52 – 2,5 km au Sud de Vernet-les-Bains – Schéma p. 56.

Ce nid d'aigle, à 1 055 m d'altitude, constitue la promenade classique de Vernet-les-Bains.

Accès ⊘ – *A partir de Casteil, où laisser la voiture, 2 h à pied AR par une route en très forte montée. Accès également possible en Jeep : voir le chapitre Renseignements pratiques, en fin de volume.*

Abbaye ⊘ – L'abbaye, construite sur un rocher à pic, à 1 094 m d'altitude, se développe à partir du 11ᵉ s., comme fondation monastique. Abandonnée à la Révolution, elle fut restaurée de 1902 à 1932 par Mgr de Carsalade du Pont, évêque de Perpignan, et agrandie de 1952 à 1972.

Cloître – Au début du siècle, il ne subsistait plus que trois galeries aux frustes arcades en plein cintre. La restauration a reconstitué une galerie Sud, ouvrant sur le ravin, en réutilisant des chapiteaux de marbre provenant d'un étage supérieur disparu.

Églises – L'église inférieure (10ᵉ s.), dédiée à « N.-D.-sous-Terre » suivant une antique tradition chrétienne, forme crypte par rapport à l'église haute (11ᵉ s.). Celle-ci, juxtaposant trois nefs voûtées de berceaux parallèles, laisse encore une profonde impression d'archaïsme avec ses chapiteaux grossiers, sculptés en simple méplat. Une statue de saint Gaudérique rappelle que, à la suite d'un larcin de reliques, l'abbaye devint un grand lieu de rassemblement des paysans catalans. Un chapiteau prove-

St-Martin-du-Canigou – Abbaye.

Anne Gaël

nant de l'ancien cloître a été réemployé comme socle du maître-autel. On y reconnaît deux scènes de la vie de saint Martin.
Sur le côté Nord du chœur s'élève un clocher terminé par une plate-forme crénelée. A proximité de l'église, deux tombes sont creusées dans le roc : celle du fondateur, le comte Guifred de Cerdagne, creusée de sa propre main, et celle de l'une de ses femmes.

★ **Site** – *Pour bien saisir l'originalité du site de St-Martin prendre à gauche, en arrivant à l'abbaye (1/2 h à pied AR), un escalier (itinéraire n° 9) qui s'élève dans les bois. Aller jusqu'à la prise d'eau.*
De là, la vue sur l'abbaye, sur laquelle l'ombre du Canigou se projette tard dans la matinée et qui domine le vallon de Casteil et du Vernet d'une façon abrupte, apparaît dans toute son originalité.

Les principaux sommets des Pyrénées :

Pic d'ANETO (en Espagne)	**3 404 m**
VIGNEMALE	**3 298 m**
CARLIT	**2 921 m**
Pic DU MIDI	**2 877 m**
CANIGOU	**2 784 m**
Pic D'ANIE	**2 504 m**
La RHUNE	**900 m**

★ Abbaye de ST-MICHEL-DE-CUXA

Cartes Michelin n° 86 plis 17, 18 ou 235 pli 52 – 3 km au Sud de Prades – Sché
p. 56.

L'élégante tour crénelée de St-Michel-de-Cuxa surgit dans la fraîcheur d'un val
descendu du Canigou. Après bien des péripéties funestes, l'abbaye a repris s
rôle de foyer de culture catalane au Nord des Pyrénées. Chaque été, elle s
de cadre aux « Journées romanes » et aux concerts du festival de Prades.
Quatre églises se sont succédé à Cuxa. La dernière, l'église actuelle, fut consacr
en 974. Fondée grâce à la protection des comtes de Cerdagne-Conflent, so
le patronage de saint Michel, l'abbaye se distingue de façon souveraine grâ
à l'abbé Garin. Grand voyageur et homme d'action, Garin correspond av
Gerbert, l'homme le plus savant de son siècle qui devint pape sous le nom
Sylvestre II. Le doge de Venise, Pierre Orseolo, se retire dans l'abbaye
compagnie de saint Romuald, fondateur de l'ordre des Camaldules, et y me
en odeur de sainteté.
Au 11ᵉ s., l'abbé Oliba, ardent bâtisseur, membre de la famille comtale, dévelop
les grands monastères catalans : Montserrat, Ripoll et St-Michel. Il agrandit
chœur de l'église abbatiale qu'il dote d'un déambulatoire carré, ouvre d
chapelles, fait élever les deux clochers dans le style dit lombard et ouvrir
chapelle souterraine de la Crèche. Il envoie quelques-uns de ses moines s'instal
à St-Martin-du-Canigou.
Après une longue période de décadence, l'abbaye est abandonnée et vendue à
Révolution : les œuvres d'art disparaissent, les galeries du cloître sont éparpillé
En 1907, le sculpteur américain George Grey Barnard retrouve et achète pl
de la moitié des chapiteaux primitifs. Ils sont acquis en 1925 par le Metropolit
Museum de New York qui entreprend la reconstitution du cloître en y ajouta
des éléments nouveaux sculptés dans le même marbre des Pyrénées : depu
1938, le cloître de Cuxa s'élève au milieu d'un parc, sur les hauteurs domina
la vallée de l'Hudson.
Dès 1952 sont entrepris à Cuxa des travaux considérables : restauration
l'église abbatiale et remise en place d'une partie du cloître à l'ai
d'autres éléments récupérés (ceux-ci ont-ils bien repris leur place d'origine
Depuis 1965, l'abbaye est occupée par des bénédictins dépendant de Montserr

VISITE ⊘ environ 3/4 h

Contourner d'abord les bâtiments pour voir le beau **clocher★** roman, à qua
étages de baies jumelées, surmontées d'oculi et de créneaux.

Crypte de la Vierge de la Crèche – Au centre d'un sanctuaire souterra
échappé, depuis le 11ᵉ s., aux destructions et aux remaniements, cette chape
circulaire est couverte d'une voûte soutenue par un unique pilier central. Malg
son absence de décoration, elle a beaucoup d'élégance. Elle était réservée
culte marial.

Église abbatiale – Elle a perdu beaucoup de son aspect d'origine. On pénè
dans l'église par un portail reconstitué à partir d'une arcade, reste d'une tribu
montée au 12ᵉ s. vers le fond de la nef. Le vaisseau est un des très rar
spécimens de l'art préroman en France, caractérisé ici par l'arc en fer à che
dit « wisigothique » qu'on peut voir dans la partie du transept dégagée d
constructions postérieures. La nef centrale a retrouvé sa couverture
charpente ; elle est terminée par une abside rectangulaire ; les voûtes d'ogiv
du chœur remontent au 14ᵉ s. On pénètre dans chacune des deux nefs latéral
par trois arcades en plein cintre.

★ **Cloître** – On a pu rassembler là les arcades et chapiteaux qui se trouvaie
à Prades ou chez des particuliers. Les arcades de la galerie appuyée contre l'égli
ainsi que celles d'une grande partie de la galerie Ouest et l'amorce de la gale
Est ont été remontées, reconstituant ainsi près de la moitié du cloître. La sculptu
des chapiteaux (12ᵉ s.) est caractérisée par l'absence de thème religieux : se
le souci du décor semble avoir compté pour l'artiste.
Dans le bâtiment Ouest (10ᵉ s.), une exposition étayée de documents, de phot
et d'une maquette retrace l'histoire de l'abbaye.

St-Michel-de-Cuxa – Abbaye.

SALLÈLES-D'AUDE

Carte Michelin n° 240 pli 29.

Au Nord-Est de la petite cité viticole, à proximité de l'ancienne capitale de la Narbonnaise romaine, ont été mis au jour en 1968, suite à un labour profond, de nombreux tessons de poteries. Depuis, les campagnes de fouilles soigneusement menées chaque année ont permis de présenter in situ un important complexe gallo-romain de fabrication de poteries, notamment orienté vers la production d'**amphores**.

Le vignoble et le commerce du vin en Gaule – Pendant la conquête romaine, le vignoble s'est étendu en Gaule de façon notable. On trouve dans les textes du poète Martial et de Pline l'Ancien des éléments permettant d'apprécier le niveau de qualité des vins produits dans le Sud de la Gaule : ceux de Marseille, de Béziers et de Vienne étaient les plus connus. L'un des plus fameux cépages était alors l'« amineum ».

Pour le transport de ces vins, dont la réputation avait dépassé les frontières de la Gaule, on utilisait des amphores pansues à fond plat du type « Gauloise 4 », d'une contenance de 26 l environ, qu'on protégeait des chocs en les enveloppant dans des paillons.

L'étude des lieux où l'on a découvert ce genre de récipients a permis de définir les grands circuits commerciaux d'alors, qui traversaient non seulement les pays bordant la Méditerranée orientale, mais empruntaient aussi les vallées du Danube et du Rhin et atteignaient la limite Nord de l'empire.

★ AMPHORALIS-MUSÉE DES POTIERS GALLO-ROMAINS ⊙
visite : 1 h

Accès par la D 1626 au Nord-Est de la localité, où suivre le balisage « musée des Potiers ». La route suit le canal de jonction entre le canal du Midi et le canal du Pas-des-Tours. Franchir le pont et gagner le parking.

Le bâtiment moderne abrite, dans sa partie centrale, une exposition sur cette production artisanale, qui fut variée, considérable et dura du 1er s. au début du 14e s. après J.-C. De part et d'autre, des structures à pans ouverts protègent le chantier de fouilles, comprenant principalement la quartier artisanal, qui s'ordonne autour d'une dizaine de fours, de bassins de décantation, d'ateliers munis de tours où l'on façonnait l'argile, ainsi que d'autres bâtiments utilitaires. La carrière d'argile à ciel ouvert est toute proche.

La visite fait découvrir, en même temps que le site de fouilles, les différentes productions de Sallèles-d'Aude (céramique d'utilisation domestique, matériaux de construction, amphores vinaires), la cuisson (maquettes de four), la vie quotidienne et les échanges commerciaux dans l'Empire romain.

La reconstitution d'une nécropole d'enfants, découverte dans une salle du secteur artisanal (les plus âgés étaient des nourrissons de 9 mois), instruit sur les rites funéraires observés dans le monde gallo-romain au 1er s. avant J.-C.

A la lisière Nord du site subsistent les vestiges d'un aqueduc qui traversait la plaine pour conduire l'eau en direction de Narbonne (1re moitié du 2e s.).

Ne prenez pas la route au hasard !
***Michelin** vous apporte à domicile*
ses conseils routiers, touristiques, hôteliers :
***3615 MICHELIN** sur votre Minitel !*

★ Fort de SALSES

Cartes Michelin n° 86 pli 9 ou 235 pli 48 ou 240 pli 37 – 16 km au Nord de Perpignan – Schéma p. 75.

Le fort de Salses, élevé, au 15e s., sur la route romaine de Narbonne en Espagne, appelée « voie Domitienne », à l'endroit stratégique où les eaux de l'étang viennent presque baigner les pentes des Corbières, est un spécimen unique en France de l'architecture militaire médiévale espagnole, adaptée par Vauban, au 17e s., aux exigences de l'artillerie moderne.

Émergeant des vignes, cette forteresse à demi-enterrée, sauvée de la démolition par une décourageante épaisseur de maçonnerie, surprend par ses dimensions. La couleur des briques, patinées par le soleil, s'allie harmonieusement à la teinte dorée des pierres, où prédomine le grès rose.

Le passage d'Hannibal – En 218 avant J.-C., Hannibal s'apprête à traverser la Gaule pour envahir l'Italie. Reprenant la route suivie par Hercule, selon la légende, il doit franchir le Perthus, puis le pas de Salses qui fait communiquer le Roussillon avec les plaines du Bas-Languedoc. En toute hâte, Rome envoie, en ambassade, cinq vénérables sénateurs pour demander aux tribus gauloises de s'opposer au passage des Carthaginois. Un grand tumulte s'élève dans l'assemblée « tant le peuple trouve d'extravagance et d'impudence à ce qu'on lui proposât d'attirer la guerre sur son propre territoire pour qu'elle ne passât point en Italie ». Hannibal se présente « comme hôte » et conclut un traité à Elne. Une clause précise que si les habitants ont à se plaindre de ses soldats, chaque grief sera jugé par lui ou ses lieutenants. En revanche, si les Carthaginois ont des différends avec la population, le litige sera jugé par les femmes des indigènes.

Les Romains gardent un souvenir amer de cet épisode. Quand ils occupent la Gaule, ils fondent un camp à Salses et le relient, par une voie carrossable, au Perthus.

Le fort de Salses vu du ciel.

Une forteresse espagnole – Après la restitution du Roussillon à l'Espagne en 149?
Ferdinand d'Aragon masse des troupes dans la province et, en 1497, fa
construire en un temps record, par son ingénieur-artilleur Ramirez, ce fort q
pouvait abriter une garnison de 1 500 hommes et satisfaire aux exigences o
l'artillerie naissante.
Lorsque Richelieu entreprend la reconquête du Roussillon, Salses est l'enjeu d'ur
lutte implacable. Les Français enlèvent le fort en juillet 1639, mais le reperde
en janvier 1640. Finalement, on décide de donner un assaut combiné par ter
et par mer : Maillé-Brézé dirige la flotte. Le gouverneur de Salses, apprenant
chute de Perpignan, se résout alors à demander à son tour les honneurs de
guerre.
A la fin du mois de septembre 1642, la garnison reprend le chemin c
l'Espagne.
En 1691, Vauban fait effectuer quelques travaux d'amélioration, et raser de
superstructures plus décoratives qu'utiles à la défense ; mais la ligne fortifié
est désormais assujettie à la nouvelle frontière « naturelle » des Pyrénées et
rôle militaire de Salses est terminé.

VISITE ⊘ *environ 1 h*

La forteresse, de plan rectangulaire, s'ordonne autour d'une cour central
ancienne place d'armes ; on y accède par un châtelet, une demi-lune et tro
pont-levis.
En début de visite, on circule sur les parties hautes de l'**enceinte**. On remarqu
d'une part, la crête arrondie des courtines, dispositif rare mis en place au 16ᵉ
et destiné, selon Vauban, à faire ricocher les boulets et à décourager l'escalad
d'autre part, le tracé polygonal de la contrescarpe (mur extérieur du fossé), q
permettait aux assiégés de faire ricocher les tirs dans les angles. L'épaisseur c
mur d'enceinte (escarpe) atteint 9 m en moyenne.
Les bâtiments d'enceinte servaient de caserne, de casemates. Le sous-sol voût
autour de la cour centrale, était occupé par les écuries (300 chevaux environ
au dessus de celles-ci se trouvaient de grandes nefs voûtées à l'épreuve du fe
et des bombes ; l'une, dans l'aile Est, servait de chapelle.
On débouche ensuite dans le **« réduit »** du donjon, isolé de la cour centrale p
un fossé intérieur et une muraille à éperon. Là étaient situées l'étable,
boulangerie, et à côté de celle-ci, un local pourvu de bassins.
Le **donjon** proprement dit est divisé en cinq étages alternativement plafonnés
voûtés. Destiné au logement du gouverneur, il servit de poudrière au 19ᵉ s. De
couloirs en chicane, pris sous le tir des guetteurs comme dans les grands bunke
de la Seconde Guerre mondiale, des pont-levis piétonniers en constituaient le
ultimes défenses.

★ **Plateau de SAULT**

Cartes Michelin n° 🔢🔢 pli 6 ou 🔢🔢🔢 pli 47.

Ce haut plateau venteux, à 1 000 m d'altitude moyenne, constitue le derni
bastion des Pyrénées calcaires à l'Est du pic de St-Barthélemy. Les escarpemen
qui le limitent du côté de la plaine, les gorges qui l'entaillent lui donnent u
caractère âpre, accentué par la rudesse du climat.
La forêt constitue la richesse et le principal attrait de la région.

Le sapin de l'Aude – Cette essence, bien adaptée au sol calcaire et au climat sévè
du pays, fait la noblesse des forêts de Comus, de la Plaine, de la Bunague, d
Comefroide, de Picaussel et de Callong.

★ FORÊTS DE COMUS ET DE LA PLAINE

Circuit au départ de Belcaire *97 km – environ 4 h*

Cet itinéraire emprunte un tronçon impressionnant de la **route du Sapin de l'Aude** dont les futaies comptent des arbres de plus de 50 mètres.

Belcaire – Village situé sur la D 613, à 1 002 m d'altitude. Quitter Belcaire par la route d'Ax-les-Termes qui s'élève jusqu'au col des 7-Frères, puis gagner le bassin supérieur de l'Hers, où malgré la rudesse du climat les versants étaient naguère cultivés en terrasses.

Par la vallée sèche de l'Hers, rétrécie en entonnoir, dépasser Comus pour gagner les Gorges de la Frau.

★ **Gorges de la Frau** – *1 h 1/2 à pied AR.* Laisser la voiture au point de départ d'une large route forestière remontant un vallon affluent et descendre la vieille route, jadis fréquentée par les charrois de bois et les troupeaux transhumants. On longe le pied de parois calcaires virant au jaunâtre. Après 3/4 h de marche, faire demi-tour à l'endroit où la vallée dessine un brusque coude.

Revenir à Comus et prendre à gauche.

La route s'élevant rapidement pénètre dans la forêt de sapins.

Au col de la Gargante suivre, en avant et à droite, la route en montée signalée « belvédère à 600 m ».

★ **Belvédère du Pas de l'Ours** – *1/4 h à pied AR.* Du belvédère, vue grandiose sur l'entaille de la Frau ; 700 m plus bas, le piton de Montségur, la montagne de la Tabe ; en arrière on distingue très haut les déblais blancs de Trimouns *(p. 99).*

Revenir au col de la Gargante et prendre en arrière et à droite en direction de la Bunague.

★ **Pas de l'Ours** – Passage en haute corniche rocheuse au-dessus des gorges de la Frau.

La route décrit un large virage à gauche en descente.

Laisser la voiture dans un coude à droite, au pied des abreuvoirs de Langarail.

★ **Pâturage de Langarail** – *3/4 h à pied AR.* Site pastoral. Suivre la direction donnée par la piste caillouteuse jusqu'aux bombements d'où la **vue** se dégage au Nord, au-delà de la forêt de Bélesta jusqu'aux avant-monts de la chaîne vers le Lauragais.

Poursuivre la route forestière vers la Bunague où l'on prend à droite. Puis prendre à gauche la D 613 qui court sur le plateau de Sault.

A hauteur de Belvis, prendre à droite pour gagner la vallée du Rebenty que l'on descendra à gauche.

Défilé de Joucou – Série de tunnels et de surplombs.

Joucou – Village bien situé dans un élargissement de la vallée, bâti autour d'une ancienne abbaye.

Marsa – *En aval de Joucou.* Village dominé par le curieux clocher-mur ajouré de son église romane.

Faire demi-tour.

Remonter les **gorges du Rebenty**. En amont du défilé de Jocou, la route se glisse sous les impressionnants surplombs du **défilé d'Able.**

Niort – Remarquer l'église du village à clocher-mur. Des bois environnants émergent des aiguilles rocheuses.

La Fajolle – *En amont de Niort.* Typique village de montagne pyrénéen. Les imposantes provisions de bois témoignent de la rigueur des hivers.

Faire demi-tour et, juste avant Niort, prendre à gauche pour regagner Belcaire par le col des 7 Frères.

★ DE MONTSÉGUR A QUILLAN

40 km – environ une demi-journée.

On accède à Montségur par la D 9 (au Sud de Lavelanet).

La route descend vers la vallée du Touyre, sillon d'activité industrielle du Pays d'Olmes. Après Villeneuve-d'Olmes (textiles), et Montferrier où se fait déjà sentir la rudesse montagnarde, la montée à Montségur commence aussitôt. Le château apparaît à chaque virage, au cours d'un trajet accidenté sur les rebords du St-Barthélemy.

★ **Château de Montségur** – *Page 110.*

La route s'échappe de la combe de Montségur – en arrière, perspective sur la cime dentelée du pic de Soularac – par une gorge rocheuse, au flanc Est du « pog ».

Au-delà du village de Fougax, avant que l'Hers ne s'encaisse en défilé, ne pas manquer, en arrière, une dernière **vue★★**, la plus étonnante, sur Montségur dont le rocher fait figure, sur cette face, de véritable piton, devant le massif du St-Barthélemy.

Fontaine intermittente de Fontestorbes – Débouchant d'une voût
rocheuse dans la vallée de l'Hers, la source de Fontestorbes, résurgence de
eaux infiltrées dans les terrains calcaires d'une partie du plateau de Sault, es
intéressante par le phénomène d'intermittence qui la caractérise à l'époque de
basses eaux (en général de mi-juillet à fin novembre). Le phénomène se déclench
dès que le débit s'abaisse à 1 040 litres/seconde, puis se répète avec régularit
toutes les heures au début, pour augmenter par la suite jusqu'à 90 mn. Le déb
oscille entre 100 et 1 800 litres/seconde. Lorsque le jaillissement s'arrête, o
peut avancer au fond de la voûte *(rampe d'accès)*.

Au-delà de Bélesta, la route, tracée au pied du rebord boisé du plateau d
Sault, offre, du col de la Babourade, une vue lointaine, en avant, sur le
Corbières et le vigoureux sommet rocheux du pic de Bugarach (alt. 1 230 m
point culminant du massif.

Puivert – *Page 129.*

Après Puivert, la traversée de plateaux moins sauvages s'achève par un pa
cours au-dessus de la vallée de l'Aude. Après une échappée sur la vallée et l
Razès *(p. 49)*, la route atteint le col du Portel, début de la descente sinueus
vers Quillan.

Quillan – *Page 130.*

★★ Prieuré de SERRABONE

Cartes Michelin n° 🆖 pli 18 ou 🆖 pli 52 ou 🆖 pli 41.

Le chemin, tout en virages et en montée, qui accède à Serrabone, dans c
paysage austère du Roussillon qu'on appelle les Aspres, ne laisse à aucu
moment apercevoir le prieuré roman, terminus du parcours.

VISITE ⏱ *environ 1/2 h*

Son aspect extérieur étonne par la rudesse de son architecture et la coule
sombre du schiste avec lequel il a été construit. Modeste édifice, sans luxe aucu
– peut-être pour mieux être intégré à la sévérité du site –, il réserve, une fo
la porte franchie, la surprise d'un décor sculpté inattendu.

On pénètre dans l'église par la galerie Sud.

★ **Galerie Sud** – 12ᵉ s. Ouvrant sur le ravin, elle servait de promenoir a
chanoines. Les sculptures des chapiteaux rappellent les thèmes d'influenc
orientale, habituels aux sculpteurs romans du Roussillon *(voir p. 30)*. Remarqu
la différence entre la valeur artistique des chapiteaux intérieurs, peu différen
de ceux de la tribune, et celle des
chapiteaux extérieurs, au relief à
peine marqué, œuvres d'artisans
assurément moins habiles.

Église – La nef date du 11ᵉ s., le
chœur, le transept et le collatéral
Nord sont du 12ᵉ s. L'édifice renferme une **tribune★★** de marbre
rose qui frappe par la richesse de
sa décoration. Les dix colonnes et
les deux piliers rectangulaires sup-
portant les six croisées d'ogive sont
ornés de chapiteaux qui représentent, de façon stylisée, des animaux
affrontés : aigles, griffons, mais
surtout lions – présents sur chacune des sculptures, tant était
grand le rôle joué par ces animaux
dans la Bible, la mythologie ou les
fables –, des motifs floraux et aussi
des anges. La partie la plus remarquable réside dans l'ornementation
délicate des trois archivoltes, sculptées en méplat et en creux dans
le marbre, et les écoinçons ornés
de fleurs, « véritable broderie dans
la pierre ».

Serrabone – La tribune.

La **carte « Inter-Sites »** permet de bénéficier de tarifs réduits pour accéder au
13 monuments, musées et sites du réseau culturel « Terre catalane » : musé
de Tautavel, château-musée de Bélesta, balade archéologique d'Eyne, musé
de Ste-Léocadie, cloître d'Elne, château de Castelnou, prieuré de Serrabone
palais des rois de Majorque, château de Salses, centre d'art sacré et site de
orgues d'Ille-sur-Têt, musée d'art moderne de Céret, château royal de Collioure
☎ 68 22 05 07.

★ Réserve africaine de SIGEAN

Cartes Michelin n° 86 plis 9, 10 ou 240 pli 33 – 7 km au Nord-Ouest de Sigean – Schéma p. 75.

Cette **réserve** ⊙ de 133 ha doit son caractère au paysage sauvage du littoral languedocien, aux garrigues éclaboussées d'étangs et surtout au fait que l'on a recréé, pour chaque espèce, de grands espaces aussi proches que possible de leur milieu d'origine.

Visite en voiture – *1/2 h. Se conformer strictement aux consignes de sécurité données à l'entrée.* Les boucles du circuit routier sont tracées dans deux territoires réservés aux animaux en liberté : lions, ours du Tibet (reconnaissables au V blanc qu'ils portent sur la poitrine) et rhinocéros blancs.

Visite à pied – *2 h. Partir des parkings centraux, à l'intérieur de la réserve.*
Elle familiarise le visiteur avec la faune des différents continents : dromadaires, antilopes, zèbres, guépards, alligators (installés dans une maison solaire) et surtout, aux approches de l'étang de l'Œil de Ca, avec la gent ailée : flamants roses, grues, canards, marabouts, aras, cygnes, pélicans.
Trois observatoires permettent aux visiteurs silencieux et patients d'observer les animaux de la plaine africaine.

TARASCON-SUR-ARIÈGE   3 532 h. (les Tarasconnais)

Cartes Michelin n° 86 plis 4, 5 ou 235 pli 46 – Schéma p. 87.

Le bassin de Tarascon occupe un **site** privilégié au centre du val d'Ariège. Les falaises calcaires, que la rivière a creusées ici, lui ont réservé un décor attrayant, encore agrémenté par le cours d'eau du Vicdessos, affluent de l'Ariège.
Tarascon, dominée par la tour Castelle, vit s'éteindre, en 1932, le dernier haut fourneau des Pyrénées, mais garde une vocation métallurgique grâce aux fabrications de l'usine de Sabart (aluminium, électrodes).
C'est l'un des rendez-vous pyrénéens de la spéléologie scientifique (étude du néolithique surtout), touristique et mythique, la légende et le mystère n'ayant pas cessé de fleurir dans ce confluent de vallées, connu, dans la géographie médiévale, sous le nom de **Sabarthès,** aux parois percées d'une cinquantaine de grottes préhistoriques.

Parc pyrénéen de la Préhistoire ⊙ – *A Banat, au Nord-Ouest de Tarascon.*
Il contient un fac-similé grandeur nature des peintures du Salon Noir de la grotte de Niaux. Cette réalisation est signée du même auteur que celui du fac-similé Lascaux II à Montignac en Dordogne *(voir le guide Vert Michelin Périgord-Quercy).*
Elle présente l'originalité d'offrir au visiteur l'ensemble des peintures actuellement visibles dans la grotte de Niaux dans leur état initial (c'est-à-dire sans les détériorations opérées par le temps). Un deuxième fac-similé montrera les gravures et dessins du « Niaux interdit » et du réseau Clastres, qui sont actuellement fermés au public.

LES GROTTES ORNÉES DU SABARTHÈS

★ **Grotte de Niaux** – *5 km au Sud par la D 8. Description p. 119.*

Grotte de la Vache ⊙ – *8 km au Sud par la D 8 puis par une petite route à droite en direction d'Alliat.*
Occupé à la fin du Magdalénien, ce site comprend deux salles dont celle dite Monique explorée jusqu'en 1967.
Armes, outils et surtout œuvres sculptées ou gravées (sur de l'os ou du bois de cervidés) permettent de reconstituer la vie, il y a 13 000 ans.
Avec les forges de Niaux et surtout l'usine Péchiney de Sabart, faubourg de Tarascon, le paysage reprend une touche industrielle.

Grotte de Bédeilhac ⊙ – *6 km au Nord-Ouest par la D 618.*
La cavité, dont les dessins préhistoriques ont été découverts en 1906, s'ouvre par un immense porche (36 m de largeur sur 25 m de hauteur), tellement vaste que pour les besoins d'un film, on a pu y faire atterrir et décoller un avion. Contournant une énorme concrétion stalagmitique de 120 m de conférence, on atteint, à 800 m de l'entrée, la salle terminale. L'étanchéité absolue de la voûte depuis 15 000 ans y a favorisé la conservation de gravures (certaines sur le sol même de la grotte) et peintures d'animaux, rendues plus expressives par l'utilisation du modelé naturel de la roche (grand bison, très beau renne, chevaux). Ces dessins datent de l'époque magdalénienne *(voir tableau p. 18).*

Grotte de Lombrives – *3 km au Sud par la N 20. Description p. 98.*

▸ Musée de TAUTAVEL

Cartes Michelin n° 86 Sud-Ouest du pli 9 ou 235 pli 48 ou 240 pli 37 – 9 km au Nord d'Estagel – Schéma p. 75.

Tautavel, petit village des Corbières *(p. 73),* situé sur le Verdouble, est devenu un haut lieu de la préhistoire grâce à la découverte, sur son territoire, de pièces capitales pour l'étude des origines de l'humanité.
Dans une grotte de la **Caune de l'Arago** (cavité karstique d'une longueur de 40 m et de 10 à 15 m de large, à l'Ouest de la D 9 en direction de Vingrau), ont été exhumés en 1971, puis en 1979, les restes de crâne humain comptant parmi les plus anciens connus à ce jour en Europe. Ils ont permis de reconstituer l'apparence de l'**« Homme de Tautavel »,** chasseur préhistorique vivant dans la plaine du Roussillon, il y a quelque 450 000 ans *(voir p. 18 et 19).*

Musée de Tautavel – Scène de chasse (diorama).

L'important matériel archéologique répertorié sur les différents sols d'habitat (ou
font toujours l'objet de fouilles) a permis d'établir que ce refuge dominant la pla
de Tautavel d'une centaine de mètres a été occupé alternativement par
hommes et les animaux préhistoriques entre 700 000 et 100 000 ans avant J.

CENTRE EUROPÉEN DE PRÉHISTOIRE ⊙ visite : compter 2 h

Consacré à l'évolution de l'homme et à son environnement (sur la base
l'importante découverte effectuée dans la Caune de l'Arago et dans la région),
vaste complexe muséographique s'appuie sur les techniques les plus avancé
et une scénographie d'avant-garde pour proposer au visiteur un passionna
parcours dans le temps à la recherche de ses plus lointaines origines.
S'ordonnant autour d'un patio orné d'une composition sculpturale de Raymo
Moretti dédiée à l'Homme de Tautavel, les salles, équipées de consoles interacti
et d'écrans vidéo, instruisent sur plusieurs thèmes : la place de l'homme da
l'univers, les premiers outils trouvés sur les terrasses des fleuves côtiers
Roussillon, la formation géologique de la grotte et son remplissage (une cou
stratigraphique montre les niveaux stériles et les niveaux archéo
giques), les variations climatiques ainsi que les types de faune correspondar
l'outillage de l'Homme de Tautavel.
Tout un étage est consacré à l'évolution visuelle et sonore de la vie
paléolithique inférieur. A côté des dioramas très réalistes montrant des scèr
de chasse et du mur d'images évoquant l'histoire des paysages dans la pla
du Roussillon, l'attraction principale est le **fac-similé** de la Caune de l'Arago, réal
par des moulages du plafond et des parois de la grotte réelle. Debout dans
fond de la grotte, le visiteur voit défiler devant lui plusieurs scènes filmé
correspondant à différents états d'occupation : il assiste d'abord à un retour
chasse d'hommes préhistoriques, qui dépècent et consomment le gibier qu
viennent d'attraper, puis à l'installation d'un ours dans sa bauge d'hibernati
enfin à la transformation progressive de la grotte jusqu'à sa forme actue
Une salle percée d'une grande baie vitrée et équipée d'une table d'orientat
permet d'embrasser du regard le planal de la Devèze et le planal de la Cau
d'Arague. Dans la falaise de ce dernier, sur la droite, est creusée la Caune
l'Arago, au-dessus des gorges des Gouleyrous.
L'espace suivant est dévolu aux vestiges crâniens et à la reconstitution
squelette de l'Homme de Tautavel. Le **crâne** lui-même est constitué de la fa
du frontal et du pariétal du même homme d'une vingtaine d'années ; les aut
parties sont des moulages de pièces provenant d'autres sites.
La **reconstitution du squelette de l'Homme de Tautavel**, l'une des plus anciennes espèc
humaines connues à ce jour hors d'Afrique, donne une idée de sa stature : dro
haute d'environ 1,65 m. La mobilité de ses membres inférieurs était différer
de la nôtre. Rattaché à l'Homo erectus, il précède l'Homme de Néandertal
300 000 ans environ...
A Tautavel fonctionne le Centre Européen de Recherches Préhistoriques anin
par des spécialistes travaillant dans une optique interdisciplinaire.

Château de TERMES

Cartes Michelin n° 86 pli 8 ou 235 pli 44 ou 240 pli 33 – Schéma p. 74.

*Accès par un chemin en forte rampe qui part du pont du village. Puis 1/2
à pied AR en gravissant les gradins marquant les enceintes successives.*

Tenu par Ramon de Termes, hérétique notoire, le château ne tomba au pouv
de Simon de Montfort qu'à l'issue d'un siège de 4 mois, d'août à novembre 12
le plus dur de la première période de la croisade des Albigeois *(voir p. 14*
La garnison, exposée au tir de nombreuses machines et minée par la dysente
ne survécut pas à une tentative de sortie générale.

Site ⊙ – Défendu par le formidable fossé naturel du Sou (gorges du Termin
le site du promontoire a plus d'intérêt que les ruines croulantes de ce « fils
Carcassonne » qui couvrait 16 000 m² de superficie.
Des abords de la poterne Nord-Ouest *(pentes dangereuses)* et du sommet
roc, vues impressionnantes sur les gorges du Terminet.

Cartes Michelin n° 82 pli 8 ou 235 pli 30.

Ancienne capitale des pays de la « langue d'oc », Toulouse est devenue la sixième agglomération urbaine de France.
Grand centre industriel dominé par la construction aéronautique autour de laquelle se sont greffées de nombreuses industries de pointe, la ville s'est dotée d'équipements universitaires et scientifiques de qualité.
L'environnement culturel, la musique, le théâtre, les musées offrent un grand choix de loisirs et contribuent à faire de Toulouse la métropole de la région Midi-Pyrénées.
La mise en service du métro toulousain date de juillet 1993.

La cité rouge – « Ville rose à l'aube, ville rouge au soleil cru, ville mauve au crépuscule. » La brique, seul matériau fourni en abondance par la plaine alluviale de la Garonne, a longuement dominé dans les constructions toulousaines et donné son cachet à la cité. Légère et adhérente au mortier, elle a permis aux maîtres d'œuvre de lancer de larges voûtes couvrant une nef unique.

Une ville vibrante – Très vivante, Toulouse offre une animation qui se poursuit jusqu'à une heure avancée de la nuit.
La longue rue Alsace-Lorraine est l'axe de cette activité, joignant la bruyante et populaire place Esquirol aux marchés des boulevards, attirant sur elle et dans les rues adjacentes commerces de luxe et grands magasins. Dans l'étroite rue des Changes prolongée par la rue St-Rome, des boutiques font vivre de vénérables façades.
Le soir la place Wilson a bien du charme, toute vert et rose autour de la fontaine dédiée au poète Godolin (prononcer Goudouli), « dernier des troubadours ou premier des félibres » (1579-1648) : y déguster l'apéritif à la terrasse d'un grand café est un plaisir fort prisé des Toulousains.

Toulouse au 19e s.

UN PEU DE GÉOGRAPHIE

La Garonne – Entre la sortie de la montagne, à Montréjeau, et Agen, la Garonne roule ses eaux rapides dans une plaine ou dans un couloir alluvial dont les terrasses sont livrées, suivant l'altitude, aux vergers, aux labours et aux bois. La partie de son cours comprise dans ce guide va de Boussens à Boudou (en aval de Moissac).

La navigation – Le trafic de marchandises par barques et radeaux était actif à partir de Boussens, pour le transport des pierres et chaux vers Toulouse, mais la voie d'eau fut utilisée surtout, dès le temps des « coches », vers 1660, et non sans risques d'échouages et naufrages, entre Toulouse et Bordeaux.
Ces services de voyageurs connurent un éphémère regain de trafic avec la mise en service de bateaux à vapeur en 1830.
En 1856, l'ouverture du canal latéral à la Garonne, permettant aux barques du canal du Midi de descendre à Bordeaux sans rupture de charge, vint trop tard, en plein essor ferroviaire. L'activité du canal, favorisée de nos jours par l'allongement des écluses et la création de la pente d'eau de Montech (p. 108), devrait s'accroître avec la modernisation en cours du canal du Midi qui portera par étapes le gabarit à 350 t.
La correction du fleuve est restée un souci constant, en particulier dans la section de la Garonne moyenne, où les crues de printemps des affluents du Massif Central, surtout le Tarn, atteignent une brutalité catastrophique (inondations de 1930). A défaut d'une régularisation efficace du chenal, le fleuve est en partie dompté par des barrages à destination hydro-électrique et nautique : Palaminy, St-Julien, Carbonne et Malause, ce dernier ayant créé le plan d'eau « de Tarn-et-Garonne » noyant le confluent des deux rivières.

Depuis le 18ᵉ s., des plantations de peupliers permettent de tirer profit des terres inondables, le bois servant en menuiserie et papeterie ; les « rideaux » qui accompagnent le fleuve créent de nobles avenues d'eau embellies de feuillages. Avant la guerre de 1914, la coutume des pères de famille de la région de St-Gaudens était de planter un hectare de « ramier » (île ou terre basse) à la naissance d'une fille. A vingt ans, l'héritière disposait d'une dot de 20 000 francs.

UN PEU D'HISTOIRE (1)

La ville des « capitouls » – L'oppidum primitif des Volques, rameau des envahisseurs celtes – probablement situé à Vieille-Toulouse (9 km au Sud) –, se déplace et se transforme en une grande ville dont Rome fait le centre intellectuel de la Narbonnaise. Au 3ᵉ s., gagnée

Torsin fait comte de Toulouse par Charlemagne

par le christianisme, elle devient la troisième ville de la Gaule. Capitale des Wisigoths au 5ᵉ s., elle passe ensuite dans le domaine des Francs.

Après Charlemagne, Toulouse est gouvernée par des comtes, mais son éloignement du pouvoir franc lui laisse une grande autonomie. Du 9ᵉ au 13ᵉ s. sous la dynastie des comtes Raymond, elle est le siège de la cour la plus aimable et la plus magnifique d'Europe. Des consuls ou « capitouls » administrent la cité. Le comte les consulte pour la défense de la ville et pour toute négociation avec les féodaux des environs. Après le rattachement du comté à la couronne en 1271, il ne reste plus que 12 capitouls. Le Parlement, créé en 1420 et réinauguré en 1443, supervise la justice et les finances.

Le capitoulat permettait aux marchands toulousains d'accéder à la noblesse (pour marquer leur élévation, les nouveaux promus flanquaient leurs demeures de tours).

La crise albigeoise – Au début du 13ᵉ s. les domaines du comte de Toulouse et de ses vassaux s'étendent de Marmande, à la limite des États du roi d'Angleterre, duc d'Aquitaine, au marquisat de Provence, futur Comtat Venaissin alors sous la mouvance du Saint Empire. Mais l'administration comtale est faible comparée à celle du Capétien. Paradoxalement, celle du Haut-Languedoc est la plus négligée, et l'hérésie cathare s'y répand (p. 22).

La lutte contre l'hérésie résolument prônée par la Papauté fait d'abord appel aux sanctions ecclésiastiques – excommunication de personnes, interdit jeté sur la province, suspension d'évêques – puis aux prédications des clercs réguliers. La mission de Dominique de Guzuran et de ses premiers frères (voir p. 83) semble la mieux adaptée, mais, en 1208, le légat du pape, Pierre de Castelnau, est assassiné à St-Gilles (voir le guide Vert Michelin Provence). Le pape Innocent III réagit en excommuniant le comte de Toulouse, Raymond VI, accusé de complicité, et en lançant l'appel à la croisade contre l'hérétique. Philippe Auguste décline l'invitation.

La croisade (1209-1218) – Les nouveaux croisés, casqués ou mitrés, « gens du Nord en majorité (d'Ile-de-France, de Champagne, de Bourgogne, des Flandres et aussi d'Allemagne), se voient gratifiés des mêmes bénéfices spirituels que les volontaires pour la Terre Sainte : absolution des fautes passées, indulgences. Ils sont certes animés du désir de servir l'Église, mais les chances de conquête de terres appartenant aux seigneurs déchus, comme rebelles à la cause de l'orthodoxie, ne sont pas étrangères à leur démarche. Ils ne sont tenus, en droit féodal strict, qu'à un service de quarante jours, la quarantaine.

Après le massacre de Béziers et la prise de Carcassonne (1209), Simon de Montfort, promu chef de l'expédition, se saisit de la vicomté de Trencavel (voir p. 58). Toulouse est peu à peu débordée. La folle conduite, à Muret, du roi paladin Pierre II d'Aragon, allié au Languedoc fidèle, mène au désastre (1213).

Aux assises de Pamiers (1212) les compagnons de lutte de Montfort, entre autres Guy de Lévis, avaient été installés dans les territoires confisqués et le clergé s'était vu reconnaître de nombreux privilèges. Pourtant Toulouse reste fidèle au comte Raymond VI et s'aguerrit derrière ses murailles. En juin 1218, Simon de Montfort, assiégeant la cité pour la deuxième fois, est tué par un projectile lancé par une pierrière (voir p. 29).

L'engagement capétien (1224-1229) – La croisade des barons se disloque. Amaury, fils de Simon de Montfort, pourchassé par Raymond VII, l'héritier de Toulouse, abandonne le Midi et cède tous ses droits à Louis VIII de France (1224).

Cependant le comte de Toulouse joue perdant sur le terrain diplomatique. Tenu à l'écart des conciliabules entre la cour de Saint Louis et le cardinal de Saint-Ange, l'un des plus grands noms de la diplomatie vaticane, en butte à l'hostilité irréductible de l'épiscopat, démoralisé par la tactique de la « terre brûlée » inaugurée sur ses terres par le lieutenant du roi, Raymond se résout à accepter de négocier.

(1) Pour plus de détails, lire : « Connaissance de Toulouse », par J. Coppolani (Toulouse Privat) et « Les Grandes Heures de Toulouse », par P. de Gorsse (Librairie académique Perrin).

Le Jeudi saint 12 avril 1229, il se présente en pénitent sur le parvis de Notre-Dame de Paris et jure d'observer les clauses du traité dit de Paris (ou de Meaux). Le comte ne recouvre que le Haut-Languedoc et seulement à titre d'usufruit. Sa fille unique Jeanne est donnée en mariage à Alphonse de Poitiers, frère de Saint Louis.

A la succession de ces princes – sauf enfants à naître de cette union – le domaine comtal reviendra, à son tour, au roi. Raymond s'engage encore à démanteler les remparts de Toulouse, à entretenir pendant dix ans « quatre maîtres en théologie, deux en droit canon, six maîtres ès arts et deux régents de grammaire », formule qui constitue l'acte de naissance de l'Université toulousaine. 1271 marque la perspicacité des négociateurs français. Alphonse et Jeanne décèdent sans héritier à trois jours d'intervalle. Le Languedoc dans son entier est réuni à la couronne.

La doyenne des académies – Après la tourmente albigeoise, Toulouse retrouve son rayonnement artistique et littéraire. En 1324, sept notables qui veulent « maintenir » la langue d'oc fondent la « Compagnie du Gai-Savoir », la plus ancienne des sociétés littéraires d'Europe. Chaque année, le 3 mai, les mieux « disants » des poètes reçoivent une fleur d'orfèvrerie. Ronsard et Victor Hugo en furent honorés ainsi que Nazaire-François Fabre (1755-1794), auteur du calendrier républicain et de la romance « Il pleut, il pleut bergère », qui tint à immortaliser son prix en modifiant son patronyme en Fabre d'Églantine. En 1694, Louis XIV érige la société en **Académie des Jeux floraux.**

Une tête qui tombe – Un épisode de la rébellion de la noblesse contre Richelieu connaît sa conclusion tragique à Toulouse. **Henri de Montmorency,** gouverneur du Languedoc, « premier baron chrestien », appartient à la plus grande famille de France. D'une bravoure éclatante, beau, généreux, il devient rapidement populaire dans sa province d'adoption.
Entraîné par Gaston d'Orléans, frère de Louis XIII, il prend les armes en 1632. Tous deux sont défaits à Castelnaudary. Montmorency s'est battu désespérément ; atteint de dix-sept blessures, il est fait prisonnier. Le Parlement de Toulouse le condamne à mort.
Personne n'imagine possible l'exécution d'un si haut personnage ; mais le roi, qui est venu en personne à Toulouse avec le cardinal, résiste aux supplications de la famille, de la cour et du peuple. « Je ne serais pas roi, si j'avais les sentiments des particuliers », répond-il. La seule faveur accordée au condamné est d'être décapité à l'intérieur du Capitole, au lieu de subir son supplice sous les halles. L'échafaud est dressé dans la cour intérieure, au pied même de la statue de Henri IV. Le duc – il a 37 ans – meurt avec l'élégance d'un grand seigneur. Le peuple, assemblé devant le Capitole, pousse des cris de vengeance à l'adresse du cardinal quand, d'une fenêtre, le bourreau vient montrer la tête sanglante.

Le boom du pastel – Au 15e s., le commerce des coques de **pastel** *(p. 99)* jette les négociants toulousains dans l'aventure du commerce international : Londres et Anvers figurent parmi les principaux débouchés. La spéculation permet aux Bernuy, aux Assézat de mener un train de vie princier. De splendides hôtels-palais sont élevés à cette époque, symboles de la fortune, de la puissance et de la richesse des « princes du pastel ». L'influence italienne et plus particulièrement le renouveau florentin vont harmonieusement modifier la physionomie de cette cité florissante, encore largement médiévale. Mais à partir de 1560 arrive en Europe l'indigo et le marasme s'installe avec les guerres de Religion. Le système s'effondre.

TOULOUSE, CAPITALE DE L'AÉRONAUTIQUE

La « ligne » – Toulouse prit de l'importance entre les deux guerres comme base de la première ligne aérienne régulière exploitée au départ de France, grâce aux efforts déployés par des industriels comme P. Latécoère, des organisateurs comme D. Daurat, des pilotes comme Mermoz, Saint-Exupéry, Guillaumet...

Simulateur de vol sur Airbus 340.

25 décembre 1918 : premier vol d'étude sur le parcours Toulouse-Barcelone.

1er septembre 1919 : inauguration officielle de la première liaison postale entre la France et le Maroc. Les appareils de type militaire, à peine modifiés, relient Toulouse-Montaudran à Rabat, avec escales à Barcelone, Alicante, Malaga, Tanger

1er juin 1925 : Dakar est atteinte. Les « défricheurs » opèrent en Amérique du Sud

12 mai 1930 : première traversée commerciale de l'Atlantique-Sud par l'équipage Mermoz-Dabry-Gimié. Désormais, la liaison aérienne entre la France et l'Amérique du Sud devient réalité.

21 avril 1949 : premier vol d'essai du Leduc 010, prototype des appareils à très haute vitesse.

L'après-guerre – Après la Deuxième Guerre mondiale, quatre grands projets ont contribué à relancer l'aéronautique française et européenne. Deux avions militaires (Transall, Breguet Atlantic) et deux civils (Caravelle, Concorde) ont permis aux ingénieurs et bureaux d'études français d'affirmer leurs talents d'avionneurs et de développer le travail d'équipe avec leurs homologues anglais et allemands.

1er mai 1959 : premier vol de Caravelle sur l'itinéraire Paris-Athènes-Istanbul, premier avion de transport commercial à réaction.

2 mars 1969 : premier vol d'essai de « Concorde 001 » par André Turcat. C'est le premier supersonique de transport commercial. Indéniables succès technologiques, les deux projets civils n'ont pas connu le développement industriel espéré.

L'échec commercial et financier de Concorde servira de leçon pour Airbus.

1er janvier 1970 : création d'Aérospatiale, regroupement de Nord-Aviation, Sud-Aviation et Sereb.

Le succès d'Airbus – Né de la volonté européenne (franco-anglaise tout d'abord, franco-allemande dès 1969 et espagnole à partir de 1987), Airbus Industrie est devenu en vingt ans le deuxième constructeur aéronautique mondial, donnant ainsi au Vieux Continent le moyen de constituer, à partir d'un premier modèle réussi, l'A 300, une gamme complète d'avions de 150 à 330 places. Fruit de la ténacité de trois hommes, Roger Béteille, coordinateur des travaux du projet Airbus, Henri Ziegler, administrateur-gérant d'Airbus Industrie, et Franz-Joseph Strauss, président du conseil de surveillance, ce qui au départ ressemblait un peu à une aventure s'est transformé en industrie d'importance mondiale, en s'imposant sur tous les continents.

Une technologie de pointe – Le succès d'Airbus réside en grande partie dans la volonté de toujours proposer un avion qui réponde aux besoins du client. Il est aussi dû à une impressionnante série de progrès technologiques comme l'apparition des commandes de vol électriques, la mise au point d'une voilure aérodynamique très performante, le dessin d'un poste de pilotage prévu pour deux membres d'équipage grâce à un système de gestion de vol entièrement nouveau.

Parallèlement au développement de la famille Airbus, la collaboration franco-américaine entre la Snecma et General Electric donnera naissance, en 1981, au moteur CFM-56, l'un des moteurs d'avions les plus vendus au monde.

TOULOUSE

0   1 km

Usine Clément-Ader ⊙ – *A Colomiers dans la banlieue Ouest de Toulouse.*
C'est dans cette usine, longue d'un demi-kilomètre et large de 200 m, que sont
assemblés les long-courriers A 330/A 340. Une salle de projection, des
maquettes et les documents présentés dans le hall Clément-Ader permettent
de mieux comprendre le programme Airbus. Surtout, l'usine ayant été conçue
pour admettre l'accueil des visiteurs, une passerelle permet d'avoir une vue
panoramique sur les travaux d'assemblage en cours.

LE CENTRE VILLE

*Les deux itinéraires conseillés permettront de découvrir le cœur de la cité.
Compter la journée pour les deux promenades.*

① De St-Sernin à la place de la Daurade

★ **Basilique St-Sernin** (DX) – C'est la plus célèbre et la plus belle des grandes
églises romanes de pèlerinage du Midi, la plus riche de France en reliques *(voir
p. 30).* Sur son emplacement s'élevait, à la fin du 4ᵉ s., une basilique qui abritait
le corps de saint Sernin (ou Saturnin). Cet apôtre du Languedoc, premier évêque
de Toulouse, fut martyrisé en 250, attaché à un taureau.

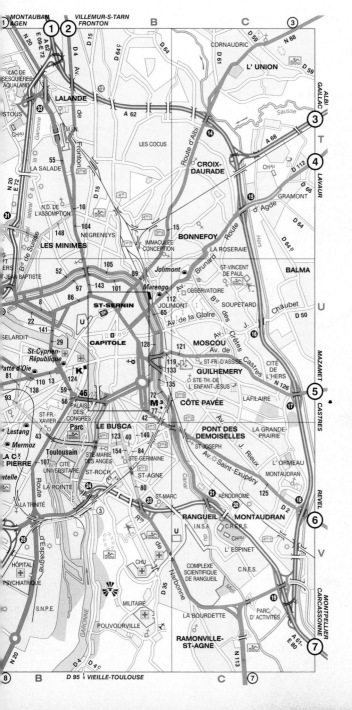

TOULOUSE

Alsace-Lorraine (R. d') ..	**DXY**
Capitole (Pl. du)	**DY**
Lafayette (R.)	**DY**
Metz (R. de)	**DEY**
Rémusat (R. de)	**DX**
St-Antoine du T. (R.) ...	**EY**
St-Rome (R.)	**DY**
Wilson (Pl. Prés.)	**EY**

Arnaud-Bernard (R.)	**DX** 4
Astorg (R. d')	**EY** 5
Baour-Lormian (R.)	**DY** 7
Boulbonne (R.)	**EY** 18
Bouquières (R.)	**EZ** 19
Bourse (Pl. de la)	**DY** 20

Cantegril (R.)	**EY** 23
Cartailhac (R. E.)	**DX** 26
Chaîne (R. de la)	**DX** 31
Cujas (R.)	**DY** 36
Daurade (Quai de la)	**DY** 38
Demoiselles (Allée des) ..	**EZ** 42
Esquirol (Pl.)	**DY** 54
Fonderie (R. de la)	**DZ** 60
Frères Lion (R.)	**EY** 62
Grand Ramier (Av. du) ..	**DZ** 71
Henry-de-Gorsse (R.)	**DZ** 76
Jules-Chalande (R.)	**DY** 79
Lapeyrouse (R.)	**EY** 85
Magre (R. Genty)	**DY** 91
Malcousinat (R.)	**DY** 92
Marchands (R. des)	**DY** 95
Martyrs-de-la-Libération	
(R. des)	**EZ** 99

Mercié (R. Antonin) ...	**DEY** 103
Pélissier	
(R. du Lieut.-Col.)	**EY** 112
Peyras (R.)	**DY** 113
Pleau (R. de la)	**EZ** 114
Poids-de-l'Huile (R.)	**DY** 115
Polinaires (R. des)	**DZ** 116
Pomme (R. de la)	**DEY** 117
Riguepels (R.)	**EY** 127
Romiguières (R.)	**DY** 129
Ste-Ursule (R.)	**DY** 137
Sémard (Bd Pierre)	**EX** 142
Serres (Av. Honoré)	**DX** 143
Suau (R. Jean)	**DY** 146
Temponières (R.)	**DY** 147
Trinité (R. de la)	**DY** 149
3-Journées (R. des)	**EY** 152
3-Piliers (R. des)	**DX** 153

C	Hôtel de Fumel
D	Basilique N.-D.- de-la-Daurade
E	Hôtel Béringuier- Maynier
L	Tour Pierre Séguy
M¹	Musée du Vieux-Toulouse
R	Tour de Sarta

Charlemagne ayant enrichi l'église de reliques, on y venait de tous les points de l'Europe : c'est aussi une étape pour les pèlerins qui se rendaient à St-Jacques-de-Compostelle. L'édifice actuel fut construit pour répondre à ces besoins nouveaux. Commencé vers 1080, il a été achevé au milieu du 14e s. Sa restauration générale a été entreprise à partir de 1855 par Viollet-le-Duc et terminée par Baudot. Depuis 1990, des travaux de remise en forme des toitures se poursuivent. Les deux croisillons du transept ont reçu une nouvelle couverture qui repose sur des mirandes, visibles de la place St-Sernin.

Extérieur – St-Sernin est construite en brique et pierre. Dans le chevet, commencé à la fin du 11e s., la pierre domine ; dans la nef, c'est la brique, employée finalement seule dans le clocher.

Le **chevet** du 11e s. est la partie la plus ancienne du monument. Les cinq cha-

Toulouse – Chapiteau de St-Sernin.

A. Allemand/ARTEPHOT

pelles de l'abside et les quatre chapelles des croisillons, les toitures étagées du chœur et du transept, dominées par le clocher, forment un magnifique ensemble.

Le **clocher** octogonal à cinq étages s'élève sur la croisée du transept. Les trois étages inférieurs sont ornés d'arcades romanes en plein cintre (début du 12e s.). Les deux étages supérieurs ont été ajoutés 150 ans plus tard ; les baies, en forme de mitre, sont surmontées d'un petit fronton décoratif. La flèche a été élevée au 15e s.

La **porte des Comtes**, primitivement dédiée à saint Sernin, s'ouvre dans le croisillon Sud. Les chapiteaux de ses colonnettes *(suivre le déroulement des scènes de droite à gauche)*, d'une facture encore fruste, se rapportent à la parabole de Lazare et du Mauvais Riche et surtout aux châtiments encourus par celui-ci pour ses péchés d'orgueil (portail de droite, 1er chapiteau de gauche), d'avarice (portail de gauche, 1er chapiteau de gauche), de luxure (portail de gauche, 2e chapiteau de gauche) ; de part et d'autre du pilier central : le riche, demandant à revenir sur la terre pour avertir son frère, est maintenu en enfer (la répétition du même motif marque l'éternité du châtiment).

A gauche du portail, une niche grillagée abrite trois sarcophages ayant servi de sépulture à des comtes de Toulouse, d'où le nom donné à la porte. Plus à gauche, une arcade Renaissance subsiste de l'enceinte qui entourait, jusqu'au début du 19e s., l'église, les bâtiments du chapitre des chanoines, les cimetières adjacents. La sculpture romane de la **porte Miégeville** a fait école dans tout le Midi. Exécutée au début du 12e s., elle recherche l'expression et le mouvement beaucoup plus que les œuvres du siècle précédent.

Intérieur – St-Sernin est le type accompli de la grande église de pèlerinage. Son plan est conçu pour faciliter les dévotions des foules et rendre possible la célébration des offices par un chœur de chanoines (dispersés à la Révolution, ils occupaient autrefois le cloître et les bâtiments qui s'étendaient au Nord de l'église) : une nef flanquée de doubles collatéraux, un immense transept et un chœur avec déambulatoire sur lequel ouvrent cinq chapelles rayonnantes.

Pour un édifice roman, St-Sernin est particulièrement vaste : longueur 115 m, largeur au transept 64 m, hauteur sous voûte 21 m. La nef fait grand effet. La perspective du chœur est cependant un peu étranglée par les gros piliers du transept, renforcés lors de la surélévation du clocher.

La coupe de l'église montre la perfection de son élévation et de son équilibre. La nef principale voûtée en berceau plein cintre est épaulée par un premier

bas-côté voûté d'arêtes et surmonté de tribunes très décoratives (voûtées en demi-berceau), qui lui-même prend appui sur un second bas-côté de moindre hauteur, encore voûté d'arêtes et adossé à un contrefort. Ainsi, tous les éléments de cette énorme masse concourent harmonieusement à la solidité de l'ensemble.

Chœur – Sous la coupole de la croisée, belle table en marbre de St-Béat de l'ancien autel roman signée Bernard Gilduin et consacrée en 1096 par le pape Urbain II.

Transept et déambulatoire – Le vaste transept présente une structure à trois nefs et chapelles orientées. Admirer les chapiteaux de la galerie de la tribune et les peintures murales romanes.

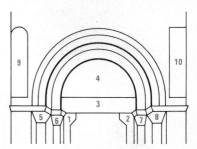

Porte Miégeville.

1) Le roi David. – 2) Deux femmes assises sur des lions. – 3) Les Apôtres, la tête renversée, assistent à l'Ascension du Christ. – 4) Ascension du Christ entouré par les Anges. – 5) Le Massacre des Innocents. – 6) L'Annonciation et la Visitation. – 7) Adam et Ève chassés du paradis terrestre. – 8) Deux lions adossés. – 9) Saint-Jacques. – 10) Saint Pierre.

Dans le croisillon Sud, voir particulièrement la chapelle orientée dédiée à la Vierge (statue de « N.-D.-la-Belle » du 14ᵉ s.) : au cul-de-four, fresques superposées mêlan les thèmes de la Vierge assise « en Majesté » (13ᵉ s.) et du Couronnement de la Vierge.

Contre le mur tournant de la **crypte** sont appliqués sept impressionnant **bas-reliefs**★★ de la fin du 11ᵉ s., en marbre de St-Béat, provenant de l'atelier d Bernard Gilduin : le Christ en Majesté, avec les symboles des Évangélistes entourés d'anges et d'apôtres.

Dans le croisillon Nord ont été mis au jour deux ensembles de peintures murale romanes. Au mur Ouest de la 1ʳᵉ travée, la Résurrection : de bas en haut, le Saintes Femmes au tombeau et l'ange, deux prophètes de l'Ancienne Loi, le Christ glorieux entre la Vierge et saint Jean-Baptiste ; à la voûte : l'Agneau de Dieu présenté par des anges (même scène à la voûte de la 2ᵉ chapelle orientée d transept).

Parties hautes – On peut admirer les chapiteaux, depuis la tribune.

★★ **Musée St-Raymond** (DX) ⊘ – C'est le musée archéologique de la ville d Toulouse. Il est installé depuis 1891 dans le bâtiment de l'ancien Collège reconstruit en 1523 par Louis Privat et restauré en 1852 par Viollet-le-Duc. D jardin, belles vues sur St-Sernin.

La sculpture romaine est remarquablement présentée : des milliers d'objets e bronze, fer, ivoire, os, verre, bois, céramique, de provenances très diverses. O y voit en particulier une très belle collection de clefs et de figures de bronze et encore le plus bel ensemble de portraits impériaux de France. Un espace es consacré aux arts appliqués, des origines de l'humanité à l'an mille. Outre un très importante collection de monnaies antiques et médiévales sont exposés de sculptures, des inscriptions, des lampes chrétiennes, des vases liturgiques, de bijoux, etc.

Ancienne chapelle des Carmélites (DX) ⊘ – Sa décoration : boiseries e peintures célébrant la gloire de l'ordre du Carmel (œuvre du peintre toulousain Despax), constitue un très bel ensemble du 18ᵉ s.

Église N.-D.-du-Taur (DX) – Appelée St-Sernin-du-Taur jusqu'au 16ᵉ s., elle remplacé le sanctuaire élevé à l'endroit où le corps du martyr fut inhumé. Le mur-pignon de la façade *(illustration p. 31)*, percé d'arcs en mitre, est d'un typ fréquent dans la région où il servit de modèle à maintes églises de campagne Avec son clocher garni de créneaux et de mâchicoulis, c'est un des rares vestige de l'ancienne enceinte. On peut observer ici les combinaisons décoratives qu permet la brique : baies en losange, frises en dents d'engrenage.

★★ **Les Jacobins** (DY) ⊘ – En 1215, saint Dominique, effrayé par les progrès de l'hérésie albigeoise, avait fondé l'ordre des Frères Prêcheurs *(voir p. 83)*. L premier couvent des Dominicains fut installé à Toulouse en 1216 ; les religieu arrivent à Paris un an plus tard et s'installent dans une chapelle consacrée à saint Jacques, ce qui leur vaut le nom de « Jacobins ». La construction de l'église et du couvent – première université toulousaine –, commencée en 1230, se poursuit aux 13ᵉ et 14ᵉ s. L'ensemble avait été défiguré par sa transformation en quartier d'artillerie sous le Premier Empire, l'église servant d'écurie.

Des travaux de dégagement et de restauration ont abouti, en 1974, à la réhabilitation de l'église, du cloître ainsi que des bâtiments conventuels rescapés dont la grande sacristie *(fermée au public)*.

Église – L'église de brique est un chef-d'œuvre de l'école gothique du Midi, don elle marque le développement. L'« église-mère » de l'ordre des Frères Prêcheurs achevée vers 1340, accueillit en 1369 le corps de saint Thomas d'Aquin Extérieurement, elle frappe par ses grands arcs de décharge disposés entre les contreforts et surmontés d'oculi, et par sa tour octogonale allégée d'arcs en mitre qui servit de modèle pour de nombreux clochers d'églises bien pourvues de la région ; elle reçut, à son achèvement (1299), la cloche unique de l'Université dominicaine.

Le grandiose **vaisseau**★★★ à deux nefs fut bâti par agrandissements e surélévations successifs. Il traduit le rayonnement de l'ordre, sa prospérité e ses deux missions bien tranchées : le service divin et la prédication.

Sur le pavement, le plan du premier sanctuaire (1234), rectangulaire et couver de charpente, est rappelé par 5 dalles de marbre noir (base des anciens piliers et par un cordon de carreaux, également noirs (les murs). Les sept colonne

LES JACOBINS
Rue Lakanal
0   20 m
Pargaminières
Salle capitulaire
Chapelle St-Antonin — Tour
Rue Sacristie
Grand Réfectoire   2
EGLISE
Parvis des Jacobins
Expositions temporaires
CLOÎTRE
←—N—

portent la voûte à 28 m de hauteur sou clé. Sur la dernière (1 repose la voûte tour nante de l'abside : se 22 nervures alternati vement minces e larges évoquent les branches d'un palmier La décoration poly chrome des murs ayant subsisté en grande partie, les res taurateurs ont pu rest tuer l'ambiance d l'église. Jusqu'à l'appu des fenêtres hautes les murs présentent u faux appareil de pierres ocre et rosées

D'autres contrastes de teintes soulignent l'élan des colonnettes engagées, la souplesse des nervures de la voûte *(illlustration p. 33)*.

Les verrières (grisailles dans le chœur, vitraux plus chaudement colorés dans la nef) ont été posées à partir de 1923. Seules les deux roses de la façade datent du 14e s.

Depuis les solennités du septième centenaire de la mort de Thomas d'Aquin en 1974, les reliques du « Docteur angélique » sont à nouveau exposées sous un maître-autel (2) en marbre gris, provenant de Prouille *(p. 83)*.

Cloître – La porte Nord ouvre sur un cloître à colonnettes jumelées typique du gothique languedocien (autres exemplaires à St-Hilaire et Arles-sur-Tech). Les galeries Sud et Est, qui avaient disparu vers 1830, ont pu être reconstituées à partir d'épaves, retrouvées çà et là dans la région, ou d'autres fragments de la même école.

Grand réfectoire – Il s'élève à l'angle Nord-Est du cloître. Construit en 1303, c'est un vaste vaisseau avec couverture de charpente supportée par six arcs diaphragme. Il sert de cadre à des expositions temporaires.

Chapelle St-Antonin – A gauche de la salle capitulaire, elle fut élevée de 1337 à 1341 comme chapelle funéraire par le frère Dominique Grima, devenu évêque de Pamiers (clé de voûte au-dessus de la tête du Christ de l'Apocalypse).

Des caveaux creusés dans le sol de la nef, les ossements étaient transférés dans un ossuaire, sous l'autel surélevé. La chapelle constitue une délicate œuvre gothique, parée, en 1341, de peintures murales à dominante bleue.

Les médaillons inscrits dans les voûtains sont consacrés à la deuxième Vision de l'Apocalypse : l'Agneau, immaculé, les pieds sur le livre aux sept sceaux, le Christ maître du monde entouré des symboles des Évangélistes et des 24 Vieillards. Sur les murs, au-dessous d'anges musiciens, se déroulent, en deux registres, les scènes de la fantastique légende de saint Antonin de Pamiers dont la clé de voûte de l'abside donne la conclusion : les reliques du martyr naviguent sous la garde de deux aigles blancs.

Salle capitulaire – Construite vers 1300. Deux fines colonnes prismatiques en supportent les voûtes. La gracieuse absidiole a retrouvé son décor polychrome.

Hôtel de Bernuy (Lycée Pierre-de-Fermat) (DY) ⊘ – Bâti en deux campagnes au début du 16e s. La porte (1, rue Gambetta) associe courbes et contre-courbes, de tradition gothique, à des médaillons. La 1re cour offre un intermède d'architecture de pierre. Le faste de la Renaissance s'y manifeste par un portique à loggia, au revers de l'entrée, et par une arcade très surbaissée, à droite. Par le passage voûté d'ogives, gagner la 2e cour où l'on retrouve le charme de la « ville rouge ». La **tour d'escalier**★ octogonale montée sur trompe, la plus haute du vieux Toulouse, prend jour par des fenêtres gracieusement agencées à la rencontre de deux pans.

★ **Capitole (DY H)** ⊘ – *Illustration p. 182*. C'est l'hôtel de ville de Toulouse : il tire son nom de l'ancienne assemblée des « capitouls ». La façade sur la place date du milieu du 18e s. Longue de 128 m, ornée de pilastres ioniques, elle est un bel exemple d'architecture colorée, jouant habilement des alternances de la brique et de la pierre. Dans l'aile se trouve le théâtre, réaménagé en 1974. Pénétrer dans la cour : au-dessus d'un portail Renaissance, statue de Henri IV érigée sous son règne. C'est ici qu'eut lieu, en 1632, la fameuse exécution du duc de Montmorency *(voir p. 145)*, gouverneur du Languedoc, entré en rébellion armée contre le pouvoir de Louis XIII (dalle commémorative sur le pavé).

L'escalier, le vestibule et diverses salles, surtout la salle des Illustres, dédiée aux gloires toulousaines, ont été décorés, avec une pompe appropriée à leur destination, par des peintres témoins de l'art officiel, aux temps de la IIIe République.

Traverser la cour puis le jardin en biais pour aller voir le donjon, reste de l'ancien Capitole (16e s.), restauré par Viollet-le-Duc au 19e s. Il abrite l'Office de Tourisme.

Novaii/IMAGES PHOTOTHÈQUE

Place du Capitole – Les arcades.

Rue St-Rome (DY) – *Réservée aux piétons.* Tronçon de l'antique voie ⟨
traversait la ville du Nord au Sud, elle devient le domaine des « boutiques
A son début (n° 39), remarquable maison du médecin de Catherine de Médi⟨
(Augier Ferrier). Dans la **rue Jules-Chalande** (DY **79**), on verra la belle tour gothi⟨
de Pierre Séguy (**L**).

Musée du Vieux-Toulouse (DY **M¹**) ⊘ – Installé dans l'hôtel du M
(16ᵉ-17ᵉ s.), il réunit des collections concernant l'histoire de la ville, l'art régio⟨
populaire. Céramiques.

Rue des Changes (DY) – Le carrefour dit « Quatre Coins des Changes »
dominé par la tour de Sarta (**R**). Remarquer les numéros 20, 19 et 17 ; au n°
l'hôtel d'Astorg et St-Germain (16ᵉ s.) présente une façade à « mirandes » – larg
ouvertures ou galeries sous comble – et une cour pittoresque avec ses galeri
et escaliers de bois.

Rue Malcousinat (DY **92**) – Au n° 11, aimable corps de logis gothi⟨u⟨
Renaissance flanqué d'un sévère donjon du 15ᵉ s.

Rue de la Bourse (DY) – S'arrêter au n° 20 : maison de Pierre Del Fau (15ᵉ ⟨
qui espéra être capitoul – d'où la tour – mais ne le fut jamais.

Admirer la tour, haute de 24 mètres, percée de cinq larges baies. Deux d'ent
elles, au deuxième et cinquième étage, présentent un élégant linteau en for⟨
d'arc à accolade.

Par la rue Cujas, gagner la place de la Daurade.

Basilique N.-D.-de-la-Daurade (DY **D**) – Héritière d'un temple pa⟨
devenu une église dédicacée à la Vierge dès le 5ᵉ s. et d'un monastère bén
dictin, l'église actuelle remonte au 18ᵉ s. Les Toulousains y sont très attach
(pèlerinage à N.-D.-la-Noire, cérémonies de la recommandation des futu⟨
mères et de la bénédiction des fleurs décernées aux lauréats des Jeux florau
Sa façade au lourd péristyle dominant la perspective de la Garonne ⟨
intéressante.

2 De la place de la Daurade à la place Wilson

Flâner un moment sur le quai de la Daurade, en aval du Pont Neuf (16ᵉ-17ᵉ s
vue sur le quartier St-Cyprien (rive gauche) avec l'Hôtel-Dieu et le dôme ⟨
l'hospice de la Grave.

Prendre la rue de Metz à gauche et obliquer de nouveau à gauche.

★ **Hôtel d'Assézat** (DY) ⊘ – C'est le plus bel édifice particulier de Toulouse, éle⟨
en 1555-1557 sur les plans de Nicolas Bachelier, le plus grand architec
toulousain de la Renaissance, pour le capitoul d'Assézat, négociant enrichi da⟨
le commerce du pastel.
Sur les façades des bâtiments de gauche et de face s'est développé, pour
première fois à Toulouse, dans toute sa noblesse, le style classique caractéri
par la superposition des trois ordres antiques : dorique, ionique, corinthien. Po⟨
donner de la variété à ces façades, l'architecte a ouvert, au rez-de-chaussée
au 1ᵉʳ étage, des fenêtres rectangulaires sous des arcades de décharge. A
2ᵉ étage, c'est l'inverse : la fenêtre est en plein cintre sous un entableme⟨
droit.
A cette recherche correspond la décoration poussée des deux portes, l'une av⟨
ses colonnes torses, l'autre avec ses cartouches et ses guirlandes. L'art de
sculpture s'est, en effet, ranimé à la Renaissance, la pierre recommençant à êt⟨
employée à Toulouse en même temps que la brique.
Au revers de la façade donnant sur la rue s'ouvre un portique élégant, à quat
arcades, surmonté d'une galerie. Le 4ᵉ côté est resté inachevé, Assézat, conve⟨
au protestantisme, ayant été exilé et ruiné. Le mur est seulement décoré d'u⟨
galerie couverte reposant sur de gracieuses consoles.
L'hôtel abrite les six sociétés savantes de Toulouse, dont l'Académie des Je⟨
floraux *(voir p. 145).*

Suivre à droite la rue des Marchands, la rue de la Trinité, puis la r⟨
Croix-Baragnon.

Plusieurs demeures d'antiquaires ont été restaurées : au n° 15, « la plus viei⟨
maison de Toulouse », du 13ᵉ s., se reconnaît à ses baies géminées.

Hôtel de Fumel (Palais consulaire) (DEY **C**) – Siège de la Chambre de commerc⟨
Belle façade du 18ᵉ s., en équerre, sur jardin.
A l'angle de la rue Tolosane on a devant soi la façade et la tour de la cathédra⟨
tandis qu'on aperçoit, sur la gauche, la tour des Augustins entourée de verdur⟨
Au n° 24, rue Croix-Baragnon, Centre culturel de la ville.
On atteint la place St-Étienne agrémentée d'une fontaine du 16ᵉ s. portant u⟨
nom particulier, « le Griffoul ».

★ **Cathédrale St-Étienne** (EY) – Comparée à St-Sernin, la cathédrale appara⟨
curieusement disparate. Sa construction s'est étendue du 13ᵉ au 17ᵉ s. ; le
« écoles » gothiques du Midi et du Nord s'y sont affrontées. Les fonds manqua⟨
on ne put achever la construction de la nef et l'élévation du chœur. Dans la faça⟨
de l'église primitive commencée en 1078, les évêques et le chapitre ont fa⟨
percer une rose au 13ᵉ s. ; puis, au 15ᵉ s., un portail a été ouvert ; enfin, au 16ᵉ ⟨
on a élevé un clocher-donjon rectangulaire sans rapport avec les cloche⟨
polygonaux ajourés de la région.

Entrer par le portail de la façade.

Intérieur – La nef et le chœur ne sont pas dans le même axe et donnent l'impression de n'être pas faits l'un pour l'autre. Cela tient à ce que l'on commença la reconstruction (après la réunion du comté à la couronne) par le chœur, sans se préoccuper de la nef, bâtie en 1209, que l'on comptait jeter bas. On se contenta de procéder à un raccordement de fortune exigeant des prouesses architecturales dans ce qui aurait dû devenir le bras gauche du transept.

La nef unique, aussi large que haute, est la première manifestation de l'architecture gothique du Midi *(voir p. 31)* et l'on peut juger du progrès réalisé : la voûte unique de St-Étienne est large de 19 m alors que la voûte romane de St-Sernin n'en a que 9.

L'austérité de ses murs est corrigée par une belle collection de tapisseries des 16e et 17e s. retraçant la vie de saint Étienne, exécutées à Toulouse. A la clé de la 3e voûte, remarquer la « croix aux douze perles » (1), armes des comtes de Toulouse, puis de la province de Languedoc.

La construction du chœur, commencée en 1272, fut arrêtée quatorze ans après. Deux siècles plus tard, les murs furent terminés et l'édifice couvert d'une charpente. En 1609, cette charpente, détruite par un incendie, est remplacée par la voûte actuelle qui n'a que 28 m de haut au lieu des 37 m prévus au plan initial.

Le retable du maître-autel (2), les stalles, le buffet d'orgues (3), les vitraux des cinq grandes fenêtres de l'abside datent du 17e s. Dans le déambulatoire, on verra des vitraux anciens, notamment dans la chapelle immédiatement à droite de la chapelle axiale, un vitrail du 15e s. qui reproduit les traits du roi Charles VII (couronné et revêtu d'un manteau bleu fleurdelisé d'or) et de Louis, dauphin, futur Louis XI (représenté à genoux, vêtu comme un chevalier). Ce vitrail est appelé le « vitrail du roi de France » (4).

Sortir par la porte droite et contourner l'église ; extérieurement, la puissance des contreforts du chœur est révélatrice de l'ambition des projets irréalisés.

Traverser la rue de Metz, puis par la rue d'Astorg, la rue Cantegril, la rue Antonin-Mercié, gagner la rue d'Alsace-Lorraine. L'entrée du musée des Augustins est à gauche.

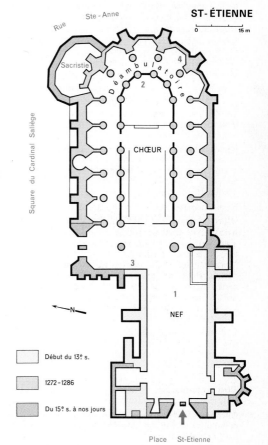

ST-ÉTIENNE

Ste-Anne

Rue

Sacristie

Déambulatoire

CHŒUR

Square du Cardinal Saliège

NEF

N

Début du 13e s.

1272-1286

Du 15e s. à nos jours

Place St-Etienne

0   15 m

★ **Musée des Augustins** (DEY) ⊙ – Le musée est installé dans les bâtiments désaffectés du couvent des Augustins de style gothique méridional (14e et 15e s.) : salle capitulaire, grand cloître, petit cloître. Le bâtiment qui borde la rue d'Alsace-Lorraine a été construit par Viollet-le-Duc et Darcy au 19e s.

On visite le grand cloître (14e s.), fort beau, qui rassemble une intéressante collection lapidaire paléochrétienne, la sacristie et la chapelle Notre-Dame de Pitié (14e s.), où sont exposées des sculptures gothiques des 13e et 14e s. ; enfin la salle capitulaire (fin 15e s.) qui abrite des œuvres du 15e s. dont la Pietà des Récollets et la célèbre Vierge à l'Enfant, « Nostre-Dame de Grasse », aux souples et amples drapés et à l'attitude originale.

L'église conventuelle est caractéristique du gothique méridional avec son chevet à trois chapelles ouvrant directement sur une large nef unique, sans transept. Elle abrite des peintures religieuses des 15e, 16e et 17e s. (Pérugin, Rubens, Murillo, Le Guerchin, Simon Vouet, Nicolas Tournier...), ainsi que quelques sculptures des 16e et 17e s.

Les admirables **sculptures romanes**★★★ (12e s.), toulousaines et languedociennes, qui proviennent essentiellement de l'abbaye St-Sernin, du monastère de la Daurade et des bâtiments du chapitre de la cathédrale St-Étienne, sont les pièces maîtresses du musée. Il est vrai que Toulouse, en raison du mouvement des pèlerinages puis des croisades, fut une terre d'élection de la civilisation romane.

On admirera particulièrement les chapiteaux : les Vierges sages et les Vierg folles, Histoire de Job, Mort de St-Jean-Baptiste, etc.

Dans les collections de peinture, les écoles italienne, flamande et hollanda sont bien représentées, de même que l'école française du 15ᵉ s. au 20ᵉ s. L artistes toulousains prennent une place privilégiée.

En sortant du musée, achever de contourner les bâtiments du couvent ; du jar (entrée rue de Metz), vue sur le clocher et la nef de l'ancienne église d Augustins.

La rue St-Antoine-du-Taur mène à la place du Président-Wilson, centre éléga de Toulouse.

AUTRES CURIOSITÉS

Bibliothèque municipale (DX) – Elle est née en 1866 de la réunion de Bibliothèque du Clergé (fondée en 1772) et de celle du Collège Royal gross à la Révolution, par la confiscation d'une dizaine de bibliothèques conventuell Le bâtiment, œuvre de Montariol, est un bel exemple d'architecture des anné 1930 : rigueur et grandeur des volumes, volonté de fonctionnalisme et luminosité (voir la salle de lecture : grandes baies, plafond dallé de verre et lar coupole). Décoration caractéristique de l'époque utilisant volontiers le fer for et le bas-relief. Majestueuse façade de brique et pierre, centrée autour d'u imposante porte de bronze.

★ **Musée Paul-Dupuy** (EZ) ⊘ – Ce musée est consacré aux arts appliqués Moyen Âge à nos jours : arts du métal, du feu, du bois ; horlogerie ; métrologi numismatique ; reconstitution de l'apothicairerie du collège des Jésuites (163 Le cabinet de dessins et d'estampes offre une riche iconographie du Langued et des provinces voisines.

Rue Mage (EZ) – Une des mieux conservées de Toulouse : demeures d'époq Louis XIV (nᵒ 20 et nᵒ 16) et Louis XIII (nᵒ 11) ; au nᵒ 3, hôtel d'Espie, de st Régence.

Rue Bouquières (EZ 19) – L'hôtel de Puivert (18ᵉ s.) y déploie sa gran architecture d'apparat.

Hôtel Béringuier-Maynier (ou du Vieux-Raisin) (DZ E) – Le corps de logis a fond de la cour marque la première manifestation de la Renaissance italianisar à Toulouse, dans le style des châteaux de la Loire.

Le décor des ailes, aux fenêtres à cariatides, reflète un style plus tourment proche du baroque.

Rue Pharaon (DZ) – Hôtel du capitoul Marvejol (jolie cour) au nᵒ 47, faça du 18ᵉ s. au nᵒ 29, tour de 1478 au nᵒ 21.

Rue de la Dalbade (DZ) – Les demeures parlementaires s'y succèdent. L numéros 7, 11, 18 et 20 montrent d'élégantes façades du 18ᵉ s. Remarqu au nᵒ 22 le grand portail sculpté d'inspiration très païenne (16ᵉ s.), de l'hô Molinier. Au nᵒ 25, l'**hôtel de Clary** (DZ) comporte une belle cour intérieu Renaissance ; sa façade, un peu chargée, fit sensation lorsqu'elle fut élevée e pierre au 17ᵉ s. – signe d'opulence en cette ville de brique (l'édifice en a gar le nom d'« hôtel de pierre »).

L'hôtel des chevaliers de St-Jean-de-Jérusalem (nᵒ 30), robuste et nob construction du 17ᵉ s., fut le siège du Grand Prieuré de l'ordre de Malte.

Église N.-D.-de-la-Dalbade (DZ) – Le nom de l'église est dérivé de la blanche des murs du premier édifice. L'église actuelle, construite au 16ᵉ s., endommagé par l'écroulement du clocher en 1926, a été restaurée et son bel appareil d brique remis en valeur. Portail Renaissance (le tympan en céramique date d 19ᵉ s.).

Rue Ozenne (EZ) – Au nᵒ 9, remarquable ensemble de la fin du 15ᵉ s. : l'hôt Dahus et la tour de Tournoër.

★★ **Muséum d'Histoire naturelle** (EZ) ⊘ – Il expose de très important collections d'histoire naturelle et particulièrement d'ornithologie, de préhistoi et d'ethnographie.

Jardin des Plantes, jardin Royal et Grand Rond (EZ) – Bel ensemble plant Dans le jardin des Plantes, muséum d'Histoire naturelle.

A l'extrémité Sud des allées Frédéric-Mistral, **monument de la Résistance** ⊘. Un je de lentilles ne distribue la lumière du soleil dans la crypte que le 19 août, jo anniversaire de la libération de Toulouse.

Musée Georges-Labit (BU M³) ⊘ – *Accès : voir plan p. 147.* Le musée e installé dans la villa mauresque où Georges Labit (1862-1899), collectionne toulousain passionné par l'Asie, des Indes à l'Extrême-Orient, avait réuni les obje rapportés de ses voyages

Après de nombreux enrichissements, il présente aujourd'hui un ensemb remarquable de sculptures, peintures, textiles, céramiques et objets dive évoquant les grandes civilisations de l'Asie (Chine, Japon, Cambodge, Inde, Tibe Népal, Thaïlande), ainsi que l'antiquité égyptienne et l'art copte.

Le pont St-Michel et les bords de la Garonne (DZ) – Ouvrage en bét précontraint d'une grande simplicité de ligne, le pont St-Michel offre un poi de vue intéressant. Se placer entre le milieu du pont et la rive gauche : par temp clair, la chaîne des Pyrénées se profile au Sud.

Du côté opposé, le regard embrasse une bonne partie de la ville : des Jacobin à la Dalbade, la plupart des monuments se repèrent facilement ; c'est au couche du soleil qu'on jouit le mieux de ce paysage urbain animé par les rougeoieme de la brique.

Le cours Dillon (BU **46**) et la rive gauche de la Garonne forment une zone ombragée réservée aux piétons d'où l'on a des points de vue inattendus sur la ville.

Galerie municipale du Château d'eau (BU **K**) ⊙ – La tour de brique d'un ancien château d'eau (1822), située à la tête du Pont Neuf, a été aménagée, en 1974, en galerie d'art photographique. Centre de documentation sur l'histoire ancienne et contemporaine de la photographie (4 500 ouvrages).

Parc toulousain (BV) – *Accès : voir plan p. 147.* Aménagé dans une île de la Garonne, ce parc compte trois piscines de plein air et une piscine couverte, le Stadium, le parc des Expositions et le palais des Congrès.

CHÂTEAUX AUX ENVIRONS DE TOULOUSE

Les alentours de Toulouse sont riches en châteaux (propriétés privées, certains peuvent néanmoins se visiter). Nous donnons les numéros de téléphone auxquels les personnes intéressées pourront se renseigner pour connaître leurs jours et heures de visite ainsi que leurs prix d'entrée :

Caumont – Édifice Renaissance – ☎ 62 07 94 20 – *Description dans le guide Vert Michelin Pyrénées Aquitaine Côte Basque.*

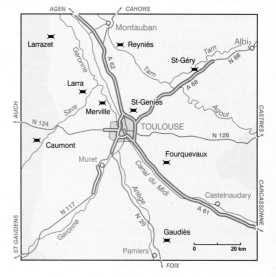

Fourquevaux – Château-hôtel – ☎ 61 81 45 90.

Gaudiès – Vestiges de l'enceinte fin 13ᵉ s. – Façade Sud classique – ☎ 61 67 10 23.

Larra – 18ᵉ s. – ☎ 61 82 62 51.

Larrazet – Escalier monumental à rampes droites – ☎ 61 21 68 20.

Merville – 18ᵉ s. – ☎ 61 85 15 38.

Reyniès – Visite de l'extérieur – ☎ 63 64 04 02.

St-Geniès – Château Renaissance – ☎ 61 74 26 45.

St-Géry – 18ᵉ s. – *Description p. 131.*

★ ## Le VALLESPIR

Cartes Michelin n° 🖾 plis 18 à 20 ou 🖾 pli 56 ou 🖾 plis 45, 46.

Le Vallespir est la région des Pyrénées-Orientales constituée par la vallée du Tech. En amont d'Amélie-les-Bains, la région, au charme pastoral et montagnard, présente des aspects extrêmement variés et toujours séduisants. C'est, de plus, une curiosité géographique en ce sens qu'elle comprend les communes les plus méridionales du territoire français. Les vergers et les cultures ne trouvent plus place ici que dans les fonds de vallée. Des forêts de châtaigniers, de hêtres et, surtout, de vastes pâturages les remplacent.

Une activité industrielle bien vivante, des traditions folkloriques encore vivaces achèvent de donner au pays sa physionomie particulière.

C'est dans ses réjouissances qu'il faut voir cette population catalane, même si l'intérêt « régionaliste » de ces fêtes paraît un peu mince au premier abord, en raison de la disparition progressive des costumes locaux. Qui aura eu la chance de voir danser ou plutôt célébrer la sardane, « expression la plus humaine des émois et des transports d'une âme collective », ne sera pas près de l'oublier.

La crosse et l'épée – Le comté de Cerdagne de Wilfred-le-Velu *(p. 65)* est divisé en 990 à l'occasion d'une succession : Bernard dit « Taillefer » prend le titre de comte de Bésalu (petite ville de l'Ampurdan – la plaine jumelle du Roussillon – au Sud des Albères) et reçoit la haute vallée du Tech. Dès 1111, cette branche s'éteint et ses domaines passent aux comtes de Barcelone.

L'abbaye bénédictine de Ste-Marie d'Arles est, au Moyen Âge, le grand centre religieux du pays. Son rayonnement s'accroît encore à la fin du 10ᵉ s., grâce à la translation des reliques des saints martyrs orientaux Abdon et Sennen, toujours très populaires dans les pays. Les abbés exercent naturellement une juridiction temporelle sur de nombreuses terres. Les moines, désireux de mettre en valeur le bassin supérieur du Tech, fondent une colonie agricole qui devient rapidement une petite ville, Prats-de-Mollo, dont les rois d'Aragon, appréciant déjà la situation et le climat, font une de leurs villégiatures d'été préférées.

Les seigneurs de Serralongue, de Corsavy élèvent des châteaux et des tours de guet qui, aujourd'hui encore, attirent le regard.

DU COL D'ARES AU BOULOU *68 km – environ 5 h*

★ **Col d'Ares** – Alt. 1 513 m. Situé à la frontière, il ouvre la route vers l'Espagne (Ripoll, Vic, Barcelone).

Dans la descente on découvre tout de suite vers le Nord la tour de Mir, l'une des tours à signaux *(voir p. 28)* les plus élevées du Roussillon. Bientôt apparaît sur la droite la chapelle N.-D.-du-Coral. Plus loin, on reconnaît les tours de Cabrens dans l'éventail des vallées boisées convergeant vers Serralongue. Passé le col de la Seille (1 185 m), agréable vue sur Prats-de-Mollo, groupé au pied du fort Lagarde. La route descend à travers les bosquets de châtaigniers, face au massif du Canigou et aux amples contreforts pastoraux de son versant Sud.

★ **Prats-de-Mollo** – *Page 128.*

Continuer par la D 115.

Défilé de la Baillanouse – La route, emportée par les inondations catastrophiques d'octobre 1940, fut reconstruite plus haut. On reconnaît encore, à gauche, un arrachement de terrain au flanc du Puig Cabrès. De là descendit un éboulement énorme (6 à 7 millions de m³) ayant barré la vallée sur une hauteur de 40 m.

Le Tech – Village d'éperon, au confluent du Tech et de la Coumelade, dont le quartier bas fut anéanti par l'inondation de 1940 *(voir p. 13)*. Le monument aux Morts de 1914-1918 a été remplacé en 1964 par un sobre mémorial. L'église a été rebâtie sur le promontoire.

1 km après le Tech, prendre à droite la D 44.

Serralongue – *Monter à pied à l'église.* Sur l'esplanade a poussé un micocoulier, arbre dont le bois servait jadis à la confection des célèbres fouets appelés « perpignans ».

Poursuivre jusqu'au sommet de la colline pour voir la ruine d'un conjurador, édicule à quatre ouvertures, au-dessus desquelles des niches abritaient autrefois les quatre Évangélistes. Lorsque l'orage menaçait les récoltes, le curé venait réciter les prières appropriées pour « conjurer » le péril en se tournant du côté de l'horizon assombri par les nuées.

Faire demi-tour et prendre à droite la pittoresque D 64. A la Forge-del-Mitg tourner à gauche dans la D 3.

La route est agréablement tracée sur le versant « ombrée » du Vallespir foisonnant en verdure (érables, châtaigniers) avivée par de nombreux ruisseaux. En arrière et à gauche s'éloignent les trois tours de Cabrens.

La D 3 débouche sur la D 115 où prendre à droite.

Arles-sur-Tech – *Page 47.*

Après Arles, la route passe de la rive gauche à la rive droite du Tech.

★ **Amélie-les-Bains-Palalda** – *Page 41.*

Quittant Amélie-les-Bains, on aperçoit tout de suite Palalda, à gauche, qui s'étage sur la rive abrupte du Tech. La D 115, çà et là bordée de platanes, laisse le Vallespir montagnard pour entrer dans le bassin de Céret-le-Boulou.

★ **Céret** – *Page 69.*

Par la D 618 on rejoint la N 9 qui mène au Boulou.

✠ **Le Boulou** – *Page 53.*

VALS
59 h.

Cartes Michelin n° 🖿🖿 pli 5 ou 🖿🖿🖿 pli 43 – 12 km à l'Ouest de Mirepoix.

L'oppidum de Vals, occupé dès l'âge du bronze, le fut jusqu'au Moyen Âge, comme en témoignent d'abondantes trouvailles de céramiques, de verrerie et d'ossements. Le Roc de l'Éperon semble taillé selon une technique archaïque tandis que la case-encoche du Roc Taillat présente des cannelures probablement travaillées au moyen d'outils de métal. L'ensemble de la plate-forme a pu être la base d'un ancien temple.

Depuis 1980, des fouilles ont lieu, qui apportent un regain d'intérêt et une meilleure connaissance du site.

Église – On y accède par un escalier creusé dans un boyau rocheux. C'est une église rupestre, à deux nefs superposées, portant la marque d'époques très différentes. La nef basse, ou crypte, est carolingienne, l'abside du 11ᵉ s. ; la tour massive dressée sur le socle rocheux abrite une chapelle romane (terminée au 14ᵉ s.), dédiée, comme de nombreux hauts lieux du Moyen Âge, à l'archange saint Michel.

Dans l'abside, des peintures murales du 12ᵉ s. présentent une remarquable unité et montrent, selon un plan logique assez rare, trois aspects de la vie du Christ : sa naissance (Annonciation, Bain de l'Enfant Jésus, Adoration des Mages), sa vie publique (les Apôtres) et sa glorification.

Ces tableaux stylisés, dessin au trait plutôt que peinture, présentent des personnages aux grands yeux en amande, figés dans des attitudes hiératiques selon la tradition byzantine. Par leur composition schématique et naïve, sans recherche de profondeur, ils s'apparentent aux fresques catalanes de l'époque romane.

Musée archéologique ⊙ – Il est situé sur la place de l'église.

La salle Henri-Breuil présente le produit des fouilles de l'ancien oppidum.

Cartes Michelin n° 86 pli 17 ou 235 pli 52 – Schéma p. 56.
Plan dans le guide Rouge Michelin France.

Le **site★** de Vernet, au pied des contreforts boisés du Canigou où s'accroche le clocher de St-Martin, est l'un des plus frais des Pyrénées-Orientales ; le grondement du torrent du Cady apporte un bruit de fond montagnard, inattendu dans ce décor méditerranéen aimé de Rudyard Kipling. On soigne dans l'établissement thermal, doublé d'un centre de rééducation fonctionnelle et motrice, les rhumatismes et les affections oto-rhino-laryngologiques.
Le Vieux Vernet, massé sur la rive droite du Cady, offre au flâneur ses ruelles déclives.

Le Vieux Vernet – De la place de la République, monter au « puig » (piton) de l'église par la rue J.-Mercader bordée de petites maisons colorées et fleuries, souvent décorées d'une treille.

Église St-Saturnin ⊘ – Sa jolie situation, en vue du cirque du haut Cady et de la tour de St-Martin, fait son principal intérêt.
Cette ancienne chapelle N.-D.-del-Puig (12ᵉ s.), adossée à un château fort (reconstitué), mérite une visite pour la présentation de son mobilier et de différents vestiges lapidaires : une cuve baptismale (face à l'entrée), une prédelle de la Crucifixion ayant fait partie d'un retable peint du 15ᵉ s., la table d'autel romane et, surtout, l'impressionnant Christ (16ᵉ s.) suspendu dans l'abside.

Vernet-les-Bains – La ville et le Canigou.

EXCURSIONS

★★ **Abbaye St-Martin-du-Canigou** – *2,5 km au Sud jusqu'à Casteil. Accès et description p. 135.*

★ **Col de Mantet** – *20 km au Sud-Ouest – environ 1 h. Route très abrupte, en corniche étroite (croisement très difficile) en amont de Py.* Sortir de Vernet par la D 27 à l'Ouest et remonter, à partir de Sahorre, la vallée de la Rotja d'abord parmi les pommiers puis dans une gorge entaillée dans les granits.
Au-dessus de **Py** (113 h.), petit village pittoresque situé à 1 023 m d'altitude, la route escalade des pentes raides hérissées çà et là de rochers granitiques. A 3,5 km, dans un large virage, **belvédère★** sur le village aux toits rouges et le Canigou.
Le col de Mantet s'ouvre à 1 761 m d'altitude près des couverts de résineux de la forêt de la Ville. Sur le versant opposé le site, impressionnant d'austérité, de **Mantet**, village à peu près déserté (12 h.), tapi dans un repli de terrain.

★ **VILLEFRANCHE-DE-CONFLENT** 261 h.

Cartes Michelin n° 86 pli 17 ou 235 plis 51, 52.

Au confluent du Cady et de la Têt, Villefranche, fondée en 1090 par Guillaume Raymond, comte de Cerdagne, occupe une position encaissée surprenante : des roches voisines, suivant le rapport du grand ingénieur, des tireurs auraient pu « canarder à coups de fusil tout ce qui paraîtrait dans ses rues ».
Ce « verrou » stratégique fut surtout, à partir du traité de Corbeil (1258), un poste avancé du royaume d'Aragon face à la ligne des « fils de Carcassonne » *(voir p. 73)*. Il valut à Villefranche d'être fortifiée dès son origine. Les défenses furent complétées au cours des années et notamment au 17ᵉ s. par Vauban. Une garnison française l'occupa du traité des Pyrénées (1659) à 1925.
Les carrières des environs ont fourni le marbre rose qui ennoblit les nombreux monuments de la cité, aussi bien que maints d'entre eux en Roussillon.
La foire de la Saint-Luc, qui se perpétue depuis 1303, témoigne de l'activité économique de la ville, qui fut grande au Moyen Âge, dans la teinture et le commerce des draps notamment.

★ LA VILLE FORTE

visite : 2 h

> *Laisser la voiture à l'extérieur des remparts, sur le parking aménagé au confluent de la Têt et du Cady.*

Pénétrer dans l'enceinte par la porte de France, ouverte sous Louis XVI à gauche de l'ancienne porte comtale.

Remparts ⊙ – *Entrée au n° 23, rue St-Jacques.*
Le circuit fait parcourir deux étages de galeries superposées : le noyau de circulation inférieur, qui remonte à la construction de la forteresse (11e s.), et au-dessus le chemin de ronde du 17e s.
Aux 13e et 14e s., on a flanqué les courtines (fin 11e s. – début 12e s.) de tours rondes, puis au 17e s. de six bastions, qui, à partir de la Porte de France et dans le sens des aiguilles d'une montre, portent les noms de : Corneilla, de la Montagne, de la Reine, du Roi, de la Boucherie et du Dauphin.

De retour à la porte de France, traverser toute la ville en suivant la rue St-Jean (remarquer la statue en bois, du 14e s., de

Villefranche-de-Conflent – Échauguette.

saint Jean l'Évangéliste) dont les maisons des 13e et 14e s. ont souvent gardé leur porche en plein cintre ou en arc brisé.
Belles enseignes de corporations en fer forgé.

Église St-Jacques – Des 12e et 13e s., elle assemble deux nefs parallèles.
Pénétrer dans l'église par le portail « à quatre colonnes » et archivolte torsadée : les chapiteaux appartiennent à l'école de St-Michel-de-Cuxa.
Dans la nef gauche, la profondeur de la cuve baptismale en marbre rose s'explique par la coutume du baptême par immersion pratiquée en Catalogne jusqu'au 14e s.
Une Vierge à l'Enfant du 14e s., N.-D.-de-Bon-Succès, en marbre, est invoquée contre les épidémies ; l'Enfant tient un fruit dans la main droite, un oiseau dans la main gauche. Au-dessus de l'autel de la petite nef, retable N.-D.-de-Vie (1715) de Sunyer *(voir p. 89).*
Dans la nef droite, la chapelle latérale du milieu abrite un grand Christ en croix (14e s.), dans la tradition réaliste catalane. Les autres chapelles latérales abritent d'intéressants retables baroques.
Au fond de l'église, comme en Espagne, se trouve le chœur Ouest (le mot chœur vient de *chorus* : chanter en chœur) appelé chœur des stalles ; celles-ci datent du 15e s. (rosaces flamboyantes aux joués) ; sur le podium repose un Christ gisant, œuvre d'art populaire poignante du 14e s. La statue de Joseph d'Arimathie est une pièce rapportée, plus tardive.

Porte d'Espagne – Réaménagée comme la porte de France en entrée monumentale sous Louis XVI.
La machinerie de l'ancien pont-levis subsiste.

★ **Fort-Liberia** ⊙ – Dominée par la montagne de Belloc, la ville offrait une prise trop facile à un ennemi éventuellement campé sur les hauteurs. Aussi, dès 1679, alors qu'il commandait les travaux nécessaires pour fortifier la place, Vauban songeait à protéger celle-ci en élevant un fort.
Cet ouvrage, doté d'une citerne et de magasins à poudre, illustre bien quelques-unes des conceptions stratégiques de Vauban. Il a été remanié au cours du 19e s. (changement de l'entrée). On a réalisé notamment l'escalier dit des « mille marches » (il en comprend 734 en fait) en marbre rose du Conflent, qui relie le fort à la ville au niveau du petit pont fortifié St-Pierre, jeté sur la Têt.
Afin d'épouser la forte déclivité du terrain, la fortification est composée de trois enceintes établies l'une au-dessus de l'autre. La plus élevée, côté montagne, a la forme d'une étrave et est protégée par un fossé. Une galerie percée dans la contrescarpe renforce le dispositif défensif. Le pavillon, orné d'un balcon couvert, abrite au rez-de-chaussée un four à pain et en sous-sol un réduit où furent incarcérées quatre femmes inculpées dans l'affaire des Poisons : la dernière, dénommée « la Chopelin », y mourra en 1724 après 43 années de détention.
Remarquer au cours de la visite les hauts murs de pierre couronnés de brique et les rampes en fer forgé.
Du fort, **vues remarquables**★★ sur les vallées en contrebas et sur le Canigou.

> *Retour en ville conseillé par l'escalier des « mille marches ».*

AUTRES CURIOSITÉS

Grotte des Canalettes ⊘ – *Parking à 700 m au Sud, en contrebas de la route de Vernet.*
Les concrétions étonnent par la variété de leurs formes : coulées de calcite, excentriques. Parmi les plus belles on remarquera la Table, un gour que la calcite a peu à peu rempli, et un bel ensemble de draperies d'une blancheur étincelante.

Grotte des Grandes Canalettes ⊘ – Elle appartient au même réseau que la grotte des Canalettes. Du hall d'accueil (exposition de géodes), une galerie aménagée fait découvrir un atelier de pétrification, la salle de la Fontaine, le couloir des Cupules, la salle du Balcon, le lac des Atolls, les Armandines (colonnes à plateaux), la salle d'Angkor. Le balcon des Ténèbres, en fin de parcours, domine un gouffre et borde la salle du Dôme rouge.

Cova Bastera ⊘ – Située sur la route d'Andorre, face aux remparts, cette grotte, qui est une extrémité du réseau des Canalettes, fait découvrir les fortifications souterraines de Vauban et les différentes phases d'occupation du site grâce à des scènes grandeur nature.

Le VOLVESTRE

Cartes Michelin n° 🎟🎟 pli 17 ou 🎟🎟🎟 pli 38.

Le Volvestre est le pays de coteaux de « terreforts » *(voir p. 15)* entre Garonne et Ariège, traversé par l'Arize avant son confluent avec la Garonne.

DE RIEUX A MONTBRUN-BOCAGE *20 km – environ 3/4 h*

Rieux – *Page 131.*
Au départ de Rieux, la route (D 627) s'engage dans la dépression de l'Arize, rivière sourdant, à 1 200 m d'altitude, dans un massif boisé *(voir « Route verte » p. 87).*

Montesquieu-Volvestre – 2 113 h. (les Montesquiviens). Calme ville, rebâtie en brique au 16e s. et ceinturée de boulevards ombragés. L'église fortifiée du 14e s. se distingue par sa tour polygonale à 16 pans donnant l'illusion d'une construction ovale.

A Daumazan-sur-Arize, prendre à droite la D 19.

Montbrun-Bocage – La petite église abrite un vaste ensemble de **peintures murales★** du 16e s., interrompu par une voûte gothique postiche ; on reconnaît dans le chœur saint Christophe, l'Arbre de Jessé, des scènes de la vie de saint Jean-Baptiste ; au côté Nord, des scènes de la Passion et l'Enfer.
Montbrun-Bocage est le point de départ de l'itinéraire décrit p. 127, à travers les monts du Plantaurel.

Perpignan – Procession de la Sanch.

Renseignements pratiques

AVANT LE DÉPART

La plupart des renseignements pratiques concernant l'hébergement, les lois sportifs, la découverte de la région, les stages chez les artisans, peuvent être donnés par les comités de tourisme régionaux, départementaux, les maisons régionales installées à Paris, les services de réservation Loisirs-Accueil et les offices de tourisme et syndicats d'initiative listés en début de rubrique dans le chapitre des « Conditions de visite ».

Comités régionaux du Tourisme

Languedoc-Roussillon : 27, rue de l'Aiguillerie, 34000 Montpellier. ☎ 67 22 81 00

Midi-Pyrénées : 54, boulevard de l'Embouchure, BP 2166 – 31022 Toulouse Cedex
☎ 61 13 55 55.

Comités départementaux du Tourisme

Ariège : Hôtel du Département, BP 143, 09004 Foix Cedex. ☎ 61 02 09 70.

Aude : 39, boulevard Barbès, 11000 Carcassonne. ☎ 68 47 09 06.

Haute-Garonne : 14, rue Bayard – 31000 Toulouse. ☎ 61 99 44 00.

Pyrénées-Orientales : 7, quai De-Lattre-de-Tassigny, BP 540 – 66005 Perpignan Cedex
☎ 68 34 29 94. Minitel : 3615 CAP SUD 66.

Tarn : Moulins Albigeois, 41, rue Porta, 81013 Albi Cedex 09. ☎ 63 47 56 50

Tarn-et-Garonne : Hôtel des Intendants, place du Maréchal-Foch, 82000 Montauban
☎ 63 63 31 40.

Les Maisons des Pyrénées

à **Paris** : 15, rue St-Augustin, 75002. ☎ 42 86 51 86.

à **Bordeaux** : 6, rue Vital-Carles, 33000. ☎ 56 44 05 65.

à **Nantes** : 7, rue Paré, 44000. ☎ 40 20 36 36.

Loisirs-Accueil

La Fédération nationale des services de réservation Loisirs-Accueil (17, rue de l'Ingénieur-Keller, 75015 Paris. ☎ 40 59 44 12) propose un large choix d'héberge-ments et d'activités de qualité. Elle édite un guide national annuel, et pour certains départements, une brochure détaillée. En s'adressant au service de réservation de ces départements, on peut obtenir une réservation rapide. Service télématique : code SLA. Les coordonnées pour chaque département sont, à part celles de Haute-Garonne, les mêmes que pour les Comités départementaux du tourisme.

Haute-Garonne : 70, boulevard Kœnig, 31300 Toulouse. ☎ 61 31 95 15.

Stations vertes

La Fédération Française des Stations Vertes de Vacances et des Villages de Neige édite annuellement un répertoire de localités rurales sélectionnées pour la tranquillité et les distractions de plein air qu'elles proposent. Renseignements auprès de l'Hôtel du Département de la Côte-d'Or, BP 1601 – 21035 Dijon Cedex
☎ 80 49 94 80.

Caudiès-de-Fenouillèdes – Église N.-D.-de-Laval.

QUELQUES LIVRES

Ouvrages généraux – Géographie – Histoire

L'Ariège et l'Andorre, par F. Taillefer *(Toulouse, Privat, collection « Pays pyrénéens »).*

Beauté des Pyrénées *(Genève, Éditions Minerva).*

Beauté du Languedoc-Roussillon *(Genève, Éditions Minerva).*

Toulouse d'hier et d'aujourd'hui, par F. Cousteaux, M. Valdiguié et J. Dieuzaide *(Drémil-Lafage, Daniel Briand).*

Histoire d'Albi, de Carcassonne, de Montauban, de Narbonne, de Perpignan, de Toulouse *(Toulouse, Privat, collection « Univers de la France – Histoire des villes »).*

Histoire du Languedoc *(Toulouse, Privat, collection « Univers de la France, Histoire des Provinces).*

Citadelles du vertige, par M. Roquebert et C. Soula *(Toulouse, Privat).*

Le Bûcher de Montségur, par Z. Oldenbourg *(Paris, Gallimard).*

Les Cathares, par R. Nelli *(Paris, Marabout).*

L'Épopée Cathare (4 vol.), par M. Roquebert *(Toulouse, Privat).*

La Vie quotidienne des Cathares, par R. Nelli *(Hachette, collection « La Vie quotidienne »).*

Les Châteaux cathares... et les autres, par R. Quéhen et D. Dieltiens *(Montesquieu-Volvestre, René Quéhen).*

La Croisade albigeoise, par M. Zerner-Chardavoine *(Paris, Gallimard-Julliard).*

Les Comtes de Toulouse, 1050-1250, par J. L. Dejean *(Paris, Fayard).*

Art – Tourisme – Économie

Itinéraires romans en Roussillon, par A. Duprey *(Collection Zodiaque).*

Les Musées de Toulouse, textes des Conservateurs des Musées *(Drémil-Lafage, Daniel Briand).*

Le Capitole de Toulouse, par D. Baudis et Jean Darreux *(Drémil-Lafage, Daniel Briand).*

Le Pastel, Or bleu du Pays de Cocagne, par P. Rufino et F. Bacon *(Drémil-Lafage, Daniel Briand).*

Le Canal du Midi, par O. Roquette-Buisson et Ch. Sarramon *(Rivages/Technal).*

Les plus belles Randonnées des Pyrénées orientales, par Jean-François Devaud *(Glénat, Grenoble, coll. « Montagne et randonnée »).*

Randonnées dans les Hautes-Pyrénées, les Pyrénées orientales, les Pyrénées ariégeoises *(Rando-Éditions, Ibos, coll. « 100 rando »).*

Les Sentiers en Ariège *(Randon-Éditions, Ibos, coll. « Les sentiers d'Émilie »).*

Lumières sur la brique en pays toulousain, par Henri Fondevilla et Daniel Pawlowski *(Privat, Toulouse).*

La Garonne *(Privat, Toulouse, coll. « Rivières et vallées de France »).*

Le Midi-Pyrénéen touristique *(Paris, Larousse, collection « Beautés de la France »).*

L'Aventure de l'Airbus, les ailes de l'Europe, par Jean Picq *(Paris, Fayard).*

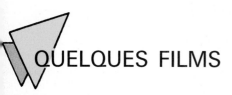

QUELQUES FILMS

Certains sites de la région couverte par ce guide ont servi au tournage des films suivants :

La Scoumoune, 1972, par José Giovanni (Fort de Bellegarde).

L'Évadé, 1974, par Tom Gries (Fort de Bellegarde).

37° 2 le matin, 1986, par Jean-Jacques Beineix (Gruissan).

Les Visiteurs, 1993, par Jean-Marie Poiré (Carcassonne).

Ma saison préférée, 1993, par André Téchiné (Toulouse).

L'Enfer, 1994, par Claude Chabrol (campagne lauragaise).

HÉBERGEMENT

Guide Rouge Michelin France – Mis à jour chaque année, il recommande un choix d'hôtels établi après visites et enquêtes sur places. Entre autres informations le guide signale pour chaque établissement, les éléments de confort proposés, les prix de l'année en cours, les cartes de crédits acceptées et les numéros de téléphone et fax pour réserver. Le symbole 🐠 signale, à l'attention des vacanciers, les hôtels tranquilles.

Guide Michelin du Camping Caravaning en France – Il propose lui aussi une sélection de terrains. Pour chacun, il détaille les éléments de confort et d'agrément le nombre d'emplacements et le n° de téléphone pour réservation. Un symbole précise pour chaque terrain, la possibilité de louer caravanes, mobile homes bungalows ou chalets.

Hébergement rural

Gîtes de France – Des renseignements concernant les divers modes d'hébergement en milieu rural peuvent être obtenus à la Maison des Gîtes de France, 35, rue Godot-de-Mauroy, 75009 Paris ☎ 49 70 75 75. On peut s'y procurer des guides nationaux et départementaux sur les formules les plus variées : **gîtes ruraux, gîtes de neige, gîtes et logis de pêche, chambres d'hôtes,** etc. Il est possible également de consulter le minitel : 3615 GITES DE FRANCE.

Fermes-auberges – Pour profiter du calme à la campagne et apprécier les bons produits du terroir, consulter les guides « Bienvenue à la ferme » *(Éditions Solar)* et « Vacances et week-ends à la ferme » *(Éditions Balland).*

Les randonneurs peuvent consulter le guide *Gîtes et refuges, France et frontières* par A. et S. Mouraret (Éditions La Cadole, 74, rue Albert-Perdreaux, 78140 Vélizy ☎ (1) 34 65 10 40, service télématique 3615 CADOLE). Cet ouvrage est principalement destiné aux amateurs de randonnées, d'alpinisme, d'escalade, de ski, de cyclotourisme et de canoë-kayak.

Tourisme et handicapés

Un certain nombre de curiosités décrites dans ce guide sont accessibles aux personnes handicapées. Pour les connaître, consulter les ouvrages *Touristes quand même, Promenades en France pour voyageurs handicapés* (Comité National Français de Liaison pour la Réadaptation des handicapés, 38, boulevard Raspail, 75007 Paris ☎ 45 48 90 13) ou le *Guide Rousseau Handicaps* (SCOP : 4, rue Gustave-Rouanet 75018 Paris. ☎ 42 52 97 00).

Ces recueils fournissent, par ailleurs, pour les principales villes de France, de très nombreux renseignements d'ordre pratique facilitant le séjour aux personnes à mobilité réduite, déficients visuels ou mal-entendants. Service télématique : 3615 Handitel.

Les **guides Michelin France** et **Camping Caravaning France,** révisés chaque année, indiquent respectivement les chambres accessibles aux handicapés physiques et les installations sanitaires aménagées.

RESTAURATION

Guide Rouge Michelin France – Il propose une large sélection de restaurants qui concerne non seulement les bonnes tables « étoilées » mais aussi les établissements plus simples où l'on aura la possibilité de déguster les spécialités régionales. Dans le guide, lorsque le mot « Repas » figure en rouge il signale à l'attention du gastronome un repas soigné à prix modéré. N'hésitez pas à faire confiance aux établissements qui bénéficient de cette mention.

Des spécialités ?

Riche des apports que lui procurent la mer, la montagne et les vignobles, la cuisine de la région Pyrénées-Roussillon est variée et savoureuse.
Le chapitre d'introduction intitulé « Les produits du terroir » donne le détail des principales spécialités régionales.
On ne saurait oublier de citer la **crème catalane,** sorte d'entremets caramélisé, parfumé à l'anis et à la cannelle et le **« touron »** aux nombreuses variétés, dont la base est constituée d'amandes grillées, de sucre et de miel.

164

LE THERMALISME

Sur la carte p. 8 et 9 sont localisées les stations thermales de la région couverte par ce guide.

L'abondance des sources minérales et thermales a fait la renommée des Pyrénées dès l'Antiquité. Par leur nature et leur composition variées, elles offrent un large éventail de propriétés thérapeutiques.

Prenant le relais du thermalisme mondain d'autrefois, le thermalisme actuel attire les foules de curistes venus se soigner pour des affections très diverses, respiratoires et rhumatismales principalement.

Les eaux pyrénéennes appartiennent à deux grandes catégories, les sources sulfurées et les sources salées.

Les sources sulfurées

Elles se situent principalement dans les Pyrénées centrales, mais elles s'étirent en direction de la Méditerranée, d'Ax-les-Thermes à Amélie-les-Bains. Leur température, tiède, peut s'élever jusqu'à 80°. Le soufre, qualifié de « divin » par les Grecs, en raison de ses vertus médicales, entre dans leur composition en combinaisons chloro-sulfurées et sulfurées-sodiques. Sous forme de bains, douches et humages, ces eaux sont utilisées dans le traitement de nombreuses affections : oto-rhino-laryngologie (oreilles, nez, gorge et bronches), maladies osseuses et rhumatismales, rénales et féminines.

Les principales stations de ce groupe sont : Ax-les-Thermes, Vernet, Molitg, la Preste et Amélie.

Les sources salées

Elles se trouvent en bordure du massif ancien. Selon leur composition minéralogique, on distingue les eaux sulfatées ou bicarbonatées-calciques, dites « sédatives », des eaux chlorurées-sodiques. Les premières sont employées (à Ussat, à Alet, au Boulou...) dans le traitement des affections nerveuses, hépatiques et rénales. Les secondes, utilisées sous forme de douches et de bains, soulagent les affections gynécologiques et infantiles.

Le **guide Michelin France** signale les dates officielles d'ouverture et de clôture de la saison thermale.

Adresses utiles

Fédération thermale et climatique française, 16, rue de l'Estrapade, 75005 Paris. ☎ 43 25 11 85.
Chaîne thermale du Soleil/Maison du Thermalisme, 32, avenue de l'Opéra, 75002 Paris. ☎ 47 42 67 91.

SPORTS, DÉTENTE ET LOISIRS

Ski

L'Ariège et les Pyrénées catalanes offrent de vastes champs enneigés bien équipés autorisant la pratique de tous les sports de neige : ski de fond, ski de randonnée, ski de piste et aussi un certain nombre d'activités récemment apparues qui permettent d'allier sport et sensations nouvelles (ski-parapente, moto-neige...).
La pratique du ski de fond, déjà connu en 1910 dans le milieu sportif pyrénéen, s'avère particulièrement agréable sous le soleil méditerranéen de la Cerdagne et du Capcir.
Pour pallier à l'irrégularité de l'enneigement, la plupart des stations disposent de canons à neige. Dans les **Pyrénées catalanes,** l'espace nordique du Capcir propose des pistes de fond au départ de tous les villages. Renseignements dans les stations et à la Maison du Capcir, 66210 Matemale. ☎ 68 04 49 86 ou Pyrénées catalanes ski de fond, 66210 Matemale. ☎ 68 04 32 75.
Les renseignements pour l'accueil dans les **stations ariégeoises** s'obtiennent auprès du Service Loisirs Accueil Ariège Pyrénées *(p. 162).*

Stations	Altitude au pied de la station	Altitude au sommet	Remontées mécaniques	Km de pistes de ski de fond	Nombre de pistes de ski alpin	Renseignements
Les Angles	1 600	2 400	19	114	24	68 04 32 76
Arinsal (Andorre)	1 550	2 560	15	–	23	(628) 38 8 22
Ascou-Pailhères	1 500	2 000	6	5	15	61 64 60 6C
Ax-Bonascre-Le Saquet	1 400	2 400	17	–	26	61 64 20 64
Camurac	1 350	1 800	7	50	16	68 20 70 83
Err-Puigmal 2900	1 850	2 550	9	14	18	68 04 72 94
Eyne	1 620	2 350	8	15	24	68 04 02 00
Font-Romeu	1 700	2 200	22	45	30	68 30 68 30
Formiguères	1 700	2 380	7	114	17	68 04 47 35
La Llagonne	1 700	1 850	2	2	2	68 04 21 97
Mijanès	1 530	2 060	4	34	8	68 20 41 37
Les Monts d'Olmes	1 400	2 000	13	–	20	61 01 14 14
Pas de la Casa (Andorre)	2 050	2 600	30	10	45	(628) 55 2 92
Plateau de Beille	1 800	2 000	–	65	1	61 02 66 66
Porté-Puymorens	1 615	2 500	–	28	17	68 04 82 16
Prats-de-Mollo/La Preste	1 700	1 850	3	–	4	68 39 70 83
Puyvalador	1 700	2 400	9	10	12	68 04 44 83
Pyrénées 2000	1 700	2 000	9	30	9	68 30 12 42
St-Pierre-Dels Forcats/Cambre d'Aze	1 600	2 400	8	25	12	68 04 21 04
Soldeu-El-Tarter (Andorre)	1 710	2 560	23	12	32	(628) 51 1 44

Escalade

Bureau des guides Pyrénées 2000, à la station Bolquère Pyrénées 2000 (initiatio
et perfectionnement). ☎ 68 30 32 78.
Bureau de la Montagne, Font-Romeu. ☎ 68 30 03 28.
Latitude Sud, Les Angles. ☎ 68 04 39 22.
Vertical Club de Cerdagne, Osséja. ☎ 68 04 52 75.

Deltaplane, parapente

Bar catalan, Prats-de-Mollo. ☎ 68 39 70 20.
Delta Club Aude, 64, rue de la République, Céret. ☎ 68 87 25 54.
Association de parapente du Vallespir, Corsavy. ☎ 68 83 99 11.
« VOLEM », école d'Espouillouse. ☎ 68 04 34 11.
Parapente Évasion, Les Angles. ☎ 68 66 51 31.
Fédération Française de Vol Libre, 4, rue de Suisse, 06000 Nice. ☎ 93 88 62 8

Randonnées pédestres

Elles constituent une des ressources les plus tonifiantes de la montagne. D
nombreux sentiers, jalonnés de refuges, offrent de multiples possibilités au
randonneurs, en particulier, le sentier « des Pyrénées », GR 10, qui traverse la régio
décrite dans cet ouvrage d'Est en Ouest (de Banyuls à Mérens-les-Vals).
Consulter les topo-guides édités par :
– la Fédération Française de la Randonnée pédestre, 64, rue de Gergovi
75014 Paris. ☎ 45 54 31 02. Sentier de Grande Randonnée n° 10 « Pyr
nées » ou GR 10 (4 topo-guides d'Hendaye à Banyuls).
– les Éditions Randonnées pyrénéennes, BP 24, 65420 Ibos. ☎ 62 90 09 32.

Randonnées équestres

La plupart des centres équestres organisent des balades à cheval qui font la jo
des débutants comme des cavaliers confirmés.
Renseignements auprès de :
– l'Association régionale pour le Tourisme équestre et l'Équitation de loisirs e
Languedoc-Roussillon (ATECREL, 14, rue des Logis, Loupian, 34140 Mèze
☎ 67 43 82 50.
– Association régionale de Tourisme équestre de Midi-Pyrénées (ARTEMIP, 17, av
nue Winston-Churchill, 31100 Toulouse). ☎ 61 44 01 45.

Cyclotourisme

Les petites routes, bien revêtues, sans circulation, se prêtent merveilleusement aux randonnées à bicyclette.

Les offices de tourisme et les syndicats d'initiative communiquent les adresses des points de location.

Parmi ceux-ci, certaines gares SNCF (Carcassonne, Moissac, Montauban, Narbonne) proposent pour une durée variable (une 1/2 journée, une journée, plusieurs jours) trois types de bicyclettes : des vélos de type traditionnel, randonneur ou des VTT (vélos « tout terrain »). En fonction de la durée de location, des tarifs dégressifs sont appliqués. Dépliant et carte fournis dans les gares. Sur Minitel : 3615 SNCF (rubrique : services offerts en gare).

Voile

Les ports de plaisance et les stations balnéaires offrent aux estivants les plaisirs de la **voile,** du **ski nautique,** de la **pêche en mer.** S'adresser aux offices de tourisme et syndicats d'initiative des localités concernées.

Renseignements :
- Fédération Française de Voile, 55, avenue Kléber, 75784 Paris Cedex 16. ☎ 45 53 68 00.
- Ligue Languedoc-Roussillon : Maison des Sports, 200, rue du Père-Soulas. ☎ 67 54 62 44, poste 431.
- Comité Départemental de Voile, les Pardalets – 66500 Los Masos. ☎ 68 96 13 93.

Tourisme fluvial

La location de « maisons habitables » (house-boats) aménagées en général pour six à huit personnes permet une approche insolite des sites parcourus sur le canal du Midi et le canal de la Robine. Diverses formules existent : à la journée, au week-end ou à la semaine.

On peut louer des bateaux habitables à Castelnaudary : voir sous cette rubrique dans les Conditions de visite. Autres renseignements auprès des comités régionaux du tourisme.

Avant de partir, il est conseillé de se procurer les cartes nautiques et cartes-guides :
- Éditions GRAFOCARTE, 64, rue des Meuniers, 92220 Bagneux. ☎ 45 36 04 06.
- Éditions du Plaisancier, BP 27, 100, avenue du Général-Leclerc, 69641 Caluire Cedex. ☎ 78 23 31 14.

Sports d'eaux vives

La Garonne, le Tarn, les torrents de montagne et les nombreux étangs ou lacs de barrage se prêtent admirablement à la pratique des sports d'eaux vives, dont le canoë-kayak.

Le **canoë** (d'origine canadienne) se manie avec une pagaie simple. C'est l'embarcation pour la promenade fluviale en famille, à la journée, en rayonnant au départ d'une base ou en randonnée pour la découverte d'une vallée à son rythme.

Le **kayak** (d'origine esquimaude) est utilisé assis et se déplace avec une pagaie double. Les lacs et les parties basses des cours d'eau offrent un vaste choix.

Base de loisirs d'eaux vives :
- base nautique du Piolet à Albi, (Tarn, 83 pli 1).
- base nautique du Saut de Sabo à Arthes, (Tarn, 80 pli 11).
- ASPTT Canoë-kayak à Foix, (Ariège, 86 pli 4).
- Base Eaux Vives à Marquixanes, (Pyrénées-Orientales, 86 pli 18).
- Pyrénées Loisirs Nautisme à Montbel, (Ariège, 86 pli 6).
- Muret Olympique Canoë-kayak à Muret, (Haute-Garonne, 82 pli 17).
- Centre Loisirs-Nature de la Forge à Quillan, (Aude, 86 pli 7).
- Lo Capial à St-Juéry, (Tarn, 83 pli 1).
- Vénerque Eaux-Vives, (Haute-Garonne, 82 pli 18).

Informations générales auprès de la Fédération Française de Canoë-Kayak, 87, quai de la Marne, 94340 Joinville-le-Pont. ☎ 45 11 08 50, ou de la Ligue Midi-Pyrénées de Canoë-Kayak, 16, rue Guillemin-Tarayre, 31000 Toulouse.

Spéléologie

Les amateurs de spéléologie trouvent sur les plateaux ou dans les vallées particulièrement riches en grottes et en cavités de toutes sortes de nombreux clubs avec lesquels ils pourront prendre contact. Trois adresses qui permettront d'allier sport, plaisir et sécurité :
- la Fédération Française de Spéléologie, 130, rue St-Maur, 75011 Paris. ☎ 43 57 56 54.
- l'École Française de Spéléologie, 23, rue de Nuits, 69004 Lyon. ☎ 78 39 43 20.
- le Comité Régional de Spéléologie, Midi-Pyrénées, Hameau de Pinet, 09700 Gaudiès.

Pêche en eau douce

La région pyrénéenne, particulièrement riche en lacs, rivières, torrents (les **gaves** et les **nestes**) aux eaux vives et froides, est le paradis des pêcheurs de truites. Généralement, le cours supérieur des rivières est classé en 1re catégorie, les cours moyen et inférieur en 2e catégorie. De nombreux lacs ont été aménagés en retenue à visiter de préférence au début de l'été avant les prélèvements à destination hydro-électrique), mais le **plateau des Bouillouses** parsemé de nombreux lacs naturels a conservé son caractère sauvage (accès au départ de Font-Romeu et de Mont-Louis).

Quel que soit l'endroit choisi, il convient d'observer la réglementation en vigueur et de prendre contact avec les associations de pêche et de pisciculture, les offices de tourisme ou les représentants des fédérations de pêche.

Documentation courante : la carte-dépliant commentée « Pêche en France », publiée et diffusée par le Conseil Supérieur de la Pêche, 134, avenue Malakoff, 75016 Paris. ☎ 45 02 20 20. On peut également se procurer le document auprès des fédérations départementales de Pêche et de Pisciculture dont les sièges sont situés à Albi, Toulouse, Carcassonne, Perpignan.

Pour la région des Bouillouses, avec sa vingtaine de lacs, s'adresser à l'Office de tourisme de Font-Romeu.

Golf

Les amateurs de ce sport consulteront la carte *Golfs, Les Parcours Français,* établie à partir de la **carte Michelin n° 989** aux Éditions Plein Sud. Cette carte fournit une localisation précise sur l'Hexagone, les adresses et les numéros de téléphone.

Chasse

Les Pyrénées attirent les chasseurs à la recherche de gros gibier. Les amateurs de pièces rares telles que le lagopède et le coq de bruyère sont des passionnés qui fréquentent les hôtels de quelques stations d'altitude.

Plus répandue est la chasse à la palombe en octobre.

Pour toute information concernant la chasse, s'adresser au « Saint-Hubert Club de France », 10, rue de Lisbonne, 75008 Paris, ☎ 45 22 38 90.

ITINÉRAIRES A THÈMES

Routes historiques

Les routes historiques regroupent le patrimoine architectural autour d'un thème historique commun. Huit routes s'inscrivent en partie ou en totalité dans la région couverte dans ce guide : la **Route Gaston Fébus,** la **Route des Comtes de Toulouse,** la **Route du Pastel au pays de cocagne,** la **Route du Gévaudan au Golfe du Lion,** la **Route Historique en Terre catalane : de l'Homme de Tautavel à Picasso,** la **Route Vauban,** la **Route de la Catalogne romane,** la **Via Domitia.**

Chacune d'elles fait l'objet d'une brochure disponible dans les offices de tourisme ou à la Caisse nationale des monuments historiques (CNMHS), 62, rue St-Antoine, 75004 Paris. ☎ 44 61 21 50/51.

La CNMHS délivre, par ailleurs, un laissez-passer permettant d'accéder librement à plus de 100 monuments gérés par elle en France et de bénéficier de la gratuité aux expositions organisées dans les monuments concernés. Ce laissez-passer est valable 1 an sur tout le territoire, à compter de la date d'achat. On peut l'obtenir sur place dans certains monuments ou par correspondance en accompagnant la demande d'un chèque de 250 F libellé à l'ordre de l'Agent comptable de la CNMHS.

Autres itinéraires

Par ailleurs en Catalogne, le Centre d'Art sacré d'Ille-sur-Têt organise pour des groupes d'au moins 10 personnes des « itinéraires baroques » axés sur la découverte d'églises revêtant un grand intérêt artistique *(voir coordonnées sous la rubrique d'Ille-sur-Têt dans le chapitre des Conditions de visite).*

Une route des Châteaux cathares est balisée dans le département de l'Aude et dans les Pyrénées-Orientales, on peut découvrir les agréments de la vallée de la Rome.

Visite des caves

Le vignoble du Roussillon et des Corbières fait l'objet d'itinéraires et de manifestations qui jalonnent l'année du carnaval à la foire de St-Martin.

Le service 3615 AVS 66 (Fédération des Interprofessionnels des vins du Roussillon ainsi que le Syndicat du cru Corbières (BP 111, 11201 Lézignan. ☎ 68 27 04 32) donnent toutes informations à ce sujet.

PRINCIPALES MANIFESTATIONS

dimanche de chaque mois

Montolieu . . . . Marché du livre.

e janvier au dimanche précédant les Rameaux

Limoux . . . . Tous les dimanches carnaval traditionnel, avec trois sorties : à 11 h, 17 h, 21 h. Le dimanche avant les Rameaux, à minuit : jugement de Sa Majesté Carnaval et Nuit de la Blanquette.

évrier

Prats-de-Mollo . . . . Carnaval traditionnel (semaine des congés scolaires). Journée de l'Ours (le dimanche).

endredi saint

Arles-sur-Tech . . . . Procession nocturne des Pénitents noirs.

Collioure . . . . Procession de confréries de Pénitents (à 21 h).

Perpignan . . . . Procession des Pénitents de la Sanch *(p. 123)*.

Dimanche des Rameaux – Dimanche et lundi de Pâques

St-Félix-Lauragais . . . . Foire à la Cocagne (concerts, spectacles de cirque, jongleurs, défilé historique). ☎ *62 18 96 99.*

vril

Toulouse . . . . Printemps des Courges (festival humoristique).

er dimanche après la Pentecôte

Martres-Tolosane . . . . Fête de la Trinité (à 9 h). *Voir p. 101.*

uin

St-Félix-de-Lauragais . . . . Festival Déodat de Séverac.

Mi-juin – mi-juillet

Perpignan . . . . Estivales (Festival de théâtre).

Dernière semaine de juin

Perpignan . . . . Féria de Perpignan (avec Fête des Feux de la Saint-Jean, le 23 juin).

uillet

Carcassonne . . . . Festival (concerts, théâtre, opéra, danse, variétés).

**Perpignan
et Côtes du Roussillon** . . . . . Festival (concerts classiques).

Toulouse . . . . Festival de Musique d'été.

Villerouge-Termenès . . . . Fêtes médiévales (reconstitution de la vie au 14e siècle). ☎ *68 70 06 24.*

uillet-août

Toulouse . . . . Musique d'été (concerts classiques, jazz, folklore).

Mi-juin – mi-septembre

Albi . . . . Visite commentée de la cathédrale illuminée : tous les soirs (sauf les soirées de concert).

week-end de juillet

Céret . . . . « Céret de Toros ». Corridas, courses de vachettes, abrivados, sardanes.

semaine de juillet à fin août

Foix . . . . Les Journées médiévales de Gaston Fébus (défilés en costumes, marché médiéval, concerts).

14 juillet

Carcassonne . . . . Embrasement de la Cité, en soirée.

Cordes . . . . Fête médiévale du Grand Fauconnier (grand défilé historique, bateleurs, cavaliers, animation, spectacle) ☎ *63 56 00 52.*

quinzaine de juillet

Albi . . . . Soirées musicales.

Osséja . . . . Concours international de chiens de bergers. ☎ *68 04 53 86.*

17 et 18 juillet

Prats-de-Mollo . . . . Fête patronale.

3e week-end de juillet
Mirepoix .... Fête médiévale.

Fin juillet/début août
Albi .... Festival de la Musique.
Festival international du Cinéma amate
9,5 mm.

St-Michel-de-Cuxa-Prades ..... Festival Pablo Casals (concerts à l'abbaye).

De fin juillet à mi-août
Cordes-sur-Ciel .... Festival de Musique.

Août
Ax-les-Thermes
les Cabannes (cantons) ..... Pastoralies (grande fête de la montagne).

1er week-end d'août
Gaillac .... Fête des vins.
Banyuls-sur-Mer .... Festival de la Sardane.

Début août
Mirepoix .... Festival de la Marionnette.

1re quinzaine d'août
Amélie-les-Bains .... Festival folklorique international.
Carcassonne .... « Les Médiévales ». Tournoi de chevalerie
spectacle.
Estagel .... Musique, danse, théâtre.
Montauban .... Fête de l'Été : ballets.

Autour du 15 août
Mirepoix .... Fête médiévale.

Avant-dernier dimanche d'août
Céret .... Festival de la Sardane (400 danseurs costumé

Dernier week-end d'août
Bouan (██ Sud du pli 5) ...... Concours national du cheval de Mérens.

Septembre
Perpignan .... Festival Visa pour l'Image (expositions-photo
soirées-projections).
Toulouse .... Piano aux Jacobins.

8 septembre
Méritxell .... (Andorre) Fête nationale de l'Andorre.

3e week-end de septembre
St-Félix-Lauragais .... Marché de potiers. ☎ *62 18 96 99.*

2e quinzaine d'octobre
St-Estève .... Festival international de la caricatur
☎ *68 92 69 94.*

25 décembre
Vals .... « Noël à Vals » (crèche vivante).

Rugby : match Narbonne/Toulon.

CONDITIONS DE VISITE

raison de l'évolution incessante des horaires d'ouverture de la plupart des curiosités
des variations du coût de la vie, les informations ci-dessous ne sont données qu'à
e indicatif et sans engagement.

s renseignements s'appliquent à des touristes voyageant isolément et ne
néficiant pas de réduction. Pour les groupes constitués, il est généralement possible
obtenir des conditions particulières concernant les horaires ou les tarifs, avec un
cord préalable.

rsqu'il nous a été imposssible d'obtenir des informations à jour, les éléments
urant dans l'édition précédente ont été reconduits. Dans ce cas, ils apparaissent
italique.

s édifices religieux ne se visitent pas pendant les offices. Certaines églises et la
part des chapelles sont souvent fermées. Les conditions de visite en sont précisées
l'intérieur présente un intérêt particulier ; dans le cas où la visite ne peut se faire
accompagnée par la personne qui détient la clé, une rétribution ou une offrande
t à prévoir.

ns certaines villes, des visites guidées de la localité dans son ensemble ou limitées
x quartiers historiques sont régulièrement organisées en saison touristique. Cette
ssibilité est mentionnée en tête des conditions de visite pour chaque ville
ncernée.

A

GUZOU

ottes – Visite accompagnée de style sportif sous forme de « safaris spéléologi-
es » (une journée sous terre, de 9 h à 17 h). Téléphoner à l'Office de tourisme
Quillan (☎ 68 20 07 78) ou au conservateur (☎ 68 20 45 38). Les groupes sont
8 à 10 personnes. 200 F comprenant le prêt de l'équipement.

LAN

ncien palais des Évêques – Visite accompagnée du 15 juin au 15 octobre, de
0 h à 12 h et de 14 h à 19 h ; le reste de l'année sur rendez-vous. 20 F.
61 98 72 12.

LBI — 🄘 palais de la Berbie, place St-Cécile - 81000 - ☎ 63 54 22 30

site guidée de la ville – S'adresser à l'Office de tourisme.

athédrale Ste-Cécile – Pour les visites accompagnées, s'adresser à l'Office de
urisme.

œur – Accès : 3 F.

usée Toulouse-Lautrec – Visite tous les jours : du 1er avril au 31 mai, de 10 h
12 h et de 14 h à 18 h ; du 1er juin au 30 septembre, de 9 h à 12 h et de 14 h
18 h ; le reste de l'année, de 10 h à 12 h et de 14 h à 17 h. Fermé le mardi
hiver et les jours fériés. 20 F. ☎ 63 54 14 09. Travaux de réaménagement prévus.

usée Lapérouse – Visite du 1er avril au 30 septembre, de 9 h 30 à 12 h et de
h à 18 h ; le reste de l'année, de 10 h à 12 h et de 14 h à 15 h. Fermé le
ardi. Prix : 15 F. ☎ 63 46 01 87.

usée de Cire – Visite du 1er juin au 31 août, de 10 h à 12 h et de 14 h à 18 h ;
reste de l'année, de 14 h à 17 h. Fermé le lundi et en janvier. 15 F. ☎ 63 54 87 55.

LET-LES-BAINS — 🄘 place de la République - 11580 - ☎ 68 69 92 94

site guidée de la ville – S'adresser à l'Office de tourisme.

ines de la cathédrale – Visite du 15 juin au 15 septembre toute l'année, de 10 h
12 h et de 15 h à 18 h ; le reste de l'année sur demande auprès du Syndicat
nitiative ou de la mairie. Fermées le mardi. 15 F. ☎ 68 69 92 94.

MÉLIE-LES-BAINS-PALALDA — 🄘 quai du 8-Mai - 66110 - ☎ 68 39 01 98

usée de la Poste en Roussillon ; musée des Traditions et Arts populaires – Visite
15 février au 15 décembre, de 10 h à 12 h et de 14 h à 19 h (18 h hors saison).
rmés le mardi. 10 F. ☎ 68 39 34 90.

ANDORRE

🛈 rue Dr-Vilanova – ☎ (628) 20 2

Régime postal – En Andorre coexistent la Poste française et la Poste espagn
Pour la Poste française, il existe un bureau de plein exercice (Andorre-la-Vieille)
7 agences postales (Camillo, Encamp, Pas de la Casa, Soldeu, Ordino, La Massa
et Sant Julia de Loria).

Pour les relations avec la France – S'adresser au bureau de poste français et util
les boîtes aux lettres jaunes de type français. Attention, les timbres français ne s
pas valables : utiliser les timbres-poste andorrans à valeur faciale exprimée en fran
Certaines opérations financières sont possibles au bureau d'Andorre-la-Vieille (Cai
d'Epargne de la Poste, Carte Bleue, Carte 24/24).

Maison des Vallées (Casa de la Vall) – Visite de 10 h à 13 h et de 15 h à 19
Fermée le samedi après-midi et les 1er janvier, 8 septembre, 25 décembre et
jours de réunion du « Conseil général ». ☎ (628) 21 234.

Église Sant Joan de Caselles – Visite accompagnée dans la journée. S'adres
au ☎ (628) 51115.

ANGOUSTRINE

Église – Pour visiter, s'adresser à la mairie.

ARGELÈS-SUR-MER

🛈 place de l'Europe – 66700 – ☎ 68 81 1

Casa de les Albères – Visite de 9 h à 12 h et de 15 h à 18 h. Fermée le sam
après-midi, le dimanche ainsi que quelques jours lors des fêtes de fin d'année. E
☎ 68 81 42 74.

ARLES-SUR-TECH

🛈 rue Barjau – 66150 – ☎ 68 39 1

El Palau Santa Maria – Visite de Pâques à la Toussaint, tous les jours, de 1
à 18 h. 15 F. ☎ 68 83 90 83.

ARQUES

Donjon – Visite du 1er juillet au 31 août, de 10 h à 12 h 30 et de 13 h 30 à 19
le reste de l'année, de 10 h à 12 h 30 et de 15 h à 18 h (18 h 30 le same
19 h le dimanche). Fermé du 2 novembre au 31 mars. 10 F. ☎ 68 69 85

AVIGNONET-LAURAGAIS

Église N.-D.-des-Miracles – *Visite en été de 9 h à 12 h et de 14 h à 18 h. En
de fermeture s'adresser à la Communauté des religieuses.* ☎ 61 81 67 94.

AX-LES-THERMES

🛈 place du Breilh – 09110 – ☎ 61 64 20

Télécabine du Saquet – De juillet à septembre, de 13 h 30 à 17 h ; de décem
à avril, de 9 h à 17 h. 35 F. ☎ 61 64 00 39.

B

BANYULS-SUR-MER

🛈 avenue République – 66650 – ☎ 68 88 31

Aquarium – Visite toute l'année, tous les jours de 9 h à 12 h et de 14 h à 18 h
(22 h en juillet et août). 18 F. ☎ 68 88 73 39.

Caves – S'adresser à l'Office de tourisme pour connaître les adresses et les heu
d'ouverture des caves ouvertes à la visite.

EDEILHAC

...otte – Visite accompagnée (1 h 15), du 1er avril au 9 juillet et en septembre, ...semaine sauf le mardi, à 14 h 30 et 16 h, les dimanches et jours fériés, à 14 h 30, ...h 15, 16 h ; du 10 juillet au 31 août, de 10 h à 17 h 30 ; pendant les vacances ...olaires de Toussaint, Noël, d'hiver et de printemps, à 14 h 30, 15 h 15 et 16 h ...compris le mardi. Fermée les 1er janvier et 25 mai. 35 F. ☎ 61 05 95 06.

...ELESTA

...âteau-musée – Visite libre ou accompagnée, en janvier, février, novembre et ...cembre, du lundi au vendredi ainsi que le dimanche, de 10 h à 12 h et de 14 h ...17 h, le samedi, de 14 h à 17 h ; du 1er mars au 30 juin, en septembre et octobre, ...us les jours, de 10 h à 12 h et de 14 h à 18 h 30 ; en juillet et août, tous les ...urs, de 10 h à 19 h 30. 20 F. ☎ 68 84 55 55.

...LLEGARDE

...rt – Visite libre ou accompagnée (renseignements et inscriptions : Hôtel Le ...mitien, route d'Espagne – 66160 Le Boulou, ☎ 68 83 49 50), de 11 h à 18 h, ...1er juillet au 15 septembre, tous les jours ; le reste de l'année, les samedis et ...manches seulement. 15 F. ☎ 68 83 60 15.

...E BOULOU 🛈 rue des Écoles – ☎ 68 83 36 32

...ermes du Boulou – Chaîne thermale du soleil, R. N. 9 – 66165 Le Boulou Cedex ☎ 68 83 01 17.

...C

...AGNAC-LES-MINES

...usée-mine – Visite accompagnée, en semaine, de 10 h 30 à 12 h 30 et de 14 h 30 ...18 h 30 (17 h 30 du 1er octobre au 31 mai), les dimanches et jours fériés, de ...0 h 30 à 12 h 30 et de 15 h à 18 h (17 h du 1er octobre au 31 mai). Fermé ...s 1er janvier et 25 décembre. 25 F. ☎ 63 36 94 36.

...ANET-PLAGE 🛈 place de la Méditerranée – 66141 – ☎ 68 73 25 20.

...quarium – Visite en juillet et août, tous les jours, de 10 h à 20 h ; le reste de ...nnée, de 10 h à 12 h et de 14 h 30 à 18 h 30. Fermé le mardi sauf en juillet ...août et pendant les vacances scolaires ainsi que les 1er janvier et 25 décembre. ...5 F. ☎ 68 80 49 64.

...usée de l'Auto – Visite en juillet et août, tous les jours, de 10 h 30 à 12 h 30 ...de 14 h 30 à 18 h 30 ; le reste de l'année, de 14 h à 18 h, sauf le mardi. Fermé ...1 janvier et le 25 décembre. 24 F. ☎ 68 73 22 56.

...usée du Bateau – Visite en juillet et août, tous les jours, de 10 h 30 à 12 h 30 ...de 14 h 30 à 18 h 30 ; le reste de l'année, de 14 h à 18 h, sauf le mardi. Fermé ...1 janvier et le 25 décembre. 24 F. ☎ 68 73 12 43.

...usée du Jouet – Visite en juillet et août, tous les jours, de 10 h à 20 h ; ...ste de l'année, de 14 h 30 à 18 h 30, sauf le mardi. Fermé en janvier et le ...5 décembre. 24 F. ☎ 68 73 20 29.

...e CANIGOU

...ccès au sommet – Voir à Vernet-les-Bains et à Prades.

...ARCASSONNE 🛈 boulevard Camille-Pelletan – 11000 – ☎ 68 25 07 04

...hâteau Comtal – Visite durant la saison estivale, sans interruption : de 9 h à 18 h 30 ...n juin et septembre, de 9 h à 19 h 30 en juillet et août ; le reste de l'année, de ...h 30 à 12 h 30 et de 14 h à 18 h ou 17 h suivant la période. Fermé les 1er janvier, ...r mai, 14 juillet, 1er et 11 novembre, 25 décembre. Attention : l'accès aux caisses ...est plus possible 30 mn avant l'heure de fermeture. 26 F. ☎ 68 25 01 66.

...usée des Beaux-Arts – Visite de 10 h à 12 h et de 14 h à 18 h. Fermé le lundi, ...s dimanches et jours fériés, en outre le mardi, du 15 juin au 15 septembre. ...☎ 68 77 73 70.

...ARMAUX 🛈 Hôtel de ville – 81400 – ☎ 63 76 76 67.

...rcuit industriel du Carmausin – Visite accompagnée (3 h – château de la Verrerie, ...ecouverte de Ste-Marie, cité des Homps, musée-mine de Cagnac), tous les jours ...l'année sur rendez-vous. 27 F ; enfants : 16 F. C.E.P.A.C.I.M. château de la Verrerie, ...1400 Carmaux. ☎ 63 36 94 36.

...ASTELNAUDARY 🛈 place République – 11400 – ☎ 68 23 05 73

...avigation de plaisance – Location de bateaux habitables : Société CROWN BLUE ...NE, Le Grand Bassin, 11400 Castelnaudary. ☎ 68 23 17 51.

...usée archéologique du Présidial – Visite du 1er juillet au 15 septembre, en ...emaine, de 10 h à 12 h et de 14 h 30 à 18 h 30, les dimanches et jours fériés, ...e 15 h à 19 h. Fermé le mardi. 15 F. ☎ 68 94 06 61.

...oulin de Cugarel – Visite accompagnée, du 15 juin au 15 septembre, en semaine, ...e 10 h à 12 h et de 15 h à 18 h 30, les dimanches et jours fériés, de 15 h à ...3 h. ☎ 68 23 05 73.

CASTELNOU

Château féodal – Visite, du 1er juin au 31 août, de 10 h à 20 h ; du 1er septemb
au 31 décembre, de 12 h à 17 h ; du 1er février au 31 mai, de 11 h à 19 h. Ferm
en janvier. 28 F. ☎ 68 53 22 91.

LE CAYLA

Musée – Visite accompagnée (1 h 30), du 1er mai au 30 septembre, de 10 h
12 h et de 14 h à 18 h sauf le mardi ; le reste de l'année, l'après-midi seuleme
de 14 h à 18 h, sauf les lundis et mardis. 5 F. ☎ 63 33 90 30.

CAZÈRES

Église – *Fermée le dimanche après-midi.*

CERDAGNE

Le « petit train jaune » – Services réguliers assurés. Renseignements dans les gar
SNCF de la région.

CÉRET   🛈 1, avenue G.-Clemenceau - 66400 - ☎ 68 87 00

Musée d'Art moderne – Visite du 1er juillet au 30 septembre, de 10 h à 19
le reste de l'année, de 10 h à 18 h. Fermé le mardi du 1er novembre au 30 av
et les 1er janvier, 1er mai, 1er novembre et 25 décembre. 35 F. ☎ 68 87 27 7

Les CLUSES

Église St-Nazaire – Ouverte les lundis, mardis, jeudis et vendredis, de 14 h à 17
Visite accompagnée : renseignements et inscriptions : Hôtel Le Domitien, rou
d'Espagne – 66160 Le Boulou, ☎ 68 83 49 50.

COLLIOURE   🛈 place du 18-Juin - 66190 - ☎ 68 82 15

Trésor de l'église Notre-Dame-des-Anges – *De début juillet à fin septembre, vis*
l'après-midi. ☎ 68 82 06 95 (presbytère).

Château Royal – Visite du 1er juin au 30 septembre, de 10 h à 18 h ; le reste
l'année, de 9 h à 17 h. Fermé les 1er janvier, 1er mai, 1er novembre et 25 décemb
20 F. ☎ 68 82 06 43.

CONQUES-SUR-ORBIEL

Église – Pour visiter, s'adresser au presbytère.

CORDES-SUR-CIEL   🛈 Mairie - ☎ 63 56 00 52 et place Bouteillerie (saison) - ☎ 63 56 14

Visite guidée de la ville – S'adresser au Syndicat d'initiative.

Musée Charles-Portal – Visite en juillet et août, de 14 h à 18 h ; de Pâques
30 juin et en septembre et octobre, les dimanches et jours fériés seulement,
14 h à 17 h. Fermé de la Toussaint à Pâques. 10 F. ☎ 63 56 00 52.

Musée de l'Art du sucre – Visite du 1er février au 31 décembre, de 10 h à 12
et de 14 h 30 à 18 h 30. Fermé en janvier. 10 F. ☎ 63 56 02 40.

Musée Yves-Brayer – Visite en juillet et août, tous les jours, de 10 h à 12 h
de 14 h à 18 h ; des Rameaux à fin juin et de septembre à la Toussaint, les dimanch
et jours fériés de 14 h à 18 h ; le reste de l'année, sauf le samedi, sur deman
au secrétariat de la mairie. 5 F. ☎ 63 56 00 40.

Musée de la Broderie cordaise – Visite possible uniquement dans le cadre d
visites organisées par le Syndicat d'initiative.

Musée des Merveilles du monde minéral – Pour connaître les conditions de visi
s'adresser au Syndicat d'initiative.

Église St-Michel – Ouverte, en juillet et août, de 15 h à 17 h ; de Pâques au 30 ju
le dimanche seulement.

Le Palais des Scènes – Pour connaître les conditions de visite, s'adresser au Syndic
d'initiative.

La Capelette – Pour visiter, se conformer aux instructions affichées sur la por

CORNEILLA-DE-CONFLENT

Église Ste-Marie – Visite accompagnée sur demande à M. Pérez. ☎ 68 05 64 6

COUIZA

Château – Aménagé en hostellerie, ne se visite pas. Accès autorisé à la co
intérieure.

E

ELNE   🛈 Mairie - 66200 - ☎ 68 22 17

Cloître, musée d'Histoire et d'Archéologie – Visite en juillet et août, de 9 h
à 18 h 45 ; en juin et septembre, de 9 h 30 à 12 h 15 et de 14 h à 18 h 4
en avril et mai, de 9 h 30 à 12 h 15 et de 14 h à 17 h 45 ; le reste de l'ann
de 9 h 30 à 11 h 45 et de 14 h à 16 h 45. Fermé les 1er janvier, 1er mai
25 décembre. 14 F. ☎ 68 22 70 90.

T OLIVIER

Musée Nostra Terra Occitana – Visite de Pâques au 31 décembre, du lundi au
vendredi, sauf le mercredi, de 15 h à 18 h, les samedis, dimanches et jours fériés,
de 14 h à 18 h. 20 F. ☎ 63 75 72 93.

ESPÉRAZA

Musée des Dinosaures – Visite du 1er juin au 30 septembre, de 10 h à 19 h ; le
reste de l'année, de 10 h à 12 h et de 14 h à 18 h. 21 F. ☎ 68 74 00 75.

Musée de la Chapellerie – Mêmes horaires que pour le musée des Dinosaures.
15 F. ☎ 68 74 00 75.

F

FABREZAN

Musée Charles-Cros – Visite de 9 h à 12 h et de 14 h à 18 h. S'adresser à la
mairie. ☎ 68 43 61 11.

FANJEAUX

Église et trésor – Visite tous les jours, en juillet et août, de 10 h à 12 h et de
14 h à 19 h ; le reste de l'année, le dimanche seulement. ☎ 68 24 70 22
(presbytère).

FOIX **🛈** 45, cours G.-Fauré - 09000 - ☎ 61 65 12 12

Château et musée départemental de l'Ariège – Visite, en juin et septembre, de
9 h 45 à 12 h et de 14 h à 18 h ; en juillet et août, de 9 h 30 à 18 h 30 ; le
reste de l'année, de 10 h 30 à 12 h et de 14 h à 17 h 30. Fermé le 1er janvier,
le 1er lundi de septembre et le 25 décembre. 20 F. ☎ 61 65 56 05.

FONTFROIDE

Abbaye – Visite accompagnée (1 h), tous les jours, du 1er avril au 9 juillet ainsi
qu'en septembre et octobre, de 10 h à 12 h et de 14 h à 17 h 45 ; du 10 juillet
au 31 août, de 9 h 30 à 18 h 30 ; le reste de l'année, de 10 h à 12 h et de 14 h
à 16 h. 31 F. ☎ 68 45 11 08.

FONT-ROMEU **🛈** avenue E.-Brousse - 66120 - ☎ 68 30 68 30

Chapelle de l'ermitage – Visite de la chapelle de début juillet à début septembre,
de 10 h à 12 h et de 15 h à 18 h. La statue de la Vierge est montée d'Odeillo à
l'ermitage le dimanche de la Trinité et revient à Odeillo le 8 septembre dans
l'après-midi.

Gorges de la FOU

Visite du 1er avril au 30 octobre, tous les jours, de 10 h à 18 h. 25 F. ☎ 68 39 16 21.

G

GAILLAC **🛈** place de la Libération - 81600 - ☎ 63 57 14 65

Musée du Compagnonnage, de la Vigne et du Vin – Visite tous les jours, sauf
le mardi, de 14 h à 18 h. ☎ 63 41 03 81.

Musée des Beaux-Arts – Visite, tous les jours, sauf le mardi, de 14 h à 18 h.
☎ 63 57 18 25.

Musée d'Histoire naturelle Philadelphe-Thomas – Visite du 1er avril au 30 septembre, tous les jours, sauf le mardi et le dimanche matin, de 10 h à 12 h et de 14 h
à 18 h ; le reste de l'année, visite uniquement les lundis, jeudis, vendredis et samedis
aux mêmes horaires. ☎ 63 57 36 31.

GASPARETS

Musée de la Faune – Visite tous les jours de 9 h 30 à 12 h et de 14 h à 18 h.
10 F. ☎ 68 27 57 02.

GAUSSAN

Château – Visite (1/2 h), de 10 h à 19 h. ☎ 68 45 16 32.

GINESTAS

Église – Ouverte de 9 h à 12 h.

GRAULHET **🛈** square Foch - 81300 - ☎ 63 34 75 09

Maison des Métiers du cuir – Visite, en juin, de 14 h à 18 h ; du 1er juillet au
31 septembre, de 10 h à 12 h et de 14 h à 19 h ; le reste de l'année, les samedis,
dimanches et jours fériés seulement, de 14 h à 18 h. Fermée du 1er novembre au
28 février. 20 F. ☎ 63 42 16 04.

H – I

HIX

Église – Visite accompagnée. S'adresser à la mairie de Bourg-Madame. ☎ 68 04 52 41.

HOMPS

Cité – Visite uniquement possible dans le cadre des visites du circuit industriel Carmausin. Voir sous cette rubrique.

ILLE-SUR-TÊT
🛈 avenue Pasteur - 66130 - ☎ 68 84 62

Visite guidée de la ville – S'adresser au Centre d'Art sacré.

Centre d'Art sacré – Visite du 1er mai au 30 septembre, de 10 h à 12 h et 16 h à 19 h ; le reste de l'année, de 10 h à 12 h et de 15 h à 18 h. Fermé mardi. 15 F. ☎ 68 84 83 96.

Musée départemental du Sapeur-Pompier – Visite du 15 juin au 15 septembre, de 10 h à 19 h ; le reste de l'année, tous les jours sauf le mardi, de 10 h à 12 et de 14 h à 18 h. 12 F. ☎ 68 84 73 12.

L

LABOUICHE

Rivière souterraine – Visite accompagnée (3/4 h), du 1er avril au 25 mai : du lun au samedi, l'après-midi, de 14 h à 18 h, les dimanches et jours fériés, de 10 h 12 h et de 14 h à 18 h ; du 26 mai au 30 juin et en septembre, tous les jou de 10 h à 12 h et de 14 h à 18 h ; en juillet et août, tous les jours, de 9 h à 18 h ; du 1er octobre au 11 novembre, l'après-midi, de 14 h à 18 h, les dimanch et jours fériés, de 10 h à 12 h et de 14 h à 18 h. Délivrance des billets suspend 3/4 h avant la clôture. 35 F. ☎ 61 65 04 11.

LAGRASSE

Bâtiments abbatiaux et donjon – Visite du 1er avril au 30 septembre, du lundi samedi, de 10 h à 12 h et de 14 h à 18 h 30, le dimanche, de 14 h à 18 h 3 le reste de l'année, de 14 h à 18 h. 20 F. ☎ 68 43 13 97.

Ancien logis abbatial – Visite toute l'année de 10 h à 12 h et de 14 h à 18 sauf le dimanche matin. 15 F. ☎ 68 43 13 97.

LAUTREC
🛈 Mairie - 81440 - ☎ 63 75 90

Centre de Recherches archéologiques – Visite du 15 juin au 15 septembre, to les jours, de 10 h à 12 h et de 15 h à 18 h. 10 F.

LAVAUR
🛈 22 Grande-Rue - 81500 - ☎ 63 58 02

Cathédrale St-Alain – Ouverte normalement à la visite. Pour une visite accompagné s'adresser au Syndicat d'initiative.

LESCURE

Église St-Michel – Pour visiter, s'adresser à la mairie de Lescure. ☎ 63 60 76 7

LÉZIGNAN-CORBIÈRES
🛈 1 square Marcellin-Albert - 11200 - ☎ 68 27 05

Musée de la Vigne et du Vin – Visite tous les jours de 9 h à 19 h. 20 F. ☎ 68 27 07 5

LIMOUX
🛈 promenade Tivoli - 11303 - ☎ 68 31 11

Caves de Crémant et de Blanquette de Limoux – Pour connaître les adresses d viticulteurs qui font visiter leurs caves, s'adresser à l'Office de tourisme.

LISLE-SUR-TARN
🛈 Mairie - 81310 - ☎ 63 33 35

Musée Raymond-Lafage – Visite du 1er mai au 31 octobre, en semaine sauf le mar de 10 h à 12 h et de 14 h à 18 h, les samedis, dimanches et jours fériés, de 14 à 18 h ; le reste de l'année, les jeudis et vendredis seulement, de 10 h à 12 h de 14 h à 18 h. Fermé le mardi et les 1er janvier, 11 novembre et 25 décemb 15 F. ☎ 63 40 45 45.

LOMBRIVES

Grotte – Visite accompagnée de 1 h 30 :
– tous les samedis, dimanches et jours fériés des Rameaux au 11 novembre, to les jours pendant les vacances de Printemps, les mois de juin et septembre : dép du petit train et visite à 10 h, 10 h 45 puis tous les 3/4 h, de 14 h à 17 h 3
– tous les après-midi en semaine en mai : départ du petit train et visite tous l 3/4 h de 14 h à 17 h 30 ;
– tous les jours en juillet et août : départ du petit train et visite, toutes les 20 m de 10 h à 19 h ;
– tous les jours pendant les vacances scolaires (automne, Noël et hiver), visite 15 h. 34 F. ☎ 61 05 98 40.

LOUBENS-LAURAGAIS

Château – Visite de 14 h 30 à 18 h 30 ; en juillet et août, du jeudi au dimanc et les jours fériés ; le dimanche et le lundi de Pâques ; les dimanches et jours féri uniquement, du 1er mai au 30 juin et du 1er septembre au 11 novembre. 25 ☎ 61 83 12 08.

LGRIN

âteau-musée du Pastel – Visite du 1er juillet à fin septembre, tous les jours, de
h à 18 h ; le reste de l'année, les dimanches et jours fériés seulement, aux mêmes
res. 35 F. ☎ 63 70 63 82.

RCEVOL

sociation du Monastir – L'église du prieuré est accessible toute l'année. Pour
s les renseignements sur les activités de cette association, téléphoner au
68 05 24 25.

S-D'AZIL

otte – Visite accompagnée (1 h), en avril et mai, du lundi au samedi, de 14 h
8 h, les dimanches et jours fériés, de 10 h à 12 h et de 14 h à 18 h ; du 1er juin
30 septembre, tous les jours de 10 h à 12 h et de 14 h à 18 h ; en mars, octobre
novembre, les dimanches et jours fériés, de 10 h à 12 h et de 14 h à 18 h.
et jumelé grotte et musée : 18 F. ☎ 61 69 97 71.

sée de la Préhistoire – Mêmes horaires de visite que ceux de la grotte. Billet
elé musée et grotte : 18 F ; musée seul : 7 F. ☎ 61 69 97 22.

S-PALÉGRY

sée d'aviation – Visite du 15 juin au 15 septembre, tous les jours sauf le
anche matin et le lundi matin, de 10 h à 12 h et de 15 h à 19 h ; le reste
l'année, les mercredis, samedis et dimanches de 14 h à 18 h. 15 F.
68 54 08 79.

UREILLAS-LAS-ILLAS

sée du Liège – Visite libre ou accompagnée (renseignements et inscriptions :
tel Le Domitien, route d'Espagne – 66160 Le Boulou, ☎ 68 83 49 50) du 15 juin
15 septembre, de 10 h 30 à 12 h et de 15 h 30 à 19 h ; le reste de l'année,
14 h à 17 h, sauf le mardi. Fermé les 1er janvier, 1er mai, 1er novembre et
décembre. 10 F. ☎ 68 83 06 28.

URIAC

âteau – Visite du 1er janvier au 30 avril, les dimanches et jours fériés seulement,
15 h à 18 h ; du 1er mai au 30 septembre, tous les jours, de 15 h à 18 h ; du
octobre au 31 décembre, les samedis, dimanches et jours fériés, de 15 h à 18 h.
F. ☎ 63 41 71 18.

ISSAC　　　　　　　　　　　　🛈 place Durand-de-Bredon - 82200 - ☎ 63 04 01 85

oître – Visite du 16 mars au 30 juin et du 16 septembre au 15 octobre, de 9 h
12 h et de 14 h à 18 h ; en juillet et août, de 9 h à 19 h ; le reste de l'année,
9 h à 12 h et de 14 h à 17 h. Fermé les 1er janvier et 25 décembre. 19 F.
63 04 05 73.

sée moissagais – Visite du 1er avril au 30 juin et du 1er septembre au 31 octobre,
9 h à 12 h et de 14 h à 18 h ; en juillet et août, de 9 h à 12 h et de 14 h
17 h ; le reste de l'année, de 9 h à 12 h et de 14 h à 17 h. Fermé le mardi,
dimanche matin, les 1er janvier et 25 décembre ainsi que de décembre à mi-janvier.
F. ☎ 63 04 03 08.

ONESTIÈS

apelle St-Jacques – Visite accompagnée, tous les jours, de 9 h à 12 h et de
h à 18 h.

ONTAUBAN　　　　　　　　　　🛈 ancien collège, place Prax - 82000 - ☎ 63 63 60 60

usée Ingres – Visite du dimanche des Rameaux au 30 juin et du 1er septembre
2e dimanche d'octobre, de 10 h à 12 h et de 14 h à 18 h ; en juillet et août,
9 h 30 à 12 h et de 13 h 30 à 18 h ; le reste de l'année, visite aux mêmes
raires sauf le lundi, le dimanche matin et les jours fériés. Fermé le lundi sauf en
llet et août, en outre le dimanche matin, du 2e dimanche d'octobre au dimanche
s Rameaux. 15 F. Billet forfaitaire pour les trois musées de la ville. ☎ 63 22 12 92.

usée du Terroir – Visite de 10 h à 12 h et de 14 h à 18 h. Fermé le lundi, le
manche et les jours fériés. Billet forfaitaire pour les trois musées de la ville : 15 F.
63 66 46 34.

usée d'Histoire naturelle et de Préhistoire – Visite de 10 h à 12 h et de 14 h
18 h. Fermé le lundi, le dimanche matin et les jours fériés. 8 F. Billet forfaitaire
ur les trois musées de la ville : 15 F. ☎ 63 63 10 45.

ONTGEARD

lise – Ouverte l'après-midi.

ONTGEY

hâteau – Visite des terrasses et de la cour, l'après-midi des samedis et dimanches.
site de l'intérieur uniquement pour les groupes sur rendez-vous. ☎ 63 59 18 29.

🛈 rue du Marché - 66210 - ☎ 68 04 21

Four solaire – Visite accompagnée (1/4 h), du 1er juin au 15 septembre, de 10
à 13 h et de 14 h à 18 h ; le reste de l'année, de 9 h à 13 h et de 14 h à 17
Fermé le mercredi en dehors des vacances scolaires et éventuellement d
15 novembre au 15 décembre. 25 F. ☎ 68 04 14 89.

MONTSÉGUR

Château – Visite libre ou accompagnée, du 1er avril au 30 octobre, de 9 h à 19
le reste de l'année, le week-end, les jours fériés et durant les vacances scolair
sur rendez-vous. 15 F (billet commun château et musée), ☎ 61 01 10 27 (mairi
☎ 61 03 03 03 (Office de tourisme), ☎ 61 01 06 94 (guide).

Musée archéologique – Visite du 1er mars au 30 novembre, de 10 h à 13 h
de 14 h à 19 h. Fermé en janvier, février et décembre. 15 F (billet commun mus
et château). Pour les numéros de téléphone, voir ci-dessus.

N

🛈 place Roger-Salengro - 11100 - ☎ 68 65 15

Visite guidée de la ville – Renseignements, réservations, Ville de Narbonn
Service Culture Communication, B.P. 823 – 11108 Narbonne Cede
☎ 68 90 30 66.

Cathédrale St-Just – Ouverte en semaine, de 9 h à 11 h 50 et de 14 h à 18
Pas de visite le dimanche matin. Visite accompagnée dans le cadre des visit
commentées du Palais des Archevêques : voir ci-dessous.

Terrasses et tour Nord – Visite accompagnée, du 15 juin au 15 septembre, de 9 h 3
à 17 h 30.

Trésor – Visite accompagnée (1 h) du 15 juin au 15 octobre tous les jou
sauf les dimanches et jours fériés de 9 h à 12 h et 14 h à 18 h. 8
☎ 68 32 09 52.

Palais des Archevêques – Visite accompagnée du 15 juin au 30 septembre, to
les jours à 10 h, 14 h et 16 h ; le reste de l'année sur demande pour des group
de 5 personnes minimum. Départ de l'accueil de l'hôtel de ville (salle d
rez-de-chaussée du donjon Gilles-Aycelin). 25 F.
Renseignements auprès du Service Culture Communication, B.P. 823 – 1110
Narbonne Cedex (☎ 68 90 30 66 – Fax 68 90 30 32).

Salle au Pilier – Visite accompagnée sur demande préalable auprès du Servi
Culture Communication. ☎ 68 90 30 66.

Musée archéologique, musée d'Art et d'Histoire, horreum – Visite, tous l
jours, du 2 mai au 30 septembre, de 9 h 30 à 12 h 15 et de 14 h à 18 h
le reste de l'année, de 10 h à 12 h et de 14 h à 17 h. Fermé le lundi hors sais
et les 1er janvier, 1er mai, 14 juillet, 1er novembre et 25 décembre. 10
☎ 68 90 30 30.

Donjon Gilles-Aycelin – Visite accompagnée sur demande préalable auprès d
Services techniques de la ville. ☎ 68 90 30 66.

Crypte de la basilique St-Paul-Serge – S'adresser au gardien, du lundi
jeudi ainsi que le samedi matin, de 9 h à 12 h, le vendredi de 14 h à 18 h
en dehors de ces horaires, s'adresser au Service Culture Communicatio
☎ 68 90 30 66.

Musée lapidaire – Visite en juillet et août, tous les jours de 9 h 30 à 12 h 15
de 14 h à 18 h. 10 F. ☎ 68 90 30 30.

Église St-Sébastien – Ouverte uniquement à l'heure des offices, le samedi soir
le dimanche matin. ☎ 68 32 09 52.

NIAUX

Grotte – Le nombre de visiteurs admis dans la grotte étant limité à 20 par jou
il est indispensable de réserver le plus tôt possible. En été, il faut même prév
de s'annoncer au moins 5 jours à l'avance.
Visite accompagnée (durée de la visite : environ 1 h 1/4) ; du 1er janvier d
30 juin, à 11 h, 15 h et 16 h 30 ; du 1er juillet au 8 septembre, de 8 h 30
11 h 30 et de 13 h 30 à 17 h 15 (11 visites, départs tous les 3/4 h) ; c
9 septembre au 30 septembre, de 10 h à 11 h 30 et de 13 h 30 à 17 h 1
(9 visites tous les 3/4 h) ; du 1er octobre au 31 décembre, à 11 h, 15 h
16 h 30. 40 F. Fermée les 1er janvier et 25 décembre. 40 F ; enfants : 20
☎ 61 05 88 37.

NOTRE-DAME-DE-LA-DRÈCHE

Musée-sacristie – Visite toute l'année. ☎ 63 56 20 08.

NOTRE-DAME-DE-LAVAL

Ancien ermitage – Pour visiter, s'adresser à la mairie de Caudiès. ☎ 68 59 92 2

ODEILLO

Four solaire – Visite du hall d'exposition (panneaux explicatifs, maquettes, projection vidéo) : tous les jours, en juillet et août, de 10 h à 12 h 30 et de 13 h 30 à 19 h 30 ; le reste de l'année, de 10 h à 12 h 30 et de 13 h 30 à 17 h 30. Fermé du 15 novembre au 15 décembre ainsi que les 1er janvier et 25 décembre. 25 F. ☎ 68 30 77 86.

P

PERPIGNAN
Palais des Congrès, pl. A.-Lanoux - 66000 - ☎ 68 66 30 30

Visite guidée du vieux Perpignan – S'adresser à l'Office de tourisme (durée : 2 h).

Palais des rois de Majorque – Visite du 1er juin au 30 septembre, de 10 h à 18 h ; le reste de l'année, de 9 h à 17 h. Fermé les 1er janvier, 1er mai, 1er novembre et 25 décembre. 20 F. ☎ 68 34 48 29.

Musée Hyacinthe-Rigaud – Visite du 16 juin au 15 septembre, de 9 h 30 à 12 h et de 14 h 30 à 19 h ; le reste de l'année, de 9 h à 12 h et de 14 h à 18 h. Fermé le mardi, le 1er janvier, le jeudi de l'Ascension, le 15 août, le 1er novembre et le 25 décembre. ☎ 68 35 43 40.

Hôtel de ville – Visite du lundi au jeudi de 8 h à 12 h et 14 h à 18 h ; le vendredi : de 8 h à 12 h et de 14 h à 17 h. Fermé le samedi après-midi, les dimanches et jours fériés.

Campo Santo – Visite du 1er avril au 15 novembre, de 8 h 30 à 12 h et de 14 h à 17 h 30 ; le reste de l'année, visite uniquement pendant les congés scolaires, de 10 h à 12 h et de 13 h 30 à 16 h. Fermé les samedis, dimanches ainsi que les 1er janvier, 1er mai, 1er novembre et 25 décembre. 5 F.

Casa Pairal – Visite du 15 juin au 15 septembre, de 9 h 30 à 12 h et de 14 h 30 à 19 h (18 h les dimanches et jours fériés) ; le reste de l'année, de 9 h à 12 h et de 14 h à 18 h (17 h les dimanches et jours fériés). Fermé le mardi ainsi que la plupart des jours fériés. ☎ 68 35 42 05.

Église St-Jacques – Se reporter aux indications apposées sur la porte.

Musée numismatique Joseph-Puig – Visite de 8 h 15 à 12 h et de 14 h à 18 h. Fermé les lundis, dimanches et jours fériés. ☎ 68 34 11 70.

Centre d'artisanat d'art Sant Vicens – Visite de 9 h à 12 h et de 14 h à 19 h. ☎ 68 50 02 18.

PEYREPERTUSE

Château – Visite du 1er avril au 11 novembre, de 10 h à 19 h ; le reste de l'année, pendant les congés scolaires de Noël et d'hiver, de 10 h à 18 h. Se munir de bonnes chaussures. 10 F. ☎ 68 45 40 55.

PEYRIAC-DE-MER

Musée archéologique – S'adresser à la mairie. ☎ 68 41 62 09.

PLANÈS

Église – *Pour visiter, s'adresser à Mme Allies, 1re maison à gauche en arrivant à Planès.*

PORT-BARCARÈS
Front de mer - 66420 - ☎ 68 86 16 56

Paquebot le « Lydia » – Visite du 1er juin au 30 septembre tous les jours, de 9 h à 22 h ; le reste de l'année, les week-ends seulement. Pour les tarifs, se renseigner au ☎ 68 86 07 13.

PORT-LAURAGAIS

Centre Pierre-Paul-Riquet – Visite du 15 mai au 15 septembre, de 9 h à 20 h ; le reste de l'année, de 10 h à 18 h. ☎ 61 27 14 63.

PORT-VENDRES
quai P.-Forgas - 66660 - ☎ 68 82 07 54

PRADES
rue Victor-Hugo - 66500 - ☎ 68 96 27 58

Accès au Canigou – S'adresser à M. Almaric, ☎ 68 96 26 47, M. Le Bohec, ☎ 68 05 20 48, ou M. Meneux (à Marquixanes), ☎ 68 05 21 28.

PRATS-DE-MOLLO
place Le Foiral - 66230 - ☎ 68 39 70 83

QUILAURENS

Château – Visite de 9 h à 19 h. Fermé en janvier, février et décembre. 10 F. ☎ 68 20 52 07 (mairie).

PUIVERT

Château – Visite du 1er avril au 30 septembre, de 9 h à 19 h ; le reste de l'année de 9 h à 18 h. 25 F, billet couplé avec la visite du musée. ☎ 68 69 21 94.

Musée du Quercorb – Visite du 1er mai au 31 août, de 10 h à 20 h ; en septembre de 10 h à 19 h ; le reste de l'année, de 11 h à 18 h, uniquement les week-end et durant la période de vacances scolaires. 25 F, billet couplé avec la visite du château. ☎ 68 69 21 94.

Q

QUÉRIBUS

Château – Visite de 10 h à 18 h. Fermé du 15 novembre au 31 mars. 10 F ; prix augmenté en cas de spectacle couplé avec la visite. ☎ 68 45 43 08.

R

RENNES-LE-CHÂTEAU

Musée – Visite du 1er avril au 31 octobre, de 10 h à 13 h et de 14 h à 19 h ; le reste de l'année, en semaine sauf les lundis et mardis, de 14 h à 17 h, les dimanches et jours fériés, de 10 h à 12 h et de 14 h à 17 h. 15 F. ☎ 68 74 14 56.

RIEUX

🄴 Mairie - 31310 - ☎ 61 87 63 3

Cathédrale – Visite de 10 h à 12 h et de 15 h à 19 h (sauf dimanches et lundi matin).

Sacristie des chanoines – Visite tous les jours du 1er juin au 30 septembre (sau dimanches et lundis matin) de 10 h à 12 h et 15 h à 18 h.

Ancien palais épiscopal – On ne visite pas. Accès à la cour d'honneur seulemen

RIVESALTES

Musée du Maréchal-Joffre – Visite de 8 h à 12 h et de 14 h à 18 h, tous les jours en été ; du lundi au vendredi seulement en hiver. 10 F. ☎ 68 64 24 98.

ROME

Vallée – Des visites accompagnées sont organisées au départ du Boulou par l'Association pour le patrimoine de la vallée de la Rome. Elles font découvrir, entre autres, le musée du Liège à Maureillas-las-Illas, la chapelle St-Martin-de-Fenolla les sites des Cluses, le fort de Bellegarde et le site archéologique de Panissars Renseignements et inscriptions : Hôtel Le Domitien, route d'Espagne – 66160 Le Boulou. ☎ 68 83 49 50.

ROQUEVIDAL

Château – On peut faire le tour extérieur du château. Pour visiter, demander au propriétaire. ☎ 63 41 32 32.

S

ST-ANDRÉ

Église – Ouverte de 9 h à 11 h.

ST-GÉNIS-DES-FONTAINES

Cloître – Visite du 16 juin au 16 septembre, de 9 h 30 à 12 h 30 et de 14 h à 18 h 30 ; le reste de l'année, de 10 h à 12 h et de 14 h à 17 h. Fermé le mard les 1er janvier et 25 décembre. 10 F. ☎ 68 89 84 33.

ST-LAURENT-DE-CERDANS

Musée – Visite de 10 h à 12 h et de 15 h à 19 h. Fermé du 1er octobre au 30 avr et le mardi sauf en juillet et août. 10 F. ☎ 68 39 58 45.

ST-LIEUX-LÈS-LAVAUR

Promenade en train touristique à vapeur – Il fonctionne de 14 h 30 à 18 h 30 les samedis, dimanches et lundis du 14 juillet au 31 août ; aux mêmes heures mai les dimanches et jours fériés de Pâques à fin octobre. 22 F. ☎ 61 47 44 52.

ST-MARTIN-DE-FENOLLAR

Chapelle – Visite libre ou accompagnée (renseignements et inscriptions : Hôte Le Domitien, route d'Espagne – 66160 Le Boulou, ☎ 68 83 49 50), du 1er mai au 30 septembre, de 10 h 30 à 12 h et de 15 h à 17 h 30 ; le reste de l'année, de 15 h à 17 h. Fermé le mardi en saison. ☎ 68 83 48 00.

ST-MARTIN-DU-CANIGOU

La route d'accès est interdite aux véhicules. L'accès à l'abbaye se fait uniquement en jeep. Garage Villacèque à Vernet-les-Bains. ☎ 68 05 51 14 (possibilité de prendre des passagers au parking de Casteil si arrangement téléphonique préalable).

Abbaye – Visite guidée (3/4 h), du 15 juin au 14 septembre : en semaine, à 10 h, 11 h 45, 14 h, 15 h, 16 h, 17 h, le dimanche à 10 h, 12 h, 14 h, 15 h, 16 h, 17 h ; le reste de l'année : en semaine à 10 h, 11 h 45, 14 h 30, 15 h 30, 16 h 30, le dimanche à 10 h, 12 h, 14 h 30, 15 h 30, 16 h 30. Fermée le mardi du 15 octobre à Pâques. 15 F. ☎ 68 05 50 03.

ST-MICHEL-DE-CUXA

Abbaye – Visite libre ou accompagnée, de 9 h 30 à 12 h et de 14 h à 18 h (17 h du 1er octobre au 30 avril). Fermée le dimanche matin. 14 F. ☎ 68 96 15 35.

ST-MICHEL-DE-LESCURE

Église – Hors saison s'adresser à la mairie de Lescure, du lundi au vendredi ainsi que le samedi matin aux heures de bureau. ☎ 63 60 76 73.

ST-PAPOUL

Abbaye – Le cloître est accessible toute l'année, tous les jours de 7 h à 19 h. L'ancienne abbatiale est ouverte de début avril à la Toussaint, tous les jours de 9 h 30 à 12 h. ☎ 68 94 90 92.

SALLÈLES-D'AUDE

Amphoralis – musée des Potiers gallo-romains – Visite du 1er juillet au 30 septembre, tous les jours, de 10 h à 12 h et de 15 h à 19 h (nocturne le vendredi de 21 à 24 h sur demande) ; le reste de l'année, du mardi au vendredi, de 14 h à 18 h, les samedis, dimanches et jours fériés, de 10 h à 12 h et de 14 h à 18 h. Fermé le lundi hors saison et les 1er janvier, 1er mai et 25 décembre. 20 F. ☎ 68 46 89 48.

SALSES

Fort – Visite du 1er janvier au 31 mars et du 2 novembre au 31 décembre, de 10 h à 12 h et de 14 h à 17 h, en avril, mai et octobre, de 9 h 30 à 12 h 30 et de 14 h à 18 h ; en juin et septembre, de 9 h 30 à 18 h 30 ; en juillet et août, de 9 h à 19 h. Fermé les 1er janvier, 1er mai, 1er, 11 novembre et 25 décembre. 26 F. ☎ 68 38 60 13.

SERRABONE

Prieuré – Visite tous les jours sauf les jours fériés, de 10 h à 18 h. 10 F. ☎ 68 84 09 30.

SIGEAN

Réserve africaine – Visite toute l'année, tous les jours de 9 h à 18 h 30 (16 h en hiver). 75 F. ☎ 68 48 20 20.

LE SOMAIL

Musée de la Chapellerie – Visite de 9 h à 12 h et de 14 h à 19 h (20 h en été). 20 F. ☎ 68 46 19 26.

T

TARASCON-SUR-ARIÈGE　　　　　　🛈 B.P. 33 - 09400 - ☎ 61 05 81 30

Parc pyrénéen de la Préhistoire – Visite en juillet et août, de 10 h à 19 h. 50 F ; enfants : 30 F. ☎ 61 05 19 19.

TAUTAVEL

Musée de Tautavel – Centre européen de la Préhistoire – Visite du 1er avril au 10 juillet et en septembre et octobre, de 10 h à 12 h 30 et de 14 h à 18 h 30 ; du 11 juillet au 31 août, de 9 h 30 à 20 h 30 ; le reste de l'année, du lundi au samedi, de 14 h à 17 h 30, les dimanches et jours fériés, de 10 h à 12 h 30 et de 14 h à 17 h 30. Délivrance des billets suspendue 3/4 h avant la fermeture. Des récepteurs individuels sont remis aux visiteurs. 30 F ; 16 F (enfants de 7 à 14 ans). ☎ 68 29 07 76.

TERMES

Château – *Ouvert en juillet et août. 10 F.* ☎ *68 70 03 42.*

THUIR

Caves Byrrh – Visite accompagnée (3/4 h), du 1er avril au 30 juin, de 9 h à 11 h 45 et de 14 h à 17 h 45 ; en juillet et août, de 10 h à 11 h 45 et de 14 h à 18 h 45 ; en septembre et octobre, de 9 h à 11 h 45 et de 14 h 30 à 17 h 45 ; le reste de l'année, sur rendez-vous. Fermé le dimanche d'avril à juin (ainsi que le 1er mai) et en septembre et octobre ; en outre le samedi en septembre et octobre. ☎ 68 53 05 42.

Toulouse – Le Capitole.

TOULOUSE

🏛 donjon du Capitole – 31080 Cedex – ☎ 61 11 02 22

Musées de Toulouse – Concernant le musée St-Raymond, les Jacobins, le musée des Augustins, le musée Paul-Dupuy, le musée d'Histoire naturelle et le musée Georges-Labit, il existe un passeport à 20 F donnant accès à 3 musées, et un autre à 30 F donnant accès aux 6 musées.

Visite guidée de la ville – S'adresser à l'Office de tourisme.

Usine Clément-Ader – Visite toute l'année, du lundi au samedi. Durée : 1 h 30. Réservation obligatoire par courrier ou par téléphone 48 h à l'avance pour les ressortissants français, 4 jours pour les ressortissants de nationalité étrangère en donnant le numéro de passeport. Le jour de la visite, les visiteurs doivent être impérativement munis de leur pièce d'identité. 55 F. Taxiway, Aérospatiale C0601 316, route de Bayonne, 31060 Toulouse Cedex 03. ☎ 61 15 44 00.

Musée St-Raymond – Visite toute l'année sauf les jours fériés, de 10 h à 18 h (17 h du 1er octobre au 31 mai). 10 F. ☎ 61 22 21 85.

Ancienne chapelle des Carmélites – Visite du 1er juin au 31 octobre, sauf les lundis et mardis. ☎ 61 29 21 45 (Direction régionale des Affaires culturelles de Midi-Pyrénées).

Les Jacobins – Visite, du 1er juillet au 15 septembre, du lundi au samedi, de 10 h à 18 h 30, les dimanches et jours fériés, de 14 h 30 à 18 h 30 ; le reste de l'année, du lundi au samedi, de 10 h à 12 h et de 14 h 30 à 18 h, les dimanches et jours fériés, de 14 h 30 à 18 h. 10 F. ☎ 61 22 21 92.

Hôtel de Bernuy – Pas d'accès, les samedis, dimanches et jours fériés.

Capitole – Visite du lundi au vendredi, de 8 h 30 à 17 h, les jours fériés, de 10 h à 18 h. ☎ 61 22 34 12.

Musée du Vieux-Toulouse – Visite de 15 h à 18 h tous les jours sauf les dimanches et jours fériés, du 1er juin au 30 septembre ; en avril, mai et octobre, le jeudi uniquement aux mêmes heures. Fermé du 1er novembre au 31 mars. 10 F.

Hôtel d'Assézat – Pas d'accès à la cour pendant les travaux de restauration.

Musée des Augustins – Visite du 1er juin au 30 septembre, de 10 h à 18 h (17 h le reste de l'année). Nocturne tous les mercredis jusqu'à 21 h. Fermé le mardi. 10 F. ☎ 61 22 21 82.

Musée Paul-Dupuy – Visite du 1er juin au 30 septembre, de 10 h à 18 h ; le reste de l'année, de 10 h à 17 h. Fermé le mardi matin et les jours fériés. 10 F. ☎ 61 22 21 75.

Muséum d'Histoire naturelle – Visite, du 1er juin au 30 septembre, de 10 h à 18 h, le reste de l'année, de 10 h à 17 h. Fermé le mardi et les jours fériés. 10 F. ☎ 61 52 00 14.

Monument de la Résistance – Visite toute l'année, tous les jours sauf samedis, dimanches et jours fériés, de 10 h à 12 h et de 14 h à 17 h.

Musée Georges-Labit – Visite du 1er juin au 30 septembre, de 10 h à 18 h ; le reste de l'année, de 10 h à 17 h. Fermé le mardi matin et les jours fériés. 10 F. ☎ 61 22 21 75/83.

Galerie du Château d'eau – Visite toute l'année, sauf le mardi et les jours fériés, de 13 h à 19 h. 10 F. ☎ 61 42 61 72.

MOUNS

rrière – Visite accompagnée pendant les vacances scolaires d'été, à 10 h, 11 h, h, 15 h et 16 h ; en avant-saison (de mi-mai à début juillet et de début septembre ni-octobre), visite à 16 h seulement. 25 F. ☎ 61 64 60 60 (Office de tourisme s vallées d'Ax).

ites annulées en cas de mauvais temps.

CHE

otte – Se renseigner au ☎ 61 05 95 06 ou au syndicat d'initiative de rascon-sur-Ariège, ☎ 61 05 89 30.

LS

usée archéologique – Visite du 1er juin au 15 septembre de 15 h à 18 h. Rétribution uhaitée. ☎ 61 68 61 19.

RNET-LES-BAINS 🛈 place de la Mairie - 66820 - ☎ 68 05 55 35

lise St-Saturnin – Visite accompagnée en été. S'adresser à l'Office de tourisme.

ccès au Canigou – S'adresser au garage Villacèque, ☎ 68 05 51 14, aux taxis la gare, ☎ 68 05 62 28, aux Transports Taurigna, ☎ 68 05 54 39.

RRERIE

âteau – Visite de 14 h à 18 h. Fermé les samedis, dimanches et jours fériés. F. ☎ 63 36 94 36.

LLEFRANCHE-DE-CONFLENT 🛈 place de l'Église (saison) - 66500 - ☎ 68 96 22 96

site guidée de la ville – S'adresser à l'Association culturelle, rue St-Jean. 68 96 25 64 (durée : 1 h 30).

emparts – Visite libre en juin, octobre et durant les vacances scolaires autres que lles d'été, de 10 h à 12 h et de 14 h à 18 h ; du 1er juillet au 30 septembre, 10 h à 12 h 30 et de 14 h à 19 h 30 ; le reste de l'année, de 14 h à 17 h. site accompagnée en juillet et août, tous les jours à 15 h (durée : 1 h). 68 96 22 96.

ort Liberia – Accès par l'escalier des « mille marches » ou par véhicules 4 x 4, épart à l'intérieur des remparts, à droite de la Porte de France. Visite libre ou ccompagnée, du 1er juin au 30 septembre, de 9 h à 19 h ; le reste de l'année, 10 h à 18 h. 28 F. ☎ 68 96 34 01.

rotte des Canalettes – Visite du dimanche des Rameaux au 11 novembre, tous s jours, de 10 h à 18 h (de 9 h à 18 h 30 en juillet et août). 27 F. ☎ 68 05 20 76.

rotte des Grandes Canalettes – Visite de Pâques au 30 juin et du 1er septembre la Toussaint, de 10 h à 12 h et de 14 h à 18 h 30 ; en juillet et août, de 10 h 18 h 30 ; le reste de l'année, uniquement le dimanche et durant les vacances colaires, de 14 h à 17 h. Fermée les 1er janvier et 25 décembre. 30 F. 68 96 23 11.

ova Bastera – Visite du 1er avril au 30 septembre, de 10 h à 12 h et de 14 h 19 h. 17 F. ☎ 68 05 20 75.

ILLEROUGE-TERMENÈS

hâteau – Visite du 1er juin au 1er octobre, de 10 h à 12 h et de 14 h à 19 h. 0 F. ☎ 68 70 06 24.

INDRAC

Musée de l'Outil et des Métiers anciens – Visite tous les jours, du 1er mars au 0 novembre, de 14 h à 19 h ; le reste de l'année, le dimanche seulement, de 14 h 18 h. 15 F. ☎ 63 56 02 17.

INDEX

Aguilar .... Villes, curiosités et régions touristiques.
Arago (François) .... Noms historiques et termes faisant l'objet d'un explication.

Les curiosités isolées (abbayes, barrages, cascades, châteaux, grottes, pics, vallées.
sont répertoriées à leur nom propre.

NOTES

MANUFACTURE FRANÇAISE DES PNEUMATIQUES MICHELIN

Société en commandite par actions au capital de 2 000 000 000 de francs

Place des Carmes-Déchaux – 63 Clermont-Ferrand (France)

R.C.S. Clermont-Fd B 855 200 507

© Michelin et Cie, Propriétaires-Éditeurs 1994

Dépôt légal Août 94 – ISBN 2-06-036804-9 – ISSN 0293-9436

Printed in the EC – 07-94-90

Photocomposition-Impression : MAURY Imprimeur S.A., Malesherbes
Brochage : KAPP LAHURE JOMBART, Évreux

989

France
Francia

1/1000 000 – 1 cm : 10 km

CARTE ROUTIÈRE ET T...

MICHEL...

911

France
Grands Itinéraires
Temps de Parcours
Itinéraires de dégagement
Prévisions de circulation

1/1 000 000 - 1 cm : 10 km

MICHELIN